古典文獻研究輯刊

十一編

曾永義 主編

第20冊

《鼓掌絕塵》研究

林宜青 著

晚清婦女問題小說《黃繡球》研究

劉怡廷 著

《輪迴醒世》之研究

張凱特 著

國家圖書館出版品預行編目資料

《鼓掌絕塵》研究　林宜青　著／晚清婦女問題小說《黃繡球》
研究　劉怡廷　著／《輪迴醒世》之研究　張凱特　著 ― 初版
― 新北市：花木蘭文化出版社，2015〔民 104〕
序 2+ 目 2+104 面／目 2+74 面／序 2+ 目 2+104 面；19×26 公分
（古典文學研究輯刊　十一編；第 20 冊）
ISBN：978-986-404-126-8 ／ 978-986-404-127-5 ／
　　　978-986-404-128-2
1. 明清小說　2. 文學評論／1. 晚清小說　2. 文學評論／
1. 公案小說　2. 文學評論
820.8　　　　　　　103027553 ／ 103027554 ／ 103027555

ISBN-978-986-404-126-8　　ISBN-978-986-404-127-5　　ISBN-978-986-404-128-2

9 789864 041268　　9 789864 041275　　9 789864 041282

古典文學研究輯刊
十一編　第二十冊　　ISBN：978-986-404-126-8 ／ 978-986-404-127-5 ／
　　　　　　　　　　　　978-986-404-128-2

《鼓掌絕塵》研究
晚清婦女問題小說《黃繡球》研究
《輪迴醒世》之研究

作　　　者　林宜青／劉怡廷／張凱特
主　　　編　曾永義
總 編 輯　杜潔祥
副總編輯　楊嘉樂
編　　　輯　許郁翎
出　　　版　花木蘭文化出版社
社　　　長　高小娟
聯絡地址　235 新北市中和區中安街七二號十三樓
　　　　　　電話：02-2923-1455 ／傳眞：02-2923-1452
網　　　址　http://www.huamulan.tw 信箱 hml810518@gmail.com
印　　　刷　普羅文化出版廣告事業
初　　　版　2015 年 3 月
定　　　價　十一編 29 冊（精裝）新台幣 52,000 元　　　　版權所有‧請勿翻印

《鼓掌絕塵》研究

林宜青　著

作者簡介

　　林宜青，台中人，先後就讀淡江中文系、東海中研所、台中教育大學語文教育博士班，現任中臺科技大學副教授。

　　大學與研究所期間專攻古典小說，博士班後則潛心研究青少年小說。著有〈由秦可卿之喪看王熙鳳的管理能力〉、〈王熙鳳管理榮國府的探討〉、〈論賈探春之協理榮國府〉、〈由抄檢大觀園事件論賈探春的性格特質〉、〈生命的驚嘆號——論紅樓夢中的自殺事件〉、〈由意動需要談劉姥姥進榮國府〉、〈論陳義芝詩中的人子情懷〉、〈論〈紅玫瑰與白玫瑰〉中的性別書寫〉等短篇論文；博士論文為《李潼「臺灣的兒女」系列作品中的兩性書寫研究》。

提　　要

　　《鼓掌絕塵》為明末作品，分風、花、雪、月四集，每集十回，演一個故事，共四十回四個故事。其中風集與雪集描述兩對青年男女的愛情經歷，故事中包含才子與佳人一見鍾情、以詩詞唱和為媒介等才子佳人小說模式的重要情節，居於才子佳人小說先驅地位。花集與月集描述兩組不同身分地位的主人公們，其奇特的遭遇與命運的變化，文中描繪人物眾多，涉及社會層面廣闊，展現明清人情小說之特點。

　　《鼓掌絕塵》的作者不可考，僅能依書中訊息得知其為生活於明萬曆到崇禎年間的江南中年人士，當是一嚮往功名，而又仕途偃蹇的未遇書生。因其熟悉市民階層，對當時的通俗文藝與民間習俗有一定的熟捻度，因此取材現實、描摹事態人情，並將其觀察、感受與想像一併寫入書中，而創作出屬於人情小說發軔期的作品。

　　《鼓掌絕塵》在題材上屬於人情小說的開創期，在體制上居於短、中篇小說的過渡期，內容上則是普遍的反映出明末社會的種種情況，然由於藝術價值不高，向來為研究者所忽略。本研究依據有限之資料，梳理有關本書的作者、版本、藝術成就與傳承影響等問題，期能予《鼓掌絕塵》一較中肯的文學地位。

序

　　這本論文的完成,雖然是研究所生涯中一個最可見的成果,但是筆者認為,寫作期間的摸索、學習與思考,才是最大的收穫。感謝指導教授李田意先生的悉心引導,使得筆者於寫作過程中,逐漸懂得如何收集資料、分析問題,對前人的說法存疑,進而找尋更合理的解答。在此希望藉著這篇論文的完成,向東海中研所的所有老師及我的指導教授李田意老師,致上我最誠摯的謝意。

　　另外,淡江歷史系李錫年學長不辭辛勞的為筆者在香港選購書籍;素未謀面的林辰、苗壯二位先生來函為此篇論文提供資料;以及在清華大學文學所聽課期間,胡萬川、馬幼垣兩位老師的指導與鼓勵,都使得這篇論文的完成更加順利,在此一併致謝。而五月二十五日,王國良、胡萬川兩位口試老師對本論文所給予的建議與指正,更使這篇論文的錯誤之處得以修改,也是筆者深深感謝的。

　　最後,僅以此書獻給持續不斷支持、鼓勵,與我共度難關的家人們。

林宜青

一九九一年六月

目

次

緒　言

一、研究人情小說的重要性

　　中國古典小說在長久的發展過程中形成了三大系統：一是歷史演義小說，二是神話神魔小說，三是世態人情小說。歷史小說源遠流長，歷久不衰；神話小說詭麗多姿，變化萬端，二者經過宋元的話本階段，文人的加工整理，到明代中期總結成完整系統的長篇巨著，分別出《三國》、《水滸》、《西遊》、《封神》諸書締造小說史上的高峰。但高峰之後，難以為繼。此時的歷史小說只有在朝代補闕上作文章，翻不出新花樣；神話小說也因向無新路，而呈現徬徨狀態，於是，作為人情小說代表的《金瓶梅》於此時異軍突起，在小說文壇上造成了極大的影響。

　　人情小說的產生較神話、歷史小說為晚，以唐傳奇、宋話本為開端，經過長期而緩慢的創作積累，至明代末葉方才勃發興盛，並開始由民間轉入文人創作領域。人情小說直接描寫當代人看得見，摸得到的世間人事，和以間接、曲折、影射以反映社會生活的神話小說、歷史小說不同，以其密切觸及現實生活為特點，而受到人們的注意，產生廣泛的影響。一時學步者紛起，在中國小說史的長河中掀起了新的浪潮，從此居於領導地位。

　　不過，人情小說雖然在小說文壇上居於「盟主」地位，並產生了《金瓶梅》及《紅樓夢》兩部不朽的著作，但是歷來學者們的研究卻也大都限於這兩部名著，對於產生在它們之間近一個半世紀時期，密集排列，為數眾多的人情小說作品，少有研究。探究當中的原因，大致有二：

　　（1）客觀上資料的缺乏。此時期的作品雖多，但或遭官府禁絕，或庋藏
　　　　　秘閣，或流落海外，傳於世而公之眾，並得為學界所用者，寥若晨
　　　　　星，致使研究者難為無米之炊。

（2）主觀上的不認同。大部分學者認為，此一時期的小說，藝術質量差，
思想內容落後，乃平庸末流、水平低劣之作，不值得下大功夫研究。

致使長期以來涉足者甚少，而在各文學史或小說史的編寫中，也只能敷
衍片言隻語，備受冷落。

但是事實上，文學演進的軌跡是由每一個時期的文學變化、發展所串連
而成的，因此，要揭示文學發展的規律以及理清前接後續的因果關係，就必
須對文學演進的每個環節予以同樣的重視。明末清初一大批的人情小說，其
藝術成就與社會影響，雖然難以和前此的「四大奇書」及後此的《紅樓夢》、
《儒林外史》相比肩，但是在我國小說發展史上，仍有它不容否認的歷史作
用存在。另外，人情小說中以隨處可見的平凡瑣屑的市民日常生活為表現對
象，主張「極摹人情世態之岐，備寫悲歡離合之致」〔註1〕的寫實精神，甚至
粗疏簡陋、尚在學步階段的寫作技巧，都或多或少的給了後來的《紅樓夢》
一些啟迪與影響。僅就這兩點來看，它們已經具備了不可抹滅的存在價值。

明末清初為數眾多的人情小說，反映了那一段歷史時期的現實景況，不
僅是近代小說創作的萌芽和先聲，更有意無意地承擔著承上傳統、啟下新風
的使命，為後起的名著舖平道路。因此，如何彰顯表揚，肯定它們應有的價
值，並確立它們在小說史上的穩固地位，實在是從事小說研究者所不能忽略，
而且應該積極努力的要務。筆者選擇了屬於人情小說開創期的《鼓掌絕塵》
來加以研究，希望藉著作者、版本、主題、藝術分析等方面的探討來讓讀者
瞭解此書的價值，並希望能對明末清初人情小說，這個古典文學研究中的薄
弱環節有所充實。

二、居於開創地位的《鼓掌絕塵》

署名「古吳金木散人編」的《鼓掌絕塵》，分風、花、雪、月四集，每集
十回，演一個故事，共四十回四個故事。它具有以下幾個特點：

（1）屬於人情小說的發軔期

明清人情小說以異於歷史、神話小說的內容，以人們所熟悉的世事、人
物，贏得了讀者的喜愛和作家的重視，並且隨著時代的變更和社會的發展，

〔註1〕 笑花主人，〈今古奇觀序〉，大連圖書館參考部編，《明清小說序跋選》，瀋陽：
春風文藝出版社，1983年5月第1版，頁14。

在內容和形式上不斷出現新的特點。根據這些特點，方正耀將人情小說分成四個階段：明末發軔時期、清初發展時期、清中葉高潮時期、清末衰落時期〔註2〕。《鼓掌絕塵》完成於崇禎初年，直接人情小說的開山祖師《金瓶梅》之後，雖然在篇幅上不及《金瓶梅》的長篇巨帙，在藝術技巧上亦遜於《金瓶梅》的奇巧創思，但它繼承了《金瓶梅》描寫世態人情、取材現實的特色，以社會的中、下階層市民為其主角，並生動的刻劃出各階層的生存面貌、人情百態，對於後出的人情小說，不能說毫無影響。

另外，《鼓掌絕塵》中寫愛情故事的兩集——風集和雪集，可以說是才子佳人小說的先驅。（在明末稱「佳人才子」；把佳人才子顛倒過來，而稱「才子佳人」是在後期。）從這兩篇中，我們已經可以看到，才子與佳人一見鍾情，以詩詞唱和為媒介等才子佳人小說模式的重要情節。雖然這兩篇中的中經拔亂的波折和終得團圓的結局與後期許多的才子佳人小說模式有所區別，但是我們仍可從中看出它影響到後來才子佳人小說的痕跡。

（2）體裁特殊創新

話本在宋元民間，都是以單篇的形式流傳，一直到明朝初年仍是如此，只有少數的人注意到要將話本匯集起來。嘉靖以後，由於城市經濟更加繁榮，工商業更活躍，城市人口增加，文化也較普及，那些散布在民間，已刊未刊的單篇話本，才被人們注意並廣為搜集，編成話本集。到了明代晚期，話本集的刊印如雨後春筍般地出現，此風一直延續到清初還未衰歇。在這一階段中，流傳至今的話本集，尚有六十餘種之多〔註3〕。以如此眾多的話本集來看，早期的話本集如三言、二拍、《石頭點》、《西湖二集》、《十二笑》等，所收故事都是一題、一回演一個完整故事，每篇不分節段。《鼓掌絕塵》這種以十回書來寫一個故事的體制，無疑是話本小說一種新的嘗試，而它的這種創舉，也影響到在它後面的《鴛鴦針》（凡四卷，每卷四回，卷演一故事）、《弁而釵》（凡四集，每集五回）、《宜春香質》（凡四集，每集五回）、《人中畫》（凡四卷，每卷二至四回）等。胡士瑩認為，《鼓掌絕塵》的這種形式，實際上已經成為短篇小說向中篇小說發展的過渡形式，明末清初中篇小說所以大量產

〔註2〕 方正耀，《明清人情小說研究》，上海：華東師範大學出版社，1986 年 12 月第1 版。第四章「明清人情小說的發展及其衰落」，頁 65。

〔註3〕 胡士瑩，《話本小說概論》，北京：中華書局，1980 年 5 月第 1 版。第十一章第六節，頁 401；第十二章第二節，頁 491；第十五章第三節，頁 633。

生，如《風流配》（八回）、《炎涼岸》（八回）、《梧桐影》（十二回）、《萬斛泉》（十二回）、《世無匹》（十六回）、《平山冷燕》（二十回），就是從這種形式轉化而來的〔註4〕。

另外，《鼓掌絕塵》在擬定回目上，已經透漏出一種追求長篇形式的風格，它雖然是四集四個故事，可是卻是以風、花、雪、月四個相關連的回目作標題，回數自第一回至第四十回依次銜接，而各回目的命名又都對仗工整，一氣而下，驟視之如四十回的長篇小說。孫楷第甚至認為，《鼓掌絕塵》這種有回目，無總題，「但以卷第目一故事」的作法，影響了鴛湖煙水散人的《珍珠舶》，而成為小說的一種形式〔註5〕。

（3）文詞優美、刻劃生動

《鼓掌絕塵》除了上述兩項在小說史上的價值外，還有一個屬於它本身藝術技巧上的優點，那就是使用的語言文字自然優美，刻劃的人物形象活潑生動。

第一個介紹《鼓掌絕塵》的董康曾經稱讚此書：「明人言情小說至多，俱同嚼蠟，此獨結構精嚴，文詞幽蒨。」〔註6〕稱《鼓掌絕塵》「文詞幽蒨」並不過分，書中所使用的文句，多半能符合當事人的身分、地位，表現說話者的性格、職業，而使用的文句，不論是以散文或韻文形式出現，都相當流暢，使人讀來如順水行舟，暢然無阻。例如二十六回星士為李若蘭推算八字時云：「推流年、看飛星、判禍福、斷吉凶，都是我星家的本等。」「這箇八字裡邊，日後雖有一步好處，怎當這眼下勾陳劫殺，喪門吊客，一齊纏擾，又加傷官作耗，邪鬼生災，這一重關煞，難過得緊。」這一連串說來，絲毫不費力氣。除了文句的流暢以外，書中也時現詼諧之語，讓人讀來發會心之一笑。如三十四回陳進偷娶妓女王二，元配瞎婆子吃醋剪髮，眾人來勸，婆子遂開出三個條件，最後一條要求王二把她的斷髮重接上去。眾人怪她刁難，婆子道：「終

〔註4〕 同註3。

〔註5〕 孫楷第，《日本東京所見中國小說書目——附大連圖書館所見小說書目》，上海：上雜出版社，1953年12月第1版。頁172。孫楷第在此書的意見是反對《鼓掌絕塵》這種「有回目，無總題」的形式，認為讀者未竟全書，不知全書實演四個故事，非一長篇，則「目錄之設所以便人，今即此而不知，亦有愧著書矣。」

〔註6〕 董康，《書舶庸譚》，台北：廣文書局有限公司，1967年8月初版，卷四，頁194。

不然他們今日搬將回家，教老身就沒法了」。用「髮」的諧音來說「法」，讓人忍俊不禁。這些流暢的文詞，活潑的對話，再加上作者大量運用諺語、歇後語於人物的言詞當中，使得整部作品呈現出鮮活明亮的感覺，更由這些順暢的文詞、對話中，刻劃出鮮明的人物個性。

《鼓掌絕塵》雖然在題材上屬於人情小說的開創期，在體制上居於短、中篇小說的過渡期，內容更是普遍的反映出明末社會的種種情況，然而，不論在版本的流傳上，對後代小說的影響上，筆者所能發現的資料都少之又少。魯迅在一九三〇年四月十二日致李秉中的信中曾提到《含秀舍叢書》，而對該叢書中的《鼓掌絕塵》則云：「從來未聞其名，恐此土早已佚失，明人此類小說，佚存於日本者，聞頗不少也。」〔註7〕再加上第一個介紹《鼓掌絕塵》的董康所見的本子為日本內閣文庫所收的崇禎辛未本這一點看來，恐怕《鼓掌絕塵》在當時或之後在中國本土的流傳都不普遍。

對於這本塵封已久的小說，歷來的目錄學者或小說評論家，都沒有給予它應得的歷史地位，並對此書的體制、內容多所批評。董康雖然讚美它「結構精嚴，文詞幽蒨」，但除此之外，沒有更進一步的解說，且審董康全文之意，似乎董康並沒有將此書全部看完。後來的孫楷第楷評此書：「唯風集演梅萼、韓玉姿事稍可觀，十回以下，其技已窮，第雜湊成篇而已。」並認為花集「頗牽強無謂」，月集「敘次蕪雜，不知其用意所在。」〔註8〕把此書的藝術價值完全抹煞。而《續修四庫全書提要》更是認為風雪兩集「俱不出才子佳人蹊徑，詞意亦時感貧辛」；花月兩集則「皆牽強敷衍，不知其命意所在」〔註9〕，把《鼓掌絕塵》貶得一文不值。阿英雖然對此書稍作正面肯定，認為「文字寫得很簡潔，對當時的社會生活，似乎有廣泛的了解。」〔註10〕但是卻囿於所見版本的不完整，而無法詳細評論。後來譚正璧的《中國小說發達史》，北京大學中文系編撰的《中國小說史》，對此書也都是一筆帶過，對它的價值根本未做正面肯定。筆者有鑑於此，恐怕此一於中國小說史上有著傳承作用的作品再度淹沒無聞，故願盡一己棉薄之力，進一步發掘《鼓掌絕塵》本身在

〔註7〕魯迅，《魯迅書信集》，北京：人民文學出版社，〔魯迅全集〕第十二卷，1981年第1版，頁10。

〔註8〕孫楷第，《日本東京所見中國小說書目》，頁24～27。

〔註9〕王雲五主持，《續修四庫全書提要》，台北：商務印書館，1972年初版，頁1856。

〔註10〕阿英，《小說閒談四種》，上海：上海古籍出版社，1985年8月第1版。〈小說閒談（一）〉，頁72。

藝術上的優點及一些相關問題，希望藉著這篇研究論文，引起世人對《鼓掌絕塵》的注意與重視，並進而肯定它在小說史上的地位與價值。

第一章 《鼓掌絕塵》的作者與版本考

　　通俗小說一向被視爲稗官雜記，無甚價值，不能與正統詩文相比併。直到清紀昀等編《四庫全書》，這種觀念仍盤踞於士大夫腦海中，因此宋末通行的話本、元代盛行的雜劇、明代極盛的演義等，都很少見於目錄書中，也致使欲考證此類通俗文學作品的流變情形，困難重重。不過與小說相比，戲曲在民間仍有不少人從事評論、研究、考訂、編目的工作，如元鍾嗣成的《錄鬼簿》、明賈仲明的《續錄鬼簿》、呂天成的《曲品》、祈彪佳的《劇品》、《曲品》等，使有心人在研究戲曲的演變時，仍有跡可尋。而通俗小說，除了宋羅燁的《醉翁談錄》對宋代話本作了比較全面的分類和重要的敘述以外，連一本專門記載小說的書目都沒有，致使後代人們在研究宋以來的通俗小說時，較諸研究戲曲，更感困難。其中有幾個問題，更是令學者們費心：

　　第一，弄不清楚小說作者是誰。小說既然在文壇上處於卑下地位，一般的有名之士或貴宦才子就不屑去創作它，因此小說的創作者多半是有讀過一些書，有點知識，但不曾獲取大功名，而深覺懷才不遇或偃蹇困頓的文人。他們在創作小說時通常不錄眞名，而以別號代替，而在當時又無人追究小說作者是誰（即使要追究，通常也因其名氣太小，而無法查出），致使作者身分一直不明。

　　第二，同樣一部小說作品，有繁簡本的差異。小說作品既然不受社會重視，人們在閱讀時也多半是懷著消遣的心情來看，而不在意其版本優劣異同，因此書商爲了書籍售量或爲減低成本，常會在書中隨意增加部分情節或刪減文字，以達其販賣之利，造成人人皆可刪節增補小說，而使同樣一本書，不同時期或不同出版社刊刻的版本，有繁、簡之異。

第三，作品散佚，版本流變不明。因為並無專門的書目以記載各朝小說的流變情形，因此造成許多小說作品失傳散佚。幸運者，流傳海外，終有重見天日之時；不幸者，自此淹沒無聞，永不為人所知，使得我國豐富的文化遺產，無法呈完整的面貌。但是那些幸運保存下來的作品，除非相當受到歡迎，否則其流變情形究竟如何，影響後代那些作品，也很少為後世知悉。

第三點問題普遍存在於中國舊小說當中，《鼓掌絕塵》是明末人情小說中一部知名度不高的作品，其書雖因流傳日本，使作品得以保存，使後人能一窺其奧，但此書作者與版本的流變，仍舊不明。再加上本土的久經失傳，使得對本書的研究遲遲未有人動筆，而對作者、版本及一些外圍問題的探討，更如滄海一粟。因此，在研究《鼓掌絕塵》的內容及價值之前，筆者想先就作者、成書年代及版本等方面，做較深一層的探討。

第一節　《鼓掌絕塵》的作者

作為一部三流的小說作品，《鼓掌絕塵》也遭遇到作者不明、版本流變不清的慘況。書中作者一貫小說寫作傳統，只署其別號，而遍尋當代筆記，又無對此書或作者有任何記載，因此對於《鼓掌絕塵》的作者問題，筆者只有據書中所能顯示的某些蛛絲馬跡來加以推測。

《鼓掌絕塵》的風、花、雪三集均署「古吳金木散人編」，月集則署「古吳金木散人撰」。「撰」，很明顯的標出了金木散人作者的地位，而「編」一詞的用法，在明清小說中通常是編寫、編著的意思，實際上就是作者。如《照世盃》署名的「酌元亭主人編」，《醉醒石》題「東魯古狂生編輯」，都代表作者為此二人。《幻影》題「夢覺道人編」，孫楷第《中國通俗小說書目》便云：「撰者夢覺道人」。因此筆者推測，《鼓掌絕塵》四集署金木散人編或撰，雖然用詞並不統一，但是它同樣代表作者是金木散人，在沒有審慎校定的小說作品中，這種疏漏是極可能發生的。

古吳金木散人究竟是誰，目前尚無任何學者發表意見。孫楷第曾經根據《鼓掌絕塵》書前的臨海逸叟敘：

> 茲吳君纂其篇，開帙則滿幅香浮，掩卷而餘香鉤引，入手不能釋者
> 什九，遂名之《鼓掌絕塵》云。

一段話推斷：「撰小說者爲吳某，當亦選家者流。」〔註1〕而李落、苗壯更由書中閉戶先生的題辭：

　　　吾爲鼓掌，香韻金瓶之梅；君試拂塵，味共梁山之水。

認爲，此句除了說明書名的由來外，「審題辭語意，似作者自題口吻」，而推斷閉戶先生就是吳君〔註2〕。但是，不管是「金木散人」還是「閉戶先生」，都不過是作者的筆名，大概是作者自取的別號，而明清小說、戲曲中，署名爲金木散人或閉戶先生所作的，又只有《鼓掌絕塵》一部，無法經由其他作品的對照比較，找出關於金木散人的眞實姓名或生平線索。因此，直到目前爲止，金木散人究爲何人，仍是個待解之謎。

　　由於無法從室名別號考訂出這位吳君究竟是誰，而學者們的討論也未曾對作者做過推測，因此筆者只好由書中正文及題辭敘跋等資料中所透漏出的一點訊息，來加以蠡測，希望能描繪出金木散人的概略形象。以下是筆者的一些推測：

一、江南人

　　一般說來，小說創作家以自己所熟悉的地理環境，作爲小說人物的發展背景或活動空間，是他們在創作小說時慣用的手法，因爲唯有如此，才能在描寫地理環境、風土人情，甚至語言習慣上盡量發揮，不致產生基本上的錯誤。統計《鼓掌絕塵》中主要、次要人物的出生地及主要活動範圍，大抵在巴陵、長沙、杭州、姑蘇、臨安、金陵、洛陽等地，也就是江蘇、浙江、湖廣一帶，範圍可以說都在江南地方。當然也有部分時間是在北地生活的，例如進京（北京）赴試，出兵征韃靼等，不過這種情形很少，而在書中也大都一筆帶過。再加上書中資料顯示，作者金木散人對吳語相當熟悉，三十七回中，金木散人描寫江南秀才李八八，他與他的表兄陳百十六老的談話，所使用的語言就是道地的吳語。另外，金木散人在書中四集都署「古吳」，顯示他與江、浙、湘、鄂、閩、粵等地有著密切關係。以此推測，作者應該可以確定是江南人。

　　第十三回中，有一段描寫夏虎販米杭州之餘，遊玩西湖景致的情況。對於這個馳名中外的名勝地，作者極爲推崇。他首先藉「上說天堂，下說蘇杭」

〔註1〕孫楷第，《日本東京所見中國小說書目》，頁11。
〔註2〕金木散人編，李落、苗壯校點，《鼓掌絕塵》，瀋陽：春風文藝出版社，1985年12月第1版。

這句成語來肯定西湖，接著又用夏虎之口極力讚揚西湖的美景是「天造地設，乃是神仙境界，非人間所有。」表現出作者對西湖的極度喜愛，而在同時，他利用詩詞對西湖景觀做整體概略性的描述，以及客店主人帶領夏虎遊玩西湖各處美景的描寫，都表現出金木散人對西湖的熟悉。而穿插其中的西湖邊的小販賭擲泥菩薩的遊藝，更充分顯示作者對西湖附近人文景觀的知曉，顯示他與此處應該有著地緣上的關係。西湖位於杭州，金木散人是浙江人的可能性極大，再加上《鼓掌絕塵》的序者臨海逸叟自署「赤城」，四集的四位評者中，除一位署永興（位於湖南）外，其餘均署「錢塘」，赤城、錢塘都位於浙江，更增加了這項推測的可能性。

三十七回中，陳珍對王瑞道：

> 那江南人最是放肆，惹著他，便使一通氣力。

第十三回中，客店主人對夏虎描述杭州人的個性時說：

> 我這杭州人其實奸狡，家中沒有一粒米下鍋的，偏生挺著胸脯，會得裝模作樣，那裡曉得扯的都是空頭門面。

以及批評杭州生意人的奸巧欺生手段：

> 我這裡杭州，最要欺生的，見你獨自一箇，聲音各別，莫說是喫了他的酒飯，總然飲了他一杯水，也要平空長價，該用一分，決要二分，該二分，決要四分，那裡與他纏得清。

這種似乎十分了解而又幾近諷刺的語氣，除了說明金木散人對江南人或杭州人的熟悉外，似乎也顯示著作者與這些地方有著某種程度上的淵源關係。唯因資料有限，筆者無法直接斷言作者金木散人就是杭州人，但金木散人為江南地區人士，應該是可以確定的。

二、中年人，生活於萬曆到崇禎年間

　　《鼓掌絕塵》中的四集故事，雖然主要人物都是年輕人，而且描繪的不是愛情就是功名，但是筆者推測，作者金木散人在寫作此書時大概已經是個飽嘗人生酸甜苦辣的中年人，主要原因在於：

（1）在各集前的入話或評論中，當作者講到婚姻、子女、功名、財富時，都以一種命定的觀點來闡述，認為這些都是上天老早就安排好，無法強求的，完全沒有年輕人的衝勁鬥志。彷彿是看遍了人世間的無常，不得已只好用命定的觀點來解釋各項事物。

（2）書中展現對人情世故的洞悉，寫到世人的嫌貧愛富、攀求權貴的種種面貌，眞實深入。而對世人奔競世途、爭名逐利的心態，亦時有勸導。

　　由這兩點看來，作者應該不是個年輕氣盛之人，而是個已經閱歷過人生的許多大風浪，熟知世情無常的中年人。

　　《鼓掌絕塵》月集曾提到魏忠賢自縊之事，魏忠賢是明熹宗寵信的宦官，他與熹宗的乳母客氏聯手合作，瞞騙熹宗，掌朝中大權。終熹宗之世，富貴無比，權傾天下，陷害忠良無數。直到天啓七年（西元 1627 年）八月，熹宗死，弟信王由檢（明思宗）繼位，才於同年十一月貶魏忠賢於鳳陽，隨即又命逮捕，欲置之於死。忠賢恐懼，自縊而亡。忠賢死後，崇禎命大學士韓爌等定逆案，詔書頒示天下，列舉忠賢諸黨羽及他們所爲的惡事，此事發生於崇禎二年（西元 1629 年）三月。以金木散人所處的地理位置來看，聞知魏忠賢已經伏誅的消息，應該是在崇禎詔定魏忠賢逆案以後，而且月集文中有云：

　　誰知崇禎聖上即位（按：原書「崇禎聖上」抬頭），十分聰慧，滿朝
　　中玉潔冰清，狐潛鼠遁，怎容得閹宦當權，傷殘臣宰，塗毒生靈。（三
　　十六回）

更可以確信金木散人在撰作此篇時，魏忠賢之禍已經平定，也就是在崇禎二年三月以後。所以，目前所能發現的《鼓掌絕塵》崇禎辛未年（四年）刊本，應該是原刊本。而根據上面的推斷，如果作者在作此書時已經是個四、五十歲的中年人，那麼推測他的生長時期，應該是在萬曆到崇禎（西元 1572～1644年）期間。

三、熟悉市民階層

　　《鼓掌絕塵》書中出現不少的人物，根據筆者的統計多達一百零九人，這只是書中有名姓者的部分，還不包括一些臨時演員性質的小角色。這麼眾多的人物當然涵蓋了社會各階層，不過探討當中人物的表現，筆者發現，書中的小人物遠比大人物要來得更有生命力。書中小人物所佔的比例甚大，諸如星相之士、和尚老道、幫閒蔑片、江湖騙子、歌兒舞女、媒婆僕夫等，金木散人都能掌握他們的職業及普遍個性上的特色，加以描繪，使其形象畢露，讓讀者發會心之一笑。對於社會的上階層人物，各集中也有或多或少的描寫，但其中所表現出的，卻是對這一階層的不了解與不熟悉。除了三十六回中對

魏忠賢、崔呈秀個性的描寫較生動、有趣外，對其他的貴官豪門、文臣武將的描寫，都無法表現出人物所應該擁有的氣度與風範。而對他們的起居享用、屋宇陳設的描繪亦少之又少，只有在必要時以一些陳詞濫調加以套用，諸如「雕欄曲檻，異卉奇花」之類，完全表現不出大家氣象。而在語言、語氣的運用上，上、下階層人物所展現的風格與成果更是截然不同。書中的市井小民所用的是日常口語、諺語，金木散人利用讀者平日所聽、所講的辭彙入書，除了更深刻的刻劃出人物個性外，更給讀者一種真實的感覺，相當的活潑生動。而那些達官貴人們用的辭彙則不然，他們多半較正經，較文言，而內容又大抵沈悶無創見，除了顯示作者對這一階層人物言談的不熟悉外，更使書中此類人物呈現扁平與不自然的風貌。

另外，金木散人對當時的通俗文藝與民間習俗也表現出相當的熟捻度。如小說第七回寫杜萼與韓玉姿相偕逃離相府時，就插入了「三六九日官營裡操兵練卒」的情形；第十三回寫夏虎遊西湖，碰見游客們在湖邊玩擲泥菩薩，金木散人也詳細寫出了這種擲色賭錢玩耍的方式與當地風俗。又如第二十六回李若蘭病倒在床，李母耽憂，命星士為她禳解。星士在神前念了個《十供養》，用十種事物比喻世上的十種人，戲謔、傳神而有趣，若不是深知此種民俗與習慣，是如何也寫不出來的。而第三十三回寫張秀於上元佳節到董尚書府前看走馬燈，更是把走馬燈上蔥草做成的人物，扮成的二十八件戲文，逐條寫下。這些對市民階層人物、語言、風俗、技藝的瞭若指掌，證明了作者金木散人是個生活在中下階層中的人物。

四、未遇書生，嚮往功名

著名的才子佳人小說作家天花藏主人，在序《平山冷燕》時曾說：

> 顧時命不倫，即間擲金聲，時裁五色，而過者若周聞周見，淹忽老矣。欲人致其身，而既不能，欲自短其氣，而又不忍；計無所之，不得已而借烏有先生以發洩其黃粱事業，……凡紙上之可喜可驚，皆胸中之欲歌欲哭。〔註3〕

他的這一段表白，除了說明本身的創作動機外，其實也說中了一般小說創作家的創作心理。中國小說史上絕大部分的創作者，都是落魄的文人，由於個

〔註3〕 天花藏主人，〈平山冷燕序〉，大連圖書館參考部編，《明清小說序跋選》，頁55。

人遭際不佳，仕途失利，既無法攀人求顯貴，又不忍自短其氣，故借小說以發洩牢愁，抒解鬱悶，寄託自己在現實生活中無法追求得到的功名富貴。金木散人也屬此類。

《鼓掌絕塵》書中流利的語言文字，使筆者推斷金木散人應該是有些才華，讀過幾卷書的，而書中偶爾流露出的未遇書生的感慨，也使筆者斷言，作者在求取功名的道路上必定偃蹇困厄，滯礙難行。第二十八回的兩首詩：

> 最苦書生未遇時，遭人籠落受人欺。
>
> 腳根縱硬焉能立，志氣雖存未出奇。
>
> 仗劍遠馳千里道，修詞頻囑百年期。
>
> 前程暗處還如漆，淚滿胸襟只自知。

及

> 可嘆書生未遇時，裝聾作啞竟誰知。
>
> 縱然設卻千般巧，難出胸中一鑒奇。

感嘆「書生未遇」的語氣如此真實感人，飽含情感，應該不只是針對書中人而發，而是作者本身的感慨，是夫子自道，金木散人應該不曾博取過什麼功名。書中第三十二、三十五、三十七回描寫了各個地區的秀才，他們見財眼紅，互相利用，為爭錢財不惜喪盡斯文臉面等種種惡劣行徑，金木散人寫來靈活逼真。蔡國梁認為：

> 這與作者是個中人分不開的，他每日廝混在裡面，看多了、見熟了、
>
> 聽慣了，或加上自己有親身體驗，握筆時便得心應手，人物自然而
>
> 然會跳出來。〔註4〕

由此推測，金木散人是個秀才的可能性極高。

金木散人雖然在功名路上志願難伸，可是由書中所露出的端倪發現，他是嚮往功名富貴的。第十回開場詩中云：

> 詩書端不負男兒，一舉成名天下知。
>
> 昔日流亡誰敢議，今朝顯達盡稱奇。

及二十九回中說：

> 胸中自信冠群儒，暫作高陽一酒徒。
>
> 平步青雲酬素願，高車駟馬上天衢。

〔註4〕蔡國梁，《明清小說探幽》，杭州：浙江人民出版社，1985年12月第1版，頁188。

　　宮花報喜人爭羨，衣錦還鄉我不迁。

　　可嘆無珠肉眼漢，龍駒錯認是疲駑。

都說出了他對功名的嚮往。他筆下的正面人物最後也都為官為宦，飛黃騰達。
風集的杜萼中狀元，花集的婁祝升定西侯，雪集的文玉中探花，月集的楊琦
任太守，都可以看出金木散人對成功的定義。但是，鑒於當時社會黑暗，統
治階級內部你傾我軋，難以保身的情況日益嚴重，金木散人往往在寫到人物
功成名就後，隨即安排其隱退。杜萼後來是無心仕途，專心教誨二子攻書；
婁祝則聲稱染病在身，乞假還鄉；楊琦亦感富貴如幻，棄儒從釋。這些除了
顯示當時的政治黑暗外，也反映了金木散人在明末尖銳複雜的社會矛盾面前
的消極態度。

　　限於資料的匱乏及筆者才力限制，對於作者身分的探尋只能做到此種地
步，至於進一步的推測，只能希望在將來，藉著先進學者們的資料及見解，
有著更完善的解釋。

第二節　《鼓掌絕塵》的版本概說

　　關於《鼓掌絕塵》一書的演變及版本情況，前人書中極少提及。目前筆
者所能發現的最早資料，是民初人董康所著的《書舶庸譚》。董康在一九二六
到一九二七年游學日本期間，每日記其與日人交遊情形及所閱覽的古籍，撰
寫成此書。董氏對小說、戲曲頗感興趣，因此書中記有許多中土所佚之書，
董氏並對這些珍藏本的內容、版式做簡略的介紹。《鼓掌絕塵》就是其中之一。
不過董康對《鼓掌絕塵》的介紹很簡略，只說明《鼓掌絕塵》的編排方式以
及著錄各回回目，對於《鼓掌絕塵》的版式、行款、印記及故事的詳細內容，
都沒有記載〔註5〕。大約在同時，魯迅在其《集外集拾遺》一書中說，一九二
六年，日人辛島驍從日本來，帶給他涉及中國小說的目錄兩種，一為《內閣
文庫書目》，錄內閣現存書；一為《舶載書目》數則。魯迅當時由於事務繁多，
未曾將之細讀與發表，直到一九二七年七月，才將這些資料公開。其中《內
閣文庫圖書第二部漢書目錄》中，就記載了《鼓掌絕塵》一書。不過這本目
錄的介紹很簡略，我們甚至無法從其中窺知《鼓掌絕塵》包含四個故事〔註6〕。

〔註 5〕董康，《書舶庸譚》，卷四，頁 193。

〔註 6〕魯迅，《集外集拾遺》，北京：人民文學出版社，1973 年 11 月第 1 版。〈關於
　　　　小說目錄兩件〉，頁 191。

一九三一年，孫楷第撰《中國通俗小說書目》，才算正式的把《鼓掌絕塵》的版本概況及收藏地點，做了簡要的介紹。隨後，孫楷第因遊日本東京，閱東京公私家藏書甚多，加以整理，於一九三二年成《日本東京所見中國小說書目》一書，對《鼓掌絕塵》有更進一步的解說。孫氏此書除了記載《鼓掌絕塵》的編者、評者、印記，以及介紹四集故事的概略內容外，並根據書前臨海逸叟的序文，推測「刻書者爲書林龔某，撰小說者爲吳某，當亦選家者流。」〔註7〕至今尚無人推翻此論斷。一九八七年，日人大塚秀高的《增補中國通俗小說書目》出，對孫目中的某些疏漏再行補充。至此，後人對《鼓掌絕塵》的版本情形，才有了較爲清晰的概念。

在正式介紹《鼓掌絕塵》的版本問題及流變情形之前，筆者想先訂正幾位前輩先生的錯誤：

（1）董康在介紹閉戶先生的題辭中說：「崇禎辛未元旦書於咫尺園之烹夫館」，其中「咫尺園」和「烹夫館」有誤，應作「咫園」、「烹天館」，可能是抄寫時的疏忽所致。而他所云：「編者爲古吳金木散人，閱者錢塘猗猗主人也。演文荊卿、李若蘭事。」〔註8〕則是把雪集的閱者及主要人物誤作全書的閱者、主要人物，他並且誤以爲全書只演一個故事〔註9〕。由此錯誤加以推測，董康很可能並沒有讀完全書。

（2）孫楷第的《日本東京所見中國小說書目》中，介紹月集評者爲「錢塘百益居士」，應是「錢塘伯益居士」。

（3）阿英在〈小說閑談（一）〉中，將《鼓掌絕塵》作者「金木散人」寫成「金木山人」。

（4）胡士瑩《話本小說概論》介紹各集評者時漏掉雪集評者「錢塘猗猗主人」，而將月集評者「錢塘伯益居士」（他亦誤作「錢唐百益居士」）誤作爲雪集評者。

（5）蔡國梁《明清小說探幽》所犯的錯誤，和胡士瑩《話本小說概論》裡的相同。另外，蔡氏在引〈鼓掌絕塵題辭〉時，也把「詐內詐而僞內僞兮」一句誤作「詐爲詐而爲內兮」。蔡氏在此書中對《鼓掌

〔註7〕孫楷第，《日本東京所見中國小說書目》，頁11。

〔註8〕同註1。

〔註9〕這點發現，譚正璧在《古本稀見小說匯考》，介紹《鼓掌絕塵》時已經提出。杭州：浙江文藝出版社，1984年11月第1版，頁123。

絕塵》的故事內容及結構有所評論，不過都只限於月集，並且在評論時說「本集第一回……第二回……」（按照原本應作第三十一回、第三十二回）。因此筆者推測，蔡氏很可能只見到路工所編的《明清平話小說選》選錄的《鼓掌絕塵‧月集》一部分〔註10〕，並沒有看過《鼓掌絕塵》全書。

（6）大塚秀高介紹作者時云：「吳某（古吳金木散人、閉室先生？）」其中閉室先生有誤，應作「閉戶先生」。另外其版本著錄《鼓掌絕塵》有崇禎四年刊本，藏書處寫：大連市圖書館、阿英舊藏及內閣文庫。根據筆者的資料收集，大連市圖書館及內閣文庫確實均有《鼓掌絕塵》的藏書，但阿英並未藏《鼓掌絕塵》一書。阿英在〈小說閑談（一）〉中云其所見本乃大正五年支那珍籍頒布會印行之鉛印非賣品本，僅一個半故事（風集全，花集半），卷首有影印原書裡頁及插圖十四幅。可見大塚秀高此說有誤。

（7）《續修四庫全書提要》在介紹《鼓掌絕塵》時云：「有私印二，曰王字印章，曰斂華氏。」應是「王宇印章」。

以下，筆者就目前所知《鼓掌絕塵》的不同版本，按照出版先後，加以介紹說明：

一、崇禎四年刊本

《鼓掌絕塵》目前存世的版本，最早的是明崇禎辛未（四年，西元一六三一年）蘇州刊本。就《鼓掌絕塵》的成書年代推測，此本應該是原刊本。目前僅日本內閣文庫及大陸大連市圖書館各藏一部。

此版本首有閉戶先生題辭，共六葉，末署「崇禎辛未歲之元旦閉戶先生書於咫園之烹天館」，並有咫園、烹天館、閉戶先生三印，前二者為朱文，後者為白文。四周單欄，版心中刻「題辭」二字及葉數。每半葉五行，每行十字。次有〈鼓掌絕塵敘〉，亦六葉，末署「赤城臨海逸叟題」，並有「王宇印章」（朱文）、「斂華氏」（白文）二印。每半葉四行，每行字數不定。再次有〈佳會絕句〉二葉，末署「臨海逸叟醉筆」。再後有四篇文字，每篇形式相同，

<hr>

〔註10〕蔡氏文中有云：「月集：敘金陵人張秀報恩事。路工《明清平話小說選》輯錄本出此。」蔡國梁，《明清小說探幽》，杭州：浙江文藝出版社，1985 年 12 月第一版，頁 186。

均以四六駢文爲之，其末均署「閉戶先生題」，並有「呬園」（白文）、「閉戶先生」（朱文）二印。題目分別是「鼓掌絕塵風（花、雪、月）集」，內容則詠風、詠花、詠雪、詠月，與正文故事無關。最後列出全書四十回之目錄。正文部分的版式則是四周單欄，每半葉九行，每行二十字。花口，無魚尾，版心中刻回數、葉數及所屬的集名（如風集、花集……）有圈點、眉批、夾批。各集評者分別是：風集，永興清心居士校；花集，錢塘百拙生評；雪集，錢塘猗猗主人閱；月集，錢塘伯益居士校。書中共有圖八十幅，每一回各兩幅，每幅圖的標題與每回標題相同。這些插圖，內閣文庫本是全部放在書的最前面，大連本則是在每回前各放二幅（即當回故事插圖一葉）。書共十二冊。

現存於內閣文庫及大連市圖書館的《鼓掌絕塵》刊本，大致上尚稱完整，只有部分葉數散佚。其闕葉情形如下：

（1）內閣文庫之收藏

闕葉部分：第二回第三葉、第六回第二葉、第九回十一葉、第十三回十葉後半及十一葉前半、第二十八回第七葉、第十葉、第三十回第四葉等。

紙張損壞致文字缺漏部分：第十回十四葉的末首詩、第二十三回第四葉、第九葉。

錯簡部分：將第三十八回第七葉誤置於第二十八回第七葉，造成此書缺第二十八回第七葉〔註11〕。

另外尚有部分的字句漫漶不清，因筆者所據爲台灣天一出版社的影印本，因此無法詳細列出，恐與原本不合。

（2）大連市圖書館之收藏

闕葉部分：第二十七回第十葉。

根據筆者所得的部分原書影本來看，大連市圖書館所收藏的這部《鼓掌絕塵》刊本保存甚爲完善，字體相當清晰。由於大連市圖書館的特殊規定，筆者無法拿到其所藏的《鼓掌絕塵》全部影本，因此只能依據李落、苗壯的《鼓掌絕塵》校定本來加以說明，對於大連市圖書館所藏的《鼓掌絕塵》是否有其他文字缺漏部分，則不得而知。

目前所能發現的刊本只有這一本崇禎本，以下筆者所要介紹的這幾個版本，都是根據內閣文庫或大連市圖書館的原刊本影印或排印而成的。

〔註11〕此錯簡部分，筆者曾去信日本內閣文庫得影印本證實。

二、《含秀舍叢書》本

　　《含秀舍叢書》是日本支那珍籍頒布會在會員內部發行的叢書名,當時刊行的小說計有《草本春秋》、《禪眞後史》及《鼓掌絕塵》三部。根據林辰先生的告知,《鼓掌絕塵》大連市圖書館藏本系日本人大谷光瑞捐給「南滿鐵路株式會社圖書館」的（此館,實是日本東南亞特務總諮情報資料館）。《含秀舍叢書》是大谷光瑞在贈書之前排印的,由於印數很少,故現知僅大連市圖書館存有一部。此書筆者曾去信大連市圖書館申請要求影印,至今尚無下落,因此無法做詳細的介紹,而由阿英〈小說閑談（一）〉及李落、苗壯的校定本《鼓掌絕塵》的〈校後記〉中得知:此本《鼓掌絕塵》系毛邊紙鉛字精印,每半葉十一行,每行三十字。目錄共 8 頁,錄全書四十回回目,正文只有一至十四回,共 216 頁。無眉批,插圖在卷首,十四回以後的插圖全無。出版時間為大正五年（西元一九一六年）秋,滿洲日日新聞印刷,共印三百五十部,非賣品。李落、苗壯並指出,此本在大連本的基礎上稍有改動,其中有改對的,也有改錯的。如第二回「蕙姿點頭道:『原來如此,妹子,我和你不是別人,原是同胞姊妹。』」此本改「同包」為「同胞」;第五回「夏以莒萳為題」,改「莒萳」為「萳莒」。而錯改的有:第一回杜萼道:「但恐鄙俚之語,有污清耳,獻笑!獻笑!」錯「污」為「汗」;第四回「妾本閨壺鳩拙」,此本錯改「壼」為「壺」。

三、路工編《明清平話小說選》

　　路工於一九五八年編《明清平話小說選》第一集,書分上下二編,上編收《鼓掌絕塵・月集》、《清夜鐘》、《人中畫》的〈風流配〉、〈自作孽〉、〈終有報〉、〈寒徹骨〉等篇短篇〔註12〕;下編則收《錢塘漁隱濟顚師語錄》、《錦香亭》、《葛仙翁全傳》三個中篇,每半葉二十六行,每行約二十八字,採新式標點。由上海古籍出版社出版。路工所收的《鼓掌絕塵》只是月集十回（即原書三十一至四十回）,他在書中並未說明其資料來源,而據李落與苗壯於春風文藝出版社所出版的《鼓掌絕塵》排印本中的〈校後記〉云:路工所據底本乃傅惜華從日本拍攝回來的日本內閣文庫的膠捲底片,插圖五幅則用大連

〔註12〕《清夜鐘》共十六回,一回一篇短篇小說,路工此書僅選原書第六回〈偵人片語獲伎,囹夫一語得官〉、第七回〈挺刃終除鴟悍,皇綸特鑑孝衷〉、第八回〈狂言竟致殺身,堅忍終伸大怨〉等三個短篇。

圖書館藏本〔註13〕。根據筆者的校對，路工此書共闕第三十六回第六葉（此書頁 44）及第三十九回第十二葉（此書頁 71）。前者於書中有注明，後者則無注明。另有第三十七回（頁 49）闕兩字。此外，其「書前說明」引〈鼓掌絕塵序〉，將「詐內詐而僞內僞兮」誤作「詐爲詐而爲內兮」。

四、河洛出版社編《明清小說七種》

河洛圖書出版社於一九八○年十月出版《明清小說七種》一書，集《鼓掌絕塵》、《清夜鐘》、《人中畫》、《錢塘漁隱濟顛師語錄》、《錦香亭》、《葛仙翁全傳》、《負曝閑談》七書，並附錄錢南揚〈孟月梅寫恨錦香亭〉一文。半葉十七行，每行四十四字，採新式標點。全書中除附錄之文與《負曝閑談》爲路工之書所無外，其餘所收故事內容與路工之書無二，連書前插圖都與路工所選相同。書前署「本社編審」的六書提要無《負曝閑談》，而內容又與路工的序多所重複，更可見因襲《明清平話小說選》之跡。因其出版時間較晚，故筆者推測河洛此書與路工所編的《明清平話小說選》重複處，應是此書據路工之書加以重新排印而來，另外再增加《負曝閑談》一篇，以改動書名。

今就《明清小說七種》中的《鼓掌絕塵・月集》十回來討論此排印本的特色，及此書與《明清平話小說選》的差異。

（1）只標明《鼓掌絕塵》，未說明所選僅爲該書月集十回。

（2）書前的《鼓掌絕塵》插圖規格較《明清平話小說選》小。

（3）《明清小說七種》書前提要乃節取《明清平話小說選》的序文及正文前的簡要說明而成，但省略了「統治階級」、「封建社會」兩個字詞。其中路工引〈鼓掌絕塵序〉的錯誤之處，《明清小說七種》仍因之，正文闕葉部分亦同。

（4）《明清平話小說選》以簡體字排版，《明清小說七種》再據其書將簡體字化爲繁體字，致使某些字在轉換間與內閣文庫原書不合，如：

〔註13〕　〈校後記〉云：這些底片據路工說可能收藏於北京藝術研究院圖書館，但因文化大革命中，該館傅惜華的藏書曾遭到極大的損失，殘存很少，而且尚未清理，故《鼓掌絕塵》膠捲底片是否幸存，現在還不清楚。

內閣文庫本	《明清平話小說選》	《明清小說七種》
那裡	那里	那裏
一隻	一只	一只
一箇	一個	一個
弔	吊	吊
証	証	證
干係	干係	干繫
送與	送于	送於

五、天一出版社影印本《鼓掌絕塵》

　　台灣天一出版社於一九八五年五月，影印日本內閣文庫所藏崇禎辛未本《鼓掌絕塵》四十回，輯於〔明清善本小說叢刊初編〕中。由於此書係影印本，因此在插圖、序文、批點及全書的編排次序上與內閣文庫本完全相同。不過此書在印刷時縮小版面，原書版面高十九・四公分，寬十二・六公分（版心不算）；天一出版則縮小成高十五・八公分，寬十・二公分。由於其係影印，故不致如排印本有誤植字的情形出現，只是在原書闕葉部分仍保持闕葉，錯簡部分保持錯簡。但可能是採取照像影印，致使某些篇卷的文字比原書更模糊而幾乎難以辨認，如第二十五回第一葉，有一大半的文字都不清楚。此外，在裝訂上有錯亂的情況出現，就是將第二十回的第七、八、九葉前後次序弄錯。這是此書較嚴重的缺陷，而於保持原書的原貌上，此書功勞實勝於排印本。

六、春風文藝出版社排印本《鼓掌絕塵》

　　春風文藝出版社於一九八五年十二月出版《鼓掌絕塵》排印本，由李落、苗壯根據大連市圖書館所藏明崇禎辛未本爲底本，加以校點。其間並曾參校日人支那珍藏頒部會《含秀舍叢書》的《鼓掌絕塵》排印本，及路工《明清平話小說選》中的《鼓掌絕塵・月集》。半葉二十四行，每行約二十五字，無圖，無眉批，採新式標點。但與路工所標有異。此書是目前所出版《鼓掌絕塵》排印本中最完整的一本，收錄全書四集四十回故事，僅因大連市圖書館原書闕第二十七回第十葉，故此書亦闕，其餘大致上完整。不過此書對原書中的部分淫污描寫作了刪除，計有：

第六回「締良盟私越百花軒，改喬裝夜奔巴陵道」，於該書頁 73 至 74，共刪 174 字。

第二十四回「醜姑兒園內破花心，小牧童堂上遺春譜」，於該書頁 269 至 271，共刪 541 字。

第二十七回「李二叔拿奸鳴枉法，高太守觀句判聯姻」，於該書頁 300，共刪 65 字。

另外，還把原書中的某些錯字，如原書「嚎啕」作「濠淘」，「晦氣」作「悔氣」，「梳洗」作「流洗」，「癩痢」作「腊梨」等都改過來了。

以上就是筆者所見的《鼓掌絕塵》各個版本。另外，由苗壯先生告知，江蘇古籍出版社《話本小說叢書》亦收有《鼓掌絕塵》，繁體豎排，因筆者未見，無法詳細介紹，此缺漏之處，希望能於日後補足。筆者在以下各章中，凡引用《鼓掌絕塵》原文者，皆依天一出版社的影印本，而於影印本闕頁處，則依春風文藝出版社的排印本。

第二章 《鼓掌絕塵》的故事分類與內容簡介

　　中國古代小說流派，是由後代學者總結歸類而命名的，因為在把小說稱為「雕蟲小技」，不能與正宗文學詩文並提的傳統社會中，研究小說遠不如研究其他文學來得熱烈，而對流派的探討更是微乎其微。但因為我國的圖書分類學發展得極早，為了編排、檢索的需要，分類越來越細緻，因此，小說分類在文學研究中雖然未被重視，但在圖書目錄中卻必須涉及。班固漢書藝文志以九流十家隸屬於諸子略，而稱「可觀者九家」，認為小說是卑不足道的一科，無類可歸，遂附於諸子之後。從此，小說是不入流的一家的觀點，就深植於文人心中。隋書經籍志沿班志之舊，列小說於「子部」，舊唐書經籍志同，但將隋志入於雜家的張華博物志，併入於小說一類中。新唐書藝文志雖然將小說類中的書目增加，但所加的均是雜書，宋史亦同。

　　隨著小說書籍的大量增加和「小說」概念的逐漸清晰，小說分類的必要也日益的被人們感覺出來。明代胡應麟《少室山房筆叢・九流緒論下》開始給小說較細緻的劃分了類別，將小說分為志怪、傳奇、雜錄、叢談、辯訂、箴規等六類，各類下沒有伴以理論的解說，只是標出四部代表作品，讓讀者從實例中體會出該類的特點〔註1〕。胡應麟的這種分類法，嚴格的來看，志怪、

〔註 1〕 胡應麟，《少室山房筆叢・九流緒論下》把小說分成六類：
　　　一日志怪：搜神，述異，宣室，西陽之類是也；
　　　一日傳奇：飛燕，太真，崔鶯，霍玉之類是也；
　　　一日雜錄：世說，語林，瑣言，因話之類是也；
　　　一日叢談：容齋，夢溪，東谷，道山之類是也；

辯訂、箴規是以內容分；傳奇、雜錄、叢談則是以體制分，他所稱的「小說」顯然大於現代小說概念，而把山水地理，名人逸事，考證辨訂，甚至家規訓戒等筆記都歸入小說範疇。至清代紀曉嵐編《四庫全書》時，仿漢志以來許多史書藝文志之例，把小說家放在子部，並於小說分類中去掉胡應麟所列六種中一些明顯非文學的類別，而分為三派：敘述雜事、記錄舊聞、綴輯瑣語。魯迅稱紀氏所分的三派：「校以胡應麟之所分，實止兩類，前一即雜錄，後二即志怪，第析敘事有條貫者為異聞，鈔錄細碎者為瑣語而已。傳奇不著錄；叢談、辯訂、箴規三類則多改隸于雜家，小說範圍，至是乃稍整潔矣。」〔註2〕這是紀曉嵐在小說分類上的一大貢獻。

　　古代目錄書不收白話小說，當然也就無從研究其分類。對白話小說進行分類的，最早見於耐得翁的《都城紀勝‧瓦舍眾伎》條：

> 一者小說，謂之銀字兒，如烟粉、靈怪、傳奇。說公案皆是搏刀趕棒及發跡變泰之事。說鐵騎兒謂士馬金鼓之事。說經謂演說佛書。說參請謂賓主參禪悟道等事。講史書講說前代書史文傳興廢爭戰之事。最畏小說人，蓋小說者能以一朝一代故事頃刻間提破。合生與起令、隨令相似，各占一事。商謎舊用鼓板吹〔賀聖朝〕，聚人猜詩謎、字謎、戾謎、社謎，本是隱語。〔註3〕

吳自牧《夢梁錄》承其說，兩者文字相近〔註4〕。後代談論到話本四家分類問

一曰辯訂：鼠璞，雞肋，資暇，辯疑之類是也；
一曰箴規：家訓，世範，勸善，省心之類是也。
台北：台灣商務印書館，〔景印文淵閣四庫全書〕第八八六冊，1986 年 3 月初版，頁 305。
〔註 2〕魯迅，《中國小說史略》，香港：太平洋圖書公司，1973 年 2 月再版。第一篇「史家對於小說之著錄及論述」，頁 21。
〔註 3〕耐得翁，《都城紀勝》，台北：台灣商務印書館，〔景印文淵閣四庫全書〕第五○九冊，1986 年 3 月初版，頁 9。
〔註 4〕吳自牧，《夢梁錄》卷二十《小說講經史》條：
說話者，謂之舌辯。雖有四家數，各有門庭。且小說名「銀字兒」，如烟粉、靈怪、傳奇、公案、樸刀桿棒發發跡參（發跡變泰）之事。……談經者，謂演說佛書；說參請者，謂賓主參禪悟道等事，……。又有說諢經者戴忻庵。講史書者，謂講說通鑒、漢唐歷代書史文傳，興廢爭戰之事，……。但最畏小說人，蓋小說者，能講一朝一代故事，頃刻間捏合，與起令隨令相似，各占一事也。商謎者，先用鼓兒賀之，然後聚人猜詩謎、字謎、戾謎、社謎，本是隱語。
台北：新興書局，〔筆記小說大觀〕第一冊，1960 年 7 月初版，頁 798。

題的，其根據大都不出《都城紀勝》和《夢梁錄》二書，但由於二者的文詞含混，可左可右，斷句難有固定標準，致使專家們的意見極度分歧，無一定論。胡士瑩《話本小說概論》第四章「說話的家數」第二節「南京『說話』四家數」中，就將各家之說列成一個簡表，以說明各家解釋之歧異，至少有九種不同的說法，此處不再一一列出。

對於中國歷代小說的源流及類別有較明確說法的，要一直等到民國以後魯迅的《中國小說史略》。《史略》以寫述小說源流演變爲目的，其分類方法是將小說按寫作年代、文體性質或內容的不同來加以類別，而將小說分成神話、傳說、志怪、志人、傳奇、雜俎、話本、擬話本、講史、神魔、人情、諷刺、以小說見才學者、狹邪、俠義、公案、譴責等種種類別。《史略》給中國小說發展的過程勾勒出一個清楚明確的輪廓，規劃了中國小說史的範圍，幾十年來寫小說史者，無人能出其右。馬幼垣就曾讚美此書：「《史略》的眞正價值在兩方面，一是分類準確，二是評論精闢。」〔註5〕而它在這兩方面的成就，也一直爲後代治小說者所遵從〔註6〕。

魯迅在論述明清兩朝小說時，有一個相當重要的流派——「人情小說」。將「人情小說」作爲流派研究，較爲清晰地勾勒出流派概貌，是魯迅的創舉。魯迅在《中國小說史略》第十九篇爲人情小說下了一個定義：

> 當神魔小說盛行時，記人事者亦突起，其取材猶宋市人小說之「銀字兒」，大率爲離合悲歡及發跡變態之事。間雜因果報應，而不甚言靈怪。又緣描摹世態，見其炎涼，故或亦謂之「世情書」也。〔註7〕

把人情小說看作是小說的一種流派，已經被學者們所認同，而其定義也都以魯迅所說爲依歸，但是魯迅對於人情小說的起源、流派的特點、發展過程的變化及衰落的原因，卻未做深入研究。近人方正耀搜集了明清時代的人情小說，詳加研究，對人情小說的命名、範圍及特色有極精闢的見解，可以幫助我們進一步了解人情小說，其主要論述大約有以下幾點：

（1）命名「人情小說」是與風行一時的「神魔小說」相對而言，主要依據是這一流派記人事不言靈怪的題材特點。

〔註5〕馬幼垣，〈論《中國小說史略》不宜注釋其他〉，《抖擻》，1981年9月，魯迅誕生百周年紀念專號，頁35。

〔註6〕魯迅所立的小說類別名稱也有受爭議處，如「擬話本」一詞，近化許多學者提出反對意見，而其立「以小說見才學者」爲小說類別中之一類，亦頗受批評，但就大多數的類別名稱言，還是受後代小說學者所肯定且依循的。

〔註7〕魯迅，《中國小說史略》，第十九篇「明之人情小說（上）」，頁187。

（2）人情小說旨在通過描寫家庭盛衰、個人發跡變泰和情侶悲歡離合來反映社會，所以家庭婚姻和社會世態描寫兩者融合，是這一流派作品內容構成的特點。

（3）這一流派始於明末《金瓶梅》，迄於清末《青樓夢》，現存作品約有一百種。

就方正耀所提的這幾項標準看來，《鼓掌絕塵》無疑是隸屬於人情小說這個範圍的，而依《鼓掌絕塵》的成書年代看來，又應該屬於人情小說的發軔時期。

雖然學者們認同了人情小說這一派別，並對之歸劃出範圍、輪廓，但是這個派別究竟包含那些類目，卻從來沒有學者加以討論、確定，也因此使筆者沒有一可資遵循的標準。為了使讀者便於了解《鼓掌絕塵》的故事內容，及筆者敘述故事的方便起見，筆者將《鼓掌絕塵》中的四集故事，依其故事題材，分作兩類。下面，就對這兩個類型，分別加以介紹。

第一節　改變命運故事

今人在分類小說故事時，常有「發跡變泰」一類，大多是指故事內容寫市井小民因緣巧合，或者由於本身的行事作為導致日後飛黃騰達的故事。此處筆者不沿用「發跡變泰」一詞，主要原因有二：

（1）韓南在〈早期的中國短篇小說〉一文中指出：在早期小說中，「發跡變泰」一詞有個特別的意義，即指「一個英雄突然崛起」〔註8〕。花、月兩集都不算是寫英雄的崛起，因此無法襲用這個名詞。

（2）隨著小說的發展，「發跡變泰」雖有較廣義的意思，不再限於英雄崛起，只要是敘述某人由平凡、困頓到成功飛黃的故事都可以屬之，但是依此條件看，花集雖然能符合，月集卻仍不符合。月集的三個主要人物：張秀、陳珍死於非命，楊琦遁入空門，就世俗的眼光而言，實在不能稱之為泰。

因此，筆者根據這兩集內容敘述人物生平際遇的特色，定為「改變命運故事」。

〔註8〕韓南，〈早期的中國短篇小說〉，王秋桂編，《韓南中國古典小說論集》，台北：聯經出版事業公司，1979年9月初版，頁20。

花集主要是敘述汴京闊公子婁祝與好友俞祈、林炯三個人的故事，而以婁祝的發跡變泰為主。婁祝由於慈善仁義，出資掩埋義塚地上的無數枯骨，而意外的掘得奇珍溫涼蟹，隨後在郊外踏青時，又結識了俞參將之子俞祈，兩人結拜為兄弟，俞祈並將父親遠從西蕃帶回的青驄馬相贈。豈料，此馬被幫閒大老夏方以巧言騙去，高價賣給林炯，夏方得錢後逃逸。林炯事後獲知實情，將馬送還婁祝，自此婁、俞、林三人成為至交。一日，三人郊外狩獵，獵得奇獸火睛牛，均分結果，婁祝得牛膽。恰好韋丞相因病還鄉，婁祝借出治百病的火睛牛膽，治好韋丞相之病，換得韋丞相與盛總兵的薦舉，進京謀職。進京後，獻溫涼蟹，任職兵部。時逢韃靼作亂，婁祝、俞祈征伐有功，升任總兵，又帶挈林炯，再度征戰。俞祈不幸戰死，婁祝官拜定西侯，因恐位高遭忌，稱病還鄉，林炯則留駐潼關。

月集敘述金陵人張秀，由於好嫖賭，敗光家產，流落洛陽。一日天寒跌倒路邊，被好心的楊亨員外救起，招至家中款待。張秀卻見財起意，偷了楊亨三百兩銀，逃至妓院躲藏。因恃財鬧事，意外踢死妓女李瓊瓊。到官審判時，由於縣官貪財糊塗，反將張秀放了，改捕楊亨。張秀趁機逃回金陵，故態復萌，迷戀官妓王二，因事發被告，王二只得逃到陳進家避禍，張秀則前往袁州。陳進收王二作妾，生下一子陳珍。陳珍長成後任九龍知縣，又遇見張秀，遂通了世家。陳珍解職回家途中，不幸遇水潮而亡，張秀得知，招其魂魄回金陵，自己則轉任桃園驛驛丞。任職期間，楊亨之子楊琦往任廣西太守，途經驛站，張秀遂送還昔日所竊的三百兩銀。不料被盜賊所知，埋伏高崗搶劫，張秀捨身相救而亡。楊琦到任後，感富貴功名如幻，出家為僧，後得道升天。

這兩集故事的共同特色在於描繪人物眾多，涉及社會層面廣。以短短十回的故事結構，月集裡有名姓的人物就有二十九個，花集更多達三十四個，金木散人藉著眾多的人物群像及寬廣的社會層面，寫出了明末社會的種種弊端。寫宦官權奸的把持政事，倒行逆施；寫朝中小人的阿諛巴結，為虎作倀；寫納貢縣官的貪財戀鈔，亂判官司；寫秀才生員的科場劣行，胸無點墨；寫小官妓女的勾心鬥角；寫幫閒蔑片的無賴欺詐，無不刻劃精妙，生動有神。金木散人不僅寫出了世俗生活的真實面，更表現出現實社會中人們的感情與思想。

月集曾涉及到魏忠賢掌東廠時的一段史事，字數不多，集中在第三十六

回「遭閹割監生命鈍，貶鳳陽奸宦權傾」中描寫。關於魏忠賢的生平事蹟及掌政時的惡行劣跡，明末小說多有描寫，以「專書」來寫的就有：《魏忠賢小說斥奸書》（四十回）、《皇明中興聖烈傳》（五十卷）、《警世陰陽夢》（十卷四十回）、《檮杌閒評》（五十卷五十回）等。《鼓掌絕塵》以不到一回，三、四千字的短小篇幅來描寫魏忠賢當權時期的這一段史實，以生動、活潑的對話形式，表現出魏忠賢及他那一班以崔呈秀為首的乾兒子，如何在閒談笑語中傾陷朝臣，殺害無辜。字數雖少，卻把事情交待得極清楚。而小說中所涉及的史事，如其殺害周朝瑞、楊漣、左光斗、萬璟等大臣，掌朝政，攬奏摺，及民間徧建生祠等事，都可見於明史〔註9〕。但可能是金木散人所居之處與北京相隔太遙遠，因此對於某些事情的記載也只是道聽塗說，而致描寫有誤，如：

（1）書中描寫魏忠賢閹割監生、生員之事，史書上並沒有記載，值得懷疑，恐是作者附會之說。

（2）書中寫魏忠賢聞聖旨要捉回取斬，傷心之餘，問崔呈秀下落，報子道：「那崔呈秀先已縊死了！」而根據《明史》記載，崔呈秀實死於魏忠賢之後。

（3）小說云魏忠賢於密雲（今北平市東北三十里）客舍服毒而亡，史書則載魏忠賢乃自縊而死，且死於阜城（今河北河間縣南百四十里）。

這些雖然和史實不符合，不過對於表現全書的主題、作者的思想，並沒有影響。

另外，金木散人在這兩集故事內容上，也頗有些出人意外的描寫，例如：俞祈在一切順遂，升任總兵之後，卻在二次征戰韃靼時陷陣而亡；陳珍在拔除眼中釘，心滿意足的歸回故鄉時，卻全家落水而死；張秀為了救助恩人之子楊琦而亡命於盜賊之手；李蓂為了替張秀報仇也被盜賊一刀砍死，這些都令讀者在閱讀時產生了不小的沖擊，對這些突如其來的死亡感到訝異。不過仔細分析起來，這或許就是此書的寫實之處，表現人世的無常變化，生老病死的真實概況。

〔註9〕楊家駱主編，《新校本明史並附編六種》，台北：鼎文書局，1975 年 6 月初版，卷三〇五，頁 7816、卷三〇六，頁 7848。

第二節　愛情故事

　　「愛情」是人類永不疲倦的話題，是永遠最受小說家喜愛的題材。中國古典小說，從唐傳奇，宋話本，到明代的三言、二拍，許多驚天動地的愛情故事，至今仍為人們傳頌。張生的始亂終棄，李益的負心寡情，賣油郎的痴心誠意，李甲的見財忘情，都讓讀者印象深刻。而那楚楚可憐的鶯鶯、小玉，真情感人的美娘、十娘，更是在數百年後的今天，仍舊鮮活的活在讀者的腦海中。

　　《鼓掌絕塵》中也有兩集敘述愛情與婚姻的故事：

　　風集敘巴陵一小兒，遭其父撇於城外梅花圃中，賴管園蒼頭撫養，自名梅萼。七歲時，杜灼翰林聞其能詩，收為義子，改名杜萼，字開先。長成，與友康泰同往清霞觀欲奮力讀書，乘船途中，遇韓相國玉梟舟，見其兩位年貌相若的歌妓蕙姿、玉姿姊妹，康泰與蕙姿一見鍾情，杜萼與玉姿吟詩定情。二人自此無意詩書，遂於元宵夜借觀燈之名入相府，杜萼將玉姿所吟之詩題於扇上，誤擲與蕙姿。玉姿見扇，知杜萼來會，故意告知相國蕙姿拾扇事。相國愛杜萼之才，邀其代寫壽軸，並留其與康泰於相府中讀書。玉姿趁機夜訪杜萼，有逾矩之事，恐事發被責，兩人趁夜逃走。至長沙，杜萼巧遇生父舒石芝，遂更名舒萼。赴京應考，又與康泰相遇。榜發，舒萼中一甲一名，康泰中三甲末名，主試官為杜翰林，義父子重逢。因玉姿非明媒正取，韓相國作伐，舒萼又娶金刺史之女為妻，兩位夫人以姐妹相稱，後各生一子，父子三人皆聲聞顯赫。

　　雪集敘姑蘇書生文玉，字荊卿，父母早亡，由其叔撫養長大。文玉性嗜酒，因不滿其叔規勸，鬥氣離家，寄宿於臨安客舍。一日經李府花園，遇李府啞園公誤賣李府珍藏之美人圖，喜而買之。李府遍尋不著此圖，請原畫師高嶼重畫，畫間，觀音大士顯聖，攝回此圖。文玉失去美人圖，再往李府探究竟，巧遇李府小姐若蘭，二人遙望吟詩通情。若蘭自此念念不忘文玉，相思成疾。李夫人四處求醫，文玉遂喬作醫人以入，若蘭見之而病癒。李夫人感文玉救女之恩，留住李府，二人趁李夫人及若蘭之叔李嶽前往崇祥寺還願時，於麗春樓私會，事被李嶽獲知，拿送官府。太守高谷見二人皆宦門之後，才貌相當，遂判為姻眷。李嶽不服，常思陷害文玉。文玉便赴京趕考，得中探花，先回姑蘇拜見叔父，後回臨安接小姐與夫人同至姑蘇，一家團聚。

　　魯迅在論述明代的人情小說時，分成上、下兩篇，究其原因，固然是由

於所論述的書籍太多,篇幅過長,因此分成兩篇來討論,但也可能是因爲這兩篇所敘述的作品不盡相同的緣故。上篇主要是論述《金瓶梅》及其續書,下篇則討論後代所謂的「才子佳人小說」。魯迅在書中說:

> 《金瓶梅》、《玉嬌李》等既爲世所豔稱,學步者紛起,而一面又生異流,人物事狀皆不同,惟書名尚多蹈襲,如《玉嬌梨》、《平山冷燕》等皆是也。至所敘述,則大率才子佳人之事,而以文雅風流綴其間,功名遇合爲之主,始或乖違,終多如意,故當時或亦稱爲「佳話」。〔註10〕

魯迅的這番論述,簡要的概括了才子佳人小說的公式化傾向,並評述了才子佳人小說的源流。魯迅認爲:才子佳人小說是在《金瓶梅》影響下的學步之作,但與《金瓶梅》不同,是「一面又生異流」的新一派,它描寫男女在婚姻上的眞情,及書中主角們不畏道路曲折艱辛,爲自主婚姻而敢于抗爭,「終多如意」的愛情故事。

以這整個定義看來,風、雪兩集無論在產生時代、描寫內容,都符合「才子佳人小說」的標準,筆者之所以不以「才子佳人小說類」來歸類這兩集,主要原因有二:

(1)一般的才子佳人小說其篇幅多半在十六到二十回之間,並且是單篇成書,極少以話本集的形式出現。

(2)風雪兩集的故事內容、基本精神,和後來的才子佳人小說有些許的差異。

所以,風、雪兩集固然可以說是才子佳人小說的雛形,但直接將它歸入此類,還是有些不妥,因此筆者就以傳統的「愛情故事」來歸類這兩集故事。

才子佳人小說在一開始定名爲「佳話」,或後來稱做「佳人才子小說」,都對此類小說沒有貶抑的意思。但是由於後續之作有許多都假借才子佳人小說之名,而寫色情淫穢之實,致令後代人認爲才子佳人小說與黃色小說、豔情小說爲同義詞,聞風變色。近來學者對於這個問題多有澄清與評論〔註11〕,因此筆者不再贅言,而關於風、雪兩集與後來才子佳人小說的異同,將在第五章中詳細論及。

〔註10〕魯迅,《中國小說史略》,第二十篇「明之人情小說(下)」,頁153。

〔註11〕盧興基,〈在《金瓶梅》與《紅樓夢》之間填補歷史的空白〉;林辰,〈烟粉新話〉,二篇見於春風文藝出版社編《明清小說論叢》第一輯,瀋陽:春風文藝出版社,1984年5月第一版,頁10及頁116。

第三章 《鼓掌絕塵》的主題及思想

第一節 《鼓掌絕塵》中的主題

通常在閱讀完一部作品以後，讀者們總會思考，究竟作者寫這篇作品的目的何在？他究竟希望告訴我們什麼？這種思索過程所希望發現的結果，就是對這部作品主題的探討。威廉・肯尼（William Kenney）在《小說的分析》一書中說：「主題意指，整個故事必要的暗示，不是與故事分離的一部分。」〔註1〕這個定義，初看似乎很明確，但事實上卻十分的令人難以捉摸。每位讀者在閱讀書籍時，由於其本身的思想背景不同，閱讀心態不同，那麼他們所發現的「整個故事必要的暗示」也必然不盡相同。所以筆者以為，肯尼的另一句說明，更能符合主題的意義，他說：「主題便是作者在寫作過程中，與讀者在閱讀過程中所發現的總意義。」〔註2〕

這個總意義是相當重要的。在作者方面，它左右了作者在題材上的選取與增刪，並決定了情節的構成方式與人物的塑造。也因為如此，發現主題的過程，必然繁複。因為我們至少必須對作者的生活環境、時代背景、社會因素有概略的了解，並且要週全而感應地閱讀作品，包括對作品中的人物、情節、背景、作者的寫作動機、敘事觀點，甚至作品風格作深刻的體會，集合這些以發現作品的主題。這些過程雖然稍嫌煩人，但卻是了解作者思想、作品內容的有效方式。

〔註 1〕 威廉・肯尼（Willam Kenney）著，陳迺臣譯，《小說的分析》，台北：成文出版社，1977 年 6 月初版，頁 119。

〔註 2〕 同上，頁 123。

　　《鼓掌絕塵》中的風集和雪集描寫才子與佳人的婚姻故事,「愛情」無疑是作品中一個重要的主題。自從唐代韓愈及其弟子李翱從孟子性善論思想出發,提出了「性善情惡」的主張,鼓吹復性滅情,認爲性是至善的,情是害性的,人之性爲情所惑,乃有種種不善行爲,如能除情復性,便可成爲聖人。之後,宋明理學家更進一步發展這種思想,提出一組性與情、天理與人欲等對立矛盾的命題,提倡性以反對情,提倡天理以反對人欲,並主張以種種的禮教來約束人們的行爲。對於這一思想,從明代中葉開始,就有一些進步的思想家進行過分析批判,至晚明更形成一種新的社會思潮。其主要代表人物有李贄、湯顯祖、袁宏道、馮夢龍等,他們抨擊禁欲主義的理學觀念,要求沖破天理的束縛,而使人欲得到滿足。《鼓掌絕塵》中就具現了這種觀點,認爲「老成端重,其貌尤假;風花雪月,其情最眞」(〈鼓掌絕塵敘〉),頌揚男女間的眞情眞愛,希望擺脫禮教束縛,闡揚「即合巹野而白髮貞,亦足愧萬古之負心」(〈鼓掌絕塵敘〉),這種不拘結合形式,而以眞心實意爲主要取捨標準的愛情觀念。所以,我們可以說它的主題之一是在「追求(歌頌)自由的愛情」。

　　作者金木散人寫作此書的時代正處於朱明王朝即將滅亡的前夕,明朝經過了明神宗朱翊鈞的唯酒色財氣之是務,二十五年不視朝政後,奠下了明朝覆亡之根。而接連的光宗、熹宗又都昏闇懦弱,不是愛好女色,荒廢國政,就是寵信宦官,執迷不悟。致使政治極端腐敗,社會風氣混亂、頹靡。而明朝商業經濟的迅速發展,海外貿易的發達,城市的繁榮,更使傳統制度受到質疑,新的人物,新的思想,油然而生。當時的重要思想家如李贄、焦竑、袁宏道等都對小說、戲曲提出了正面的肯定,認爲小說在補正史之餘,更有著教化廣大群眾與本身文學藝術上的價值,把小說與四書、史記等經典之作相比併,促進了人民大眾對小說的重視,更導致小說的繁榮。這些思想上的新觀念,反映到小說創作中,使得小說在內容上趨向於直接反映和針砭現實。如馮夢龍編輯「三言」,在書名上便明確的標出,其目的在「喻世」、「警世」、和「醒世」,獨醒道人序《鴛鴦針》,更提出了「痛下頂門毒棒」之語,認爲小說可以醫國。《鼓掌絕塵》正是這種社會環境與文學思潮下的產物。明末擬話本中,已經直接描寫、肯定了商人的好貨私利,而《鼓掌絕塵》中更注意到因爲私利世風而逐漸加深的人與人之間複雜的社會關係。金木散人憑藉著對於世界的直接感受,描繪出人人都爲私利奮鬥的社會現實,並以一付沈痛

而無可奈何的心情，感嘆「世事短如春夢，人情薄似秋雲」，因而寫下了這一部「無意撩人，有心嘲世」（〈鼓掌絕塵序〉）的人情小說。作者明確的標示出，其主題在表現「人情薄似三春雪，世事紛如一局棋」（三十二回頭回詩）的人生真實現象。

第二節 《鼓掌絕塵》的重要思想

一、情的觀念

《鼓掌絕塵》中所表現的「情」，包括男女之情、父子之情、手足之情及朋友之情，其中以男女之情最重要。以下我們就作者對這些不同的「情」的看法來加以討論：

（１）男女之情

在傳統的觀念中，女子必須溫柔恬靜、信守禮教，如鶯鶯在未奔西廂之前那樣的低眉斂首，怒斥前來挑情的無聊男子。也因此，對於關係著一生幸福的婚姻大事，也只能依父母之命，憑媒妁之言了。

金木散人突破這種觀念，認為幸福稍縱即逝，鼓勵青年男女盡力追求幸福，女子同樣也有爭取愛情的權利。書中身為刺史女兒的李若蘭，自小嬌養，衣食不愁，但事實上卻無行動的自由，長年累月深處於朱樓繡戶之內，無法窺知花花世界的人、事、物；韓玉姿雖能偶爾外出，但卻是個地位卑下的歌妓，沒日沒夜的陪伴著一個行將就木的相國老爺。她們都不甘心於這樣的生活，不願青春年華隨水流逝。因此，當李若蘭在花園深處的閣樓上窺見了文荊卿；韓玉姿在楊柳岸邊的玉鳧舟中看見了杜開先，都不由得情動於衷，主動吟詩傳情，表達其愛慕之意。她們機智的思考，果決的性格，追求幸福的決心，使她們在面對突如其來，出現在身旁的男子，於心中升起愛慕之意的同時，以勇敢、積極的態度，去把握那稍縱即逝的機會。在對方注意到自己美貌的同時，以詩詞隱語顯露才華，既表達了自己的心意，又使對方印象深刻。而文荊卿與杜開先對她們也都是一見鍾情，相思難忘，想盡辦法接近佳人。一個假扮醫生，得入李家，用詩詞隱語打動芳心；一個藉元宵觀燈，深入相府，以紈扇與通消息，他們雙方秉著對理想的堅持，而得以與心愛的人日親日近，最後沖破種種束縛，如願以償。無疑的，作者贊同這種不憑父母

之命，不靠媒妁之言，完全由男女雙方自己選擇，主動爭取來的婚姻，也顯示了作者所言「冤家病魔憑誰訴，兒女私心只我憐」（二十五回），這種同情青年男女受傳統婚姻制度束縛的悲憫心態。

在傳統的婚姻關係中，「門當戶對」是雙方家庭結秦晉之好的一個相當重要的因素。但是李若蘭與韓玉姿在選擇婚姻時，考慮的卻是對方的才情與眞情。韓玉姿在聽到杜開先對月所吟的詩句時：

> 這韓玉姿聽見他詩中意思，別有一種深情，知他定是个人中豪杰，
> 口裡雖不說出，心下覺有幾分顧盼之意。（第二回）

心中所想的不是要探聽對方的家世財權，而是因其詩中深情，知他是個人才，而有意於他的。文員外在得知文荊卿已入贅李刺史府中時說：

> 賢倩，我想李刺史府中小姐，千金貴體，非貴戚豪家不能坦腹，賢
> 倩是異鄉孤客，行李蕭然，既無勢焰動人，又無大禮爲聘，縱賢倩
> 才貌堪誇，實非門當戶對。（二十九回）

文員外說出了當時一般人的想法，指出了這椿婚姻的可疑性，而李若蘭卻偏偏能不顧「門當戶對」，而看中其「才貌堪誇」。作品中雖然沒有像後來的《定情人》那樣，明確的提出「只要其人當對」〔註3〕，但實際上則體現了這種說法。

在爭取愛情的這段道路上，金木散人對女主角的肯定，無疑是勝過男主角的。雖然他們都同樣的爲自己的愛情在奮鬥，並且摒棄門戶之見，但女主角所表現的卻更積極、勇敢。韓玉姿在偷會杜開先之後，恐事發被責而不得與杜開先長相廝守，於是毅然捨棄相府中無數精緻衣裳首飾、姊妹深情，與杜開先一同出走巴陵城；李若蘭在私情被揭發，送往官府時，雖嬌羞滿面，卻也決然地把所有情形，從頭至尾，控訴一番，勇敢而堅決的希望高太守「仁慈曲庇，澤及閨幃」（二十七回），爲自己的婚姻奮鬥。相對於這兩個女子的果決、堅強，杜開先和文荊卿所表現的，就顯得過於軟弱平凡了。文荊卿在私情被發現，於公堂上辯解時，頗有把李若蘭拖下水的嫌疑；而杜開先在中狀元後，因與韓玉姿係「私情苟合」，不是明媒正娶，迫於物議，又贅於金刺史府爲婿，但他「那一會不把韓夫人放在心上，眠思夢想，坐臥不寧，懊惱無極。」（第十回）最後在金刺史和金小姐的幫助下，金小姐與玉姿結爲姊妹，

〔註3〕 無名氏撰，李落、苗壯校點，《定情人》，瀋陽：春風文藝出版社，1983 年 8 月第一版，第一回，頁 2。

才得團圓。這段描寫，充分表現杜開先猶疑、軟弱、畏於權勢的一面。

在男女愛情上，作者雖然寫出了男女雙方積極的爭取愛情，贊同了自主婚姻，打破了門戶之見，但他卻將最後婚姻的成功歸諸於「天命」，認為「世間男女姻緣，卻是強求不得的」，「及至聯姻二姓，伉儷百年，一段奇異姻緣，不假人為，實由天意。」（第一回）實在不能說不是功虧一簣。此外，金木散人在描寫才子與佳人之間的愛情故事，宣揚真情至性的感情，認為「天上有圓月，人間有至情；圓月或時缺，至情不可更。」（二十七回）之外，卻在描寫愛情之餘，加入了部份的性愛描述。這雖然是由於當時寫作風氣的影響，但也或多或少的代表作者金木散人思想上的落後面，降低了整部作品的美感。而他在故事中，把二女配一夫，不分嫡庶，認為是「天下之常經，古今之通義」，是聖人古制，認為兩個夫人必能「不分大小，也不知爾為爾，我為我，就是一個。」完全不提及一夫多妻可能產生的弊端，以及宣揚「竊玉偷香乃讀書人的分內事」（以上均見第十回）這種荒謬理論，都可看出作者在部分思想上的迂腐與男性沙文主義，也是他在思想上頗令人遺憾的局限。

（2）父子之情

中國古典小說中總喜歡強調父子關係中的親密性，金木散人在看待、處理這種關係時，亦抱持著同樣的理念。他認為父子之情屬於天性，這種血濃於水的關係並不會因個人的地位階層，或時間的隔閡而改變。

花集中的夏方、夏虎兩父子是詐騙主人寶馬變賣的幫閒之徒，兩人曾一度因錢財的分配不均而父子反目，但負氣販米杭州的夏虎，終因思念父親而趕回荊州。而後在返回故鄉汴京途中，在父親與錢財都遭船家打劫的情形下，夏虎最擔心的還是父親下落，在「東奔西撞，叫得喉嚨氣咽，那裡有箇父親答應」時，他傷心的「含著淚，對著灘，儘儘坐了一日，水米也不沾牙。」（十四回）

而風集中的杜萼，在偕同韓玉姿私奔途中巧遇了分別十數年的親父舒石芝，此時的舒石芝已淪落到在飯店灶前替人吹火維生，一付貧困小民落魄像，而當慣了翰林府的貴公子，看慣了錦衣華服的杜萼，卻能在得知舒石芝的真實身分時，不顧他人的質疑、取笑，毅然與他父子相認，並立刻改回本姓。這些都顯示了作者認為，父子天性是不受地位階層與時間間隔限制的，也顯現了作者對這種人倫至情的深切肯定。

（3）手足之情

筆者認為作者金木散人在描繪手足之情時相當寫實，他洞悉了這種關係的微妙性與其中利害差別，如實的寫出可能發生的情況。《鼓掌絕塵》中所描繪的手足關係有韓蕙姿、玉姿姐妹，陳進、陳通兄弟。其中陳進、陳通兄弟由於財產分配上的關係，及各人妻子的因素，因此並沒有深刻感人的情誼，甚至當陳進在得知陳通病故，傷心的大哭回家時，被妻子大罵一頓：「老殺才！你敢是想他去年正月間牽那箇私窠子來的好情麼？這樣的人，莫說死一個，便死一千一萬，也不干我甚事！等他死得好，我家越生得好！哭些什麼？」（三十五回）之後，忙拭了眼淚，見了新生的兒子，頓時就把弟弟的死給忘了。而蕙姿、玉姿則是對彼此照顧的姊妹，兩人同在相府中當歌妓，過著同樣的生活與命運，兩人互相扶持，彼此照顧。不過在面對愛情時，兩人為了各自的私情，彼此提防，相互瞞騙，直到各自找到美滿的歸宿，於異鄉重逢時，才又回復到往日濃厚的手足之情。這些都顯示了作者認為手足之間的感情是會受到外在的利益影響的，當利益不衝突時，彼此維繫良好的感情，而當利益衝突時，則端視個人修養了。

（4）朋友之情

傳統作家偏好於友情的故事，而這種友情，幾乎都是指男子與男子之間的友誼。《鼓掌絕塵》中所表現的友情雖然不像豫讓、吳保安那種「士為知己者死」的強烈情誼，但卻符合了《論語》中子路所說的「願車馬衣裘與朋友共，敝之而無憾」的精神。書中的俞祈和婁祝才剛認識，俞祈就因意氣相投，而不惜將父親遠從西蕃帶回的青驄寶馬贈予婁祝；而林炯也為了與婁祝、俞祈二人結交，便二話不說的把他在不知情之下，以一千五百兩高價購得的寶馬，送還婁祝。之後，三人在仕途上互相提攜，彼此照應，成為莫逆之交。這種情誼是深受作者讚賞的，也是其用力描寫處。除此之外，書中還描寫了韋丞相與盛總兵那種看似平淡，實則恆久相繫的知己情懷，以及江順對夏方那種雪中送炭的友誼。江順雖然得知夏方做了許多無恥的事，只因念著往日的交情，所以在面對身無分文的好友時，慷慨解囊，將身邊僅有的幾兩銀子全部奉送，甚至因為考慮到夏方的行程而把自己的坐騎相贈，以幫助夏方前往紫石灘尋找孩兒夏虎，自己則步行返回住處。由這種種層次不等的朋友之情中，我們可以看出，作者極為重視友情，並且特別崇尚和讚揚朋友間的通財之義與患難真情。

二、佛道觀

魯迅在《中國小說的歷史的變遷》中曾提到：

> 宋宣和時，即非常崇奉道流；元則佛道並奉，方士的勢力也不小；
> 至明，本是衰下去的了，但到成化時，又抬起頭來。其時有方士李
> 孜，釋家繼曉，正德時有色目人于永，都以方技雜流拜官，因之妖
> 妄之說日盛，而影響及于文章。〔註4〕

簡要說明了佛道等教對明末小說的影響。

　　明代在開國之初，對佛道二教沒有歧視，後來因爲政治上的關係，對喇嘛僧稍予優待。天順、成化間，胡僧頗佔優勢，佛教徒假借餘光，其勢力在道教之上。武宗喜歡佛教，自列西番僧一同唄唱，甚至自稱大慶法王，鑄印賜誥命。到嘉靖時，世宗崇信道教，初用侍郎趙璜之言，括武宗所鑄佛鍍金一千三百兩，又用眞人陶仲文等，天天在西苑玄修作醮，求延年永命。一般方士偶獻一二秘方，便承寵遇，群臣入直者，亦往往以青詞〔註5〕稱意，四方獻靈芝、白鹿、白鶴、丹砂無虛日，廷臣亦天天講符瑞、報祥異。當時道士遍天下，其領袖甚至封侯伯、位上卿，次下的亦封小官，凌視士人，擅作威福。一方面並焚佛牙，熸佛骨，逐僧侶，沒廟產，熔佛像。至萬曆時，又崇信佛教，在京師建慈壽、萬壽諸寺，富麗冠海內，又度僧爲替身出家，顯赫比擬王公，又大開經廠，頒賜天下各名刹。在這佛道二教交替盛衰之際，二教的教義主張自然或多或少的受到群眾的關心與注意。兼之明中葉以後，統治階級內部的矛盾日深，內有唐賽兒、劉六、劉七之亂，外有滿族、倭寇之擾，致使統治者一方面利用龐大的軍隊及廠、衛等特務機構來鎮壓人民，一方面也提倡孔孟之道，崇奉道佛二教來安撫人民，致使佛道二教的教義與主張對人民思想產生深遠的影響。

　　金木散人處於佛道二教昌盛的時代，不免在思想上受其影響，書中提及的廟寺及道觀計有：梅花觀（後改名叔清上院）、清霞觀、關眞君祠、關帝廟、蓮花寺、楊公廟、文昌殿、崇祥寺、阿太廟、雲棲寺、白雲寺、少林寺、三義廟、善果寺、紫楓寺等。這些眾多的廟寺和道觀，及所佔篇幅比例不少的和尚道士，說明作者對佛教、道教的注意，而於思想上，更可看出其對佛道教義的認同與所受的影響。

〔註 4〕 魯迅，《中國小說的歷史的變遷》，北京：人民文學出版社，〔魯迅全集〕第九
　　　　卷附錄，1981 年北京第一版。第五講「明小說之兩大主潮」，頁 327。
〔註 5〕 青詞，文體的一種，齋醮時所用。

　　由書中內容我們可以很明顯的看出，金木散人是相信鬼神存在的。《鼓掌絕塵》的四集故事都涉及鬼神，而書中鬼神們的預言也都相當靈驗，讀者們可以看出，作者的敘述頗有「明神道之不誣也」的味道。鬼神出現的方式，除第三十二回觀音大士的白晝現身，攝回李府所失美人圖一例外，其餘都在夢中出現。風集中，舒萼赴京應試，考前前往關真君祠祈夢，夜夢周倉持銷金束帖，前來預報奪魁，後來果然中了狀元。花集中，婁祝於義塚地上得一石蟹，所盛石匣上刻「留與婁祝，獻上金鑾」字句，乃已故經筵講官賈章所遺之物，而後婁祝果真因殿前獻蟹得官。雪集寫文荊卿夜宿臨安客舍，酒後醉勘絲桐，欲其允諾協助婚姻，是夜夢梓童君執大紅束帖，預報佳期在邇，後皆如其言。月集敘張秀夜泊子陵臺，夢陳珍陰魂云其枉死，央張秀招魂回家鄉，秀驚醒詢問舟子，方知錢塘江因前月風潮，淹死生靈無數，陳珍亦在其列。這些敘述，顯示作者相信天地之間有鬼神存在。

　　此外，佛教教義中的善有善報、惡有惡報、因果輪迴及地獄等觀念，也都深刻的盤踞在作者金木散人的思想中。花集中的婁祝，由於憐憫義塚地上無人收埋的死屍，而花錢替他們埋葬，憑著這一點惻隱之心得到賈章埋下的石蟹，造就了他日後的錦繡前程。月集的楊亨一生好行善事，因此生出了羅漢化身的兒子楊琦，中舉中進士，腰金衣紫，為楊府爭光。花集的夏方則由於貪戀錢財，先詐騙了主人的寶馬，後又偷了同事的衣物，到最後錢財不是被更高明的騙子騙去，就是被船家打劫，絲毫不剩，不僅唯一的兒子因此失散而亡，自己更是淪落行乞。這種善惡果報觀，便是佛教中相當重要的觀點。

　　道教中的法術觀念也是被作者認同的，作者相信修行的狐狸可以變幻為人，而人們也可以憑仗著法術將牠們收伏。張天師是「一隻手捻著玄武訣，一隻手執著七星劍，口中念動真言咒語，向西南角上噴一口法水」，再把「符燒了三道，又把咒來念了一遍，將劍向東北角上一指」（十六回），就把兩條雪白的玉面狐狸給降了。

　　作者金木散人雖在某些思想上深受佛教、道教的影響，如其相信鬼神、地獄的存在，相信法術的靈驗，並時而表現對佛道的景仰與崇尚，但卻也描繪佛門弟子的詐騙、不守戒規、偷奸淫亂等行為，把佛門弟子的醜態及尚佛的虛偽實質，揭露得淋漓盡致。如其對於當時和尚不守清規有著極露骨的描寫，他形容蓮花寺的小和尚是「寄跡沙門，每恨闍黎真妄誤；託蹤水月，聊供師父耍風流。」（十四回）而寫小沙彌們看著《僧尼孽海》的春書是「看一

回、笑一回、鼓掌不絕。」都明示暗示的說明和尚們的不持戒修行。而善果寺的老和尚也自承，該寺百十餘眾僧人，沒有幾個能「看得經」、「禮得懺」，說明作者所崇尚的「佛」，只是空泛、抽象的觀念，一接觸到社會現實，便成了被譏刺、嘲諷的對象。

三、政治觀

　　從泰昌開始的明朝最後的二十多年，是政治極端腐敗，局勢十分動盪的時期。萬曆四十八年（西元一六二○年），神宗朱翊鈞病死，把一個危機四伏的混亂局面留給他的的兒子朱常洛，光宗常洛體弱多病，好女色，在位僅一個月就因服藥不當而死，由年僅十六歲的朱由校即皇帝位。由校昏闇儒弱，好親斧鋸、錐鑿、髹漆之事，日以倡優聲妓、狗馬射獵為事。封乳母客氏，寵信魏忠賢。客、魏表裡為奸，擅竊國柄，濫賞淫行，朝廷忠良為之一空。此時邊患日急而朝政益壞，明朝國命垂危，熹宗由校卻至死不悟。天啟七年（西元一六二七年）八月，熹宗死，弟信王由檢繼位。踐祚之初，即誅除客、魏，昭雪冤抑，用人行政，煥然一新。可惜此時國運已衰，內有高迎祥等流寇，外有強敵金兵，加上天災流行，民窮財盡，終於在崇禎十七年（西元一六四四年）三月，李自成率軍入北京，十九日思宗自縊殉國，明朝滅亡。

　　面對政治極端腐敗，社會動盪紛亂的局面，金木散人把一切的罪過責任歸之於官吏，而之所以會有如此昏庸無能、唯財是務的官吏，則在於選拔方法——科舉制度——的不良。中國科舉制度本為擢進真才，讓平民可以經由考試自由競爭，獲得參與政治的權利，使高官厚爵不致為高門所把持。隋唐至清，這項通過科舉選拔官員的制度基本未變，而科舉制幾經改革，愈趨嚴密，卻形成一整套煩瑣的條律。明以八股取士，考試時專以四書、五經為題，四書義一題，字在二百以上，五經義一道，字在三百以上，不僅字數有限制，內容、形式都有限制。而在同時，弊端花樣也日益翻新。由於傳統社會中，科舉是白衣士子發跡的唯一道路，一個白衣士子，一旦中舉躍進龍門，崇高的身分、地位、金錢、美眷，都會一齊向他撲將過來。正因為科舉可以改變人的命運，能夠帶來一生所企盼的東西，所以有錢有勢的富室子弟百般鑽營，買通關節；宗師考官則憑藉手中的權力，舞弊收賄，乘機塞足腰包，科舉的弊病也就在這當中漸漸孳生、繁衍。

　　《鼓掌絕塵》三十五回寫到一個富戶的獨生子陳珍，「日常間書也不曾看

著一句，題目也不曾講著一個」，也妄想去考秀才，博一領藍衫。縣試時由塾師作槍手代考，府試、院試代考不得，就花了三百兩銀子買通考官，雖是親身進去，「兩次卷子，單單只寫得一行題目」。榜後，陳珍果然中了秀才，只因同窗金石查出他的白卷，告發他而丟了秀才的名位。不過陳珍最後還是當到了袁州府判，作威作福，甚至與金石作對，使金石辭去九龍知縣的職位。陳珍的事例具有代表性，它充分的說明，科舉制度早已失去了選拔人才的真正作用。

另外，書中還寫了不少秀才，都是胸無點墨，酸腐之氣逼人之輩。三十二回，諸秀才受楊亨之託，前去縣府求情，聲明楊亨是無辜的。寫諸秀才看見知縣時，「急急忙忙，跑的跑，趕的趕，一齊簇擁上前，圍住轎子，把手本亂遞」，「一心只是想著楊員外的二兩銀子，三石白米，緊緊扯住著知縣的員領，只叫『求老父母開恩』。」寫出當時窮秀才的厚顏無恥，沒有讀書人風範，為了些須小財，不惜喪盡斯文臉面。三十七回的江南秀才李八八，為了爭奪塾師的肥缺，想盡各種方法，甚至與金陵秀才王瑞大打出手，出盡洋相。而教陳珍的蒙師，在陳珍婚後初次到館時，竟帶著一群學生齊到妓家作「暖房東道」！難怪作者要感嘆：「好笑一個受業先生，竟做了幫閒蔑片！」（三十五回）作者充分揭示了科舉制度下，讀書人無真才實學，無品性的弊病。

明清始創捐納官職一制，由於國家金庫空乏，財政入不敷出，朝廷便想出了制定各等官爵的價格，鼓勵富豪出金買取官職的「捐納」辦法。這樣，賣官鬻爵便成為合法的行為。《鼓掌絕塵》寫到明代的最高學府「國子監」，在那裡學習的監生，大都是用錢捐來的，書中寫道：「那一竅不通的，南北兩監算來足有幾千。」（三十六回）反映出這種制度的敗壞本質。科舉制度既然無法選拔出好的人才，而金錢又可換得官位，那充斥在朝廷中的大小官員，其才學與品性，就著實令人擔憂了。官位既是以銀子換來的，任職之後，必定要想辦法再把銀子賺回來，甚至賺更多，書中反映這種情況的篇幅比例不少。月集中審張秀的知縣是個納貢出身，「自到任來，不曾行得一件好事，只要剝削下民。」（三十二回）上行則下效，衙門中大小皂隸，那個不思量也圖些銀子？因此典史可以為知縣跑腿，到良民家恐嚇詐財，順便分得一杯羹；那些皂隸，「走到人家，不論貧富，先有一箇入門訣竅，驚嚇一番，纔起發得錢鈔出來。」（三十二回）官吏不圖為人民主持公道，為百姓造福，只是一心一意的要填飽自己的荷包。張秀在任驛丞時，對身無分文，沒有「拜見禮兒」

的徒犯李蔑大吼：「終不然教我老爺在這驛裡哈著西風過日子！」（三十八回）更是說出了官府中隨處充斥的好財之風。在這金錢萬歲的風氣中，人性的尊嚴，寶貴的生命，都被金錢輕輕易易的收買了。

八股取士沒辦法徵選出好的文官，而武官的取擇更是沒有一定的標準。花集中的婁祝能受朝廷重用，出征西番，不是因為他仁慈寬厚、文武全才，而是靠著「借」出鎮家寶火睛牛膽，醫好相國韋賓的病，換得他的薦舉，又將奇珍溫涼蟹「獻」給兵部尚書賈奎，才有如此際遇的。之後，恐位高遭忌，受人傾陷，於二度征戰，官拜定西侯後，便急流勇退，乞假還鄉了。婁祝在書中還是作者所肯定的人物，其出仕尚且憑仗外物，那麼其他官員的進升、保位，就更非得靠著巴結掌權者不可了。

地方上的小官貪財無性，朝廷中的重臣各為己利，更兼宦官當道，朝政日壞。花集裡的宰相崔竑，為人奸險，陰謀不測，卻勢壓朝班，權傾京國，把滿朝文武都不放在眼裡，任意胡為。月集中的太監魏忠賢深受皇帝寵信，當權時期，朝中文武都趨附他的權勢，乾兒義子徧天下，為首的江西道御史崔呈秀，極阿諛奉承之能事，深得魏宦歡心。他們表裡為奸，通同作弊，賣官鬻爵，排斥異己，用一切方法，保障自己的利益。「要動手一箇官兒，竟也不要講起，猶鼓洪爐于燎毛，傾泰山于壓卵，這般容易。」（三十六回）

金木散人明確的指出，科舉制度的弊病使朝廷無法網羅真正的人才，而官吏的貪污及權奸當道，更是導致明末政治腐敗最重要的原因。作者把所有責任歸於官吏的不良，而不曾指責訂出這些制度，縱容這些惡臣、太監為非作歹的皇帝，對於崇禎殺了魏忠賢，更是大力讚揚，稱他「十分聰慧，滿朝中玉潔冰清，狐潛鼠遁。」（三十六回）就這一點看來，金木散人的思想還是相當忠君的。金木散人最後藉著清廉太守楊琦之口說：「眼前這些為官的，尸位素飧，苟圖富貴，何曾替朝廷出分毫氣力。」（四十回）點出了明末政局、作者認知及「國衰而官強，國貧而官富」〔註6〕的深沉悲痛。

四、社會觀

明末政治的混亂，國運的衰退，使得社會上普遍呈現時代末世的頹靡之風，人心浮浮，各為己利。金木散人以其敏銳的觀察力，察覺了這個搖擺不

〔註6〕《官場現形記》茂苑惜秋生序。台北：廣雅出版有限公司，1984年3月初版，頁3。

定的政局下人們所普遍呈現的心態，進而將它記錄下來。分析書中各個人物的性格、心理可以發現，當時的民風大致有幾種趨勢：

（1）弱肉強食

弱肉強食的情形並非只出現在朝代的末期，它普遍存在於歷史上的各個階段。但由於朝代末期時的各種制度更加混亂不明，官府更加昏庸無能，因此弱肉強食的情形就更為普遍。社會上有各種階層，各人憑依自己的財勢、官位大小、社會地位而處於不同的階層，且呈現不同的強、弱對應關係。在這種情勢之下，最常出現的就是大官欺壓小官，小官欺壓平民的情形。風集中的舒萼雖然已中狀元，但金刺史卻憑仗著本身的財勢，硬託韓相國作伐，招已有妻小的舒萼為婿，使這位新科狀元畏於強勢，猶猶豫豫，「會金刺史擇日成親，韓相國差人來說，事在必成，不由自己主張」（十回），只得就了新婚，撇了舊愛。花集中，林炯因一樁人命官司纏身，尋求婁祝、俞祈代為說情，此時婁、俞二人已任總兵，知府因二人官位不低，不敢輕慢，「只得把這樁人情勉強聽了，天大官司化作一團冰炭。」（二十回）雪集裡，李嚴刺史的親兄弟李嶽，倚恃哥哥的勢力，在外尋非生是，欺壓良民，後來雖然因為被哥哥叱罵而稍加收斂，但是一等到姪女婿中了探花，又開始舊態復萌，為非做歹了。這種種的描寫顯示了「弱肉強食」的現象普遍存在於當時的社會中。

書中描寫這些「強者」除了在精神方面欺壓弱者之外，還控制著某些弱者的人身自由。風集中一個行將就木的老相國，選了十個會戲、會歌、會舞，一個個風流俊麗，旖旎娉婷的梨園女子作其婢女，日夜服侍照顧他；雪集裡一個已有妻女的刺史公，不惜千金，遍遊名郡，尋來六個傾城絕色的歌兒舞女作其侍妾，長年供他取樂。他們憑依財勢，把女子當物品般的買賣、收藏；而這些女子，因畏於財勢，不得已將青春年華耗費於侯門深苑中。有感於這種人身自由的取奪，作者在二十二回中借由一首詩，深刻的展現出他對這些女子的悲憐與感嘆：

> 佳人命薄嘆淹留，漂泊渾如不繫舟。
>
> 選伎徵歌何日盡？隨行逐隊幾時休？
>
> 深愁肯使隨花落，長恨何如付水流。
>
> 情到不堪回首處，傷春未已又悲秋。

這裡的「薄命」、「漂泊」，正是因為這些社會上的強勢者為圖個人享受所造成的不幸。

（2）追逐金錢

出現在作者金木散人筆下的，有權貴勢要、落魄文人、小官娼妓、廝僮奴僕等社會各階層人物，雖然他們的身分不同，處境各異，但是作者在對他們行爲的描述上卻有一項共同特色，就是普遍呈現對金錢的喜好。韓玉姿在私奔前最捨不得的是「無數精緻衣裳、金銀首飾」（第六回）；李道士收了杜開先的許多謝禮是高興得「深深唱了幾个大喏」（第五回）；善果寺的和尚們對老和尚冷言冷語，是因爲老和尚從楊太守處得了一塊銀子，卻不與大夥兒均分，大家眼紅所致（四十回）；王二存心的討好張秀，是因爲陳通說張秀「是箇大撒漫的財主」（三十三回）；啞園公之所以把美人圖誤賣給文荊卿，是爲了貪圖那一百文錢。這些都顯示了一般人對金錢的喜好。

上述所說的那些例子，人物取得錢財都是經由正當途徑，而不致禍害他人的，書中另外寫了許多人，他們或由於職業上的便利，或利用人心的弱點，而以詐騙的方式，謀取他人錢財。其中，星士就是最好的例子。古代社會，民智未開，在遇到困難或猶疑不決時，常希望藉助玄妙的「命」、「運」來解決問題，因此，星相占卜之術在民間大受歡迎。《鼓掌絕塵》中所描寫的星士，是一些沒有眞才實學，靠著花言巧語迷惑世人，騙取錢財的光棍一類人物。他們憑藉著豐富的社會經驗及對人性的了解，借用玄妙的命理之學及鬼神邪崇之說以蠱惑眾人，哄誘人們禳解除災，其目的無非是詐取錢財。因爲只靠排算八字，所收銀子有限，若得起發人家禳星，除了有一封謝銀以外，還可以「并了神前油米」，「收了馬下三牲」，何樂不爲？（十六回）

此外，媒婆及和尚，也是利用身分來詐財的人物。媒婆是古代社會中專司男女姻緣的月老，她們靠著一張三寸不爛之舌，走千家，踏萬戶的本領，撮合男女雙方的好事。《鼓掌絕塵》中形容這些人間月老是「沒有一箇不會脫空說謊」，「全靠著那一張嘴舌上賺些錢鈔」的人物（二十五回），能把一個窮無立錐之地的窮苦人家，說得比石崇豪富；把一個至粗至醜的女子，說得如西子妖嬈，而爲了爭奪爲人作媒，張秋嫂與吳婆兩個，「惱得兩隻眼睛突將出來」，當街扭住廝打，劈頭亂撞，互揭瘡疤，其目的無非是想爭一份爲數不少的媒人禮。和尚是世外之人，應該已經看破世上的名利財色，戒掉人性中的貪瞋痴慾的超脫之人，但是《鼓掌絕塵》中所描繪的大部分和尚，除了不能唸經禮佛，戒除慾念，謹戒修行外，還愛好錢財。花集蓮花寺的慧光和尚，就是利用人們的宗教信仰，將一個肚中又空又闊的石佛立起，掘通地道，把

人藏身在內，假作佛言，報人禍福，以詐騙錢財的不肖之徒（十四回）。

在諸色人等中，最會利用本身的身分、職業以騙取他人錢財的，莫過於那些幫閒蔑片了。根據薩孟武所說：「幫閒似是幫助主人逍遣閒暇之意」〔註7〕，因此人格未必清高，而對其主人有依阿取媚之狀。《鼓掌絕塵》中描寫了各式的幫閒，花集中的杭州幫閒是「千方百計去弄了幾件精致衣服，幫著宦家公子終日戀酒迷花」（十三回），然後騙些錢財回家活口的無賴；月集的方幫、李蔑是「終日在那些娼妓人家串進串出，趁水錢，吃閒飯的白日鬼。」（三十二回）為了詐取張秀的銀子，到官告李媽媽私和人命，還在張秀逃脫後，拿良民楊亨頂缸；花集的幫閒大老夏方，更是三番兩次的利用油嘴滑舌，詐騙了深深信賴他的主人婁祝，以使自己致富。他們都為了一己之利，不惜坑陷他人。

此外，作者還寫了李刺史的親弟弟李嶽，為了謀取錢財，一方面向嫂嫂隱瞞了賣婢的真象，一方面對媒婆欺騙了婢女的真實容貌與身分，而導致鄉宦人家花了大筆的錢卻娶錯了人；回子沙亨爾假扮神仙，哄誘人采真修養，煉丹運氣，騙人撇下名利二字，拋閃妻子六親，而後把人家私騙得精光，再脫身而走；光棍賈秋，「肚內不諳一書，眼中不識隻字」（二十八回）卻專好在人前說大話、通假文，為了貪圖李嶽的獎賞，不惜設計欲置文荊卿於死地。這些更強調說明了社會上某些人為了錢財而到了無所不為的地步的。

（3）人情淡薄而反覆

金木散人對下階層市民的熟悉與洞曉，使其對於人情的澆薄，世態的炎涼有極深刻的體認。作品中表現出因勢利世風加深的人與人之間複雜的社會關係，或隱或現的展示出「世態炎涼朝夕非」（三十二回）的喟歎。

風集中杜萼的親父舒石芝，原為地理先生，因錯看風水，無法在家鄉安身，只得流落長沙。在衣食不周的情況下，根本沒有人找他看風水，因此只能在飯店中幫忙灶前吹火維生。直到杜萼與韓玉姿私奔至長沙，與之相遇，認了親父，重新做起人家，有了華麗的衣飾，舒石芝的地理才又烘然興起。月集張秀原是個財主，只因好嫖賭，把家財盡皆輸光，流落洛陽。由於衣衫襤褸，囊篋空虛，連乞丐都欺負他。後來張秀偷了楊亨員外的三百兩銀，買了幾件精緻衣服，重回故鄉金陵，舊日同伴見他外表仍舊光鮮亮麗，又一個

〔註7〕薩孟武，《紅樓夢與中國舊家庭》，台北：東大圖書股份有限公司，1988 年 1 月三版，頁 136。

個前來納氣結交，稱兄道弟。這些都明確的顯示出世態的炎涼及世人只重衣衫，不重人品的錯誤心態。

除了世情澆薄令金木散人感嘆外，世人嫌貧愛富，善於見風轉舵的勢利心理亦頗令作者感傷。風集裡當舒萼中了狀元時，那些走報的直奔舒萼寓所，看見舒石芝正在卜課，以爲是平常的算命先生，便要攆他出去，叫他「不必在這裡搗鬼」。直到聽說舒萼是他孩兒，便個個改口奉承道：「元來就是舒太爺，小的們該死了。」（第九回）然後磕頭如搗蒜。雪集寫文荊卿中探花後，回至臨安李府，眾親友來拜，賀客滿堂，那文探花「仔細一看，十個裡頭到有九個不曾會面過的。」（三十回）而杜萼、婁祝成名之後，李道士、賈天師的攀附舊情，也充分表現出世人喜好錦上添花，攀依權貴的勢利作風。世情之炎涼反覆至此，使作者不禁深深感歎：「庭院一朝盈鳥雀，親者如同陌路人；蓬門有日填車馬，不因親者強來親。」（三十五回）

對於世人這種欺貧抱富，前倨後恭的心態，表現得最淋漓盡致的是雪集的李嶽。李嶽是李嚴刺史的嫡親兄弟，李若蘭的叔父，平常就喜歡倚恃官勢，欺壓良民，既有貪狠的個性，又有嫌貧愛富的勢利心理。他初次見到喬扮醫人的文荊卿時已不甚喜歡，及至發現文荊卿與李若蘭的私情時，更不顧姪女體面，破口大罵文荊卿是「無籍棍徒」，送他到官問罪。不料高太守官判爲婚，李嶽自覺面上無光，日夜思量要置文荊卿於死地，因被文荊卿識破而未果。而在文荊卿進京赴考時期，更是力勸姪女改嫁高門，以便替他「面上增些光彩」，企圖拆散二人姻緣。可是一等到文荊卿高中探花回來，他即刻換上深衣大服，備了許多禮物，遠遠迎接，「說了無數甜言媚語，狀了許多奴顏婢膝。」（二十九回）前後行徑，判若兩人。作者最後用調侃的語氣說出：「但當今之世，倒是勢利些的還行得通。」對世情的炎涼反覆，做了最佳的注腳。

綜合以上四點，我們可以看出，蘊含在《鼓掌絕塵》書中的主要思想是多麼的多樣與豐富。雖然金木散人在佛道觀上表現了一定程度的迷信與報應觀點，在婚姻思想上展露了消極的宿命論以及闡揚一夫多妻好處等較落後的思想，但是他主張追求愛情的前進積極態度，在政治觀上洞悉並揭露當時朝政的黑暗面，及在社會觀上對人物、人性的觀察透徹與準確的批判，都是意識觀點上的進步之處，是書中頗具價值的一面。而不論其各項思想的進步或退敗，由這些主題思想來蠡測作者的內心世界，來增進對全書內容的了解，都有其正面的意義。

第四章　《鼓掌絕塵》的藝術成就

　　每一部小說作品，只有通過藝術分析，才能說明他們在小說發展過程中的作用和地位，看出他們在這過程中所提供的新的藝術經驗〔註1〕。明末清初人情小說的水平，雖然難以和後出的《紅樓夢》、《儒林外史》等名著相提並論，但它吸收了唐人傳奇的新巧創思以及宋人話本的白話特色，仍積累了許多寶貴的藝術創作經驗。這些經驗，對清代偉大作品的誕生，應該提供了一定程度的影響。《鼓掌絕塵》描繪的人物眾多，涉及的層面也廣泛，作者如何刻劃不同階層的人物，創造多變化的情節，運用熟練的文字技巧，以及如何安排故事結構完整而嚴密，是本章中所要探討的重點。希望藉由這些討論，能突顯《鼓掌絕塵》在寫作藝術上的成就，進而肯定它在小說史上的地位。

第一節　活靈活現的人物塑造

　　人物、故事、主題，是構成小說的三大基本要件。理論上三者同等重要，但實際上，讀者在閱讀一本小說時，最關心的卻是人物。人物的出身、遭際、活動、感受，構成了小說的情節，貫串了小說的脈胳，也主導了讀者的情緒。所以，我們實在可以說，人物才是小說的主體，小說的焦點。

　　中國古典小說中幾部成功的代表作，當中活潑潑的人物形象，都讓讀者們印象深刻。《三國演義》中率直而勇猛的張飛，多智而謹慎的孔明，忠義凜然的關公，陰險狡詐的曹操，雖然與正史上的真實人物有某些程度上的出入，

〔註1〕許懷中，《魯迅與中國古典小說》，陝西：陝西人民出版社，一九八二年八月第一版，頁163。

卻因作者的生花妙筆，附予人物生命，而使他們比正史中所記載的形象更深植人心。《水滸傳》中在不同際遇下被逼上梁山的英雄好漢，同以爽朗粗豪見稱的李逵與魯智深，一個近於魯莽，一個則較為機智；同是光明磊落殺嫂的武松與石秀，一個膽大心細，一個失之陰狠。這些人物都因為作者細節描寫的不同，使這一大批的草莽英雄在「綠林好漢」、「重義輕財」的共象外，具有個人特殊形象。而馳名中外的《紅樓夢》，更是成功地塑造了許多典型人物，諸如黛玉的多愁善感，寶玉的溫柔多情，寶釵的端靜賢淑，鳳姐的逢迎潑辣，探春的精敏，迎春的懦弱，都或多或少的成為後世小說描繪人物的範本。即使是《西遊記》中唐僧那三個全不像人的徒弟：火眼金睛，毛手毛腳，孤拐臉，雷公嘴，喜歡抓耳撓腮的孫悟空；長嘴大耳朵，腦後一溜鬃毛，身體粗糙，頭臉根本就是個豬型的豬八戒；以及紅髮圓眼睛，不黑不青藍靛臉，流沙河裡的妖怪沙悟淨，都因為作者成功的塑造，使他們永遠活在讀者的心中。無可諱言的，這幾部小說的情節都相當曲折變化，引人入勝，但其中最令讀者難忘，最讓讀者們津津樂道，談論不休的，恐怕不是《三國》中場面浩大的赤壁之戰，不是《水滸》英雄的征方臘、田虎，不是《西遊》中的九九八十一難，不是《紅樓》中的賈府大抄家，而是那一個個活潑生動，似真還假的小說人物。

作家創作小說人物時必須注重「人物刻劃」（characterization），創造人物的性格。所謂「人物刻劃」就是作家通過生理的、心理的、社會的因素，通過人物的思緒與活動，情節與對話，建立起該人物與眾不同性格的技法，因此，「人物刻劃」又可稱作「性格描寫」〔註2〕。歸納說來，刻劃人物的方式，可大別為兩種：一種是靜態的直接刻劃，一種是動態的間接刻劃。以下我們就依這兩項標準來分析《鼓掌絕塵》中人物刻劃的技巧與成就。

一、靜態的直接刻劃

所謂直接刻劃，意指作者跳進故事中，指手劃腳，直接告訴讀者，書中人物的姓名、性別、身分、職業、高矮、胖瘦、年齡、相貌、習慣、服飾……等等的一種刻劃方式。由於它是使用說明、敘述與分析的方式來描寫人物，一般不涉及人物的動作，因此屬於靜態的，故又稱為靜態描寫。這種描寫方

〔註2〕趙滋蕃，《文學原理》，台北：東大圖書股份有限公司，1988 年 3 月初版。第一部，卷四，第二章「談人物刻劃」，頁 243。

式在小說中是常被利用的，話本小說作家延續說書人的傳統，作家常常直接進入故事，介紹、評論、分析人物或交待故事發展，這種描寫人物的方式的優點是，讀者可以很快的了解到人物的外貌、背景與個性點滴，節省作家筆墨，對於人物眾多的中、長篇小說，在處理次要人物時，更可以利用直接刻劃來交待人物，以避免枝葉紛繁，主次不分明。

《鼓掌絕塵》屬話本形式，作者是時常在書中提醒讀者，評論故事的。《鼓掌絕塵》中以直接刻劃的方式來描繪人物的地方，通常是在人物剛出場的時候，對其身世、生長背景、外貌形態作一個粗略的交待，還有就是對書中人物的心理狀態與發展，作淺白的說明。就外形刻劃這一點來說，金木散人對於人物的介紹是相當簡略的。他不對人物的服飾、髮型、身量、體態等做工筆式的細膩描繪，而是著重在人物神態的描劃，企圖以三言兩語勾勒出人物的神態，其餘的空間，則留予讀者自己去想像。例如寫地頭蛇李嶽：「是個做好漢的人，眼睛鼻孔都會說話。」「若說起『李二相公』四字，便是三歲孩兒也是心驚膽顫的」（二十八回）點出李嶽惡霸式的特質。寫李若蘭的蠢婢醜姑兒：「年紀可有十七八歲，眉大眼粗，十分醜陋。」「三分不像人，七分不像鬼。」（三十四、五回）簡單幾句，讓人們心中升起了一個粗蠢婢女的形象，也讓讀者明白，何以分配在醜姑兒頭上的，都是些粗劣用力氣的雜事，一切精細事務都派不上她。二十七回寫李若蘭病後，「瘦怯怯一個身子，還如柔條嫩柳一般，搖搖顫顫的……。」更表現出了官府千金的嬌養、嬌嫩，病後弱不禁風，楚楚可憐的神態。而張秀在偷了楊員外的銀子，逃到妓院裡又誤傷人命，被移送官府時，「那張秀兩件衣服，都被大門上的人剝得精光，只穿得一個舊白布衫，把兩錠銀子緊緊的拴在褲腰裡，曲著身、熬著冷，仍舊是昨日的窮模樣。」（三十二回）更深刻的讓讀者感受到一個窮愁潦倒，卻官司纏身的猥瑣小民形象。

金木散人以直接刻劃的方式來塑造人物，除了人物外形的刻劃外還包括心理刻劃，利用作者的直接敘述來顯示人物的內心波瀾。第五回寫杜萼與康泰受邀至韓府讀書，蕙姿、玉姿一心想訪情郎，「那個意兒各自打點已久，只是夜夜朝朝，同行共伴，你又提防著我，我又提防著你，所以也把個日子延捱過了。」二十五回寫吳婆假借求親於若蘭，實為一睹瓊娥容貌，而若蘭卻自此「鎮日悶悶在懷，信以為實，一心想著園中瞥見的那箇書生，恐到了人家去，怎能再見一面。每日間針線慵拈，茶湯懶吃，捱一刻勝如一夏，只落

得夢裡還眞，醒來又假。」兩段描寫閨中少女思念情郎，無法可施，百計不得解的情懷，眞實細緻。

二、動態的間接刻劃

所謂間接刻劃，是作者把人物放在故事的場景中，讓他們在可見的範圍內，用動作、語言、表情及各種情緒反應，自行表演給讀者看的一種刻劃方式。作家所提供的只是若干的事實，而讀者在看到這些事實後，自行推斷該人物的個性。因此，間接刻劃又可稱爲動態描寫。由於間接刻劃讓讀者覺得有自行推斷的自由，有自身參與的機會，因此更能引起讀者的興趣，而作品中的人物形象，也因爲這種刻劃方式而更顯生動、自然。

金木散人雖然利用直接刻劃的方式，以三言兩語塑造人物神態，快速地在讀者心中建立起一個人物形象，但由於其描寫過於簡略，而直接刻劃的方式又只能用在交待人物外形及部分心理發展，因此，以這種方式塑造成的人物，就顯得過於沈悶、呆滯，給讀者的印象也是蒼白、平板而模糊的。幸好，金木散人以間接刻劃彌補了這些不足，他盡力使他的人物自己來表現自己，舉凡外形、心理、動作、對話等方面，他都利用了動態描寫的方式來塑造人物，使人物形象更豐滿、生動。

（1）外形、心理刻劃

在外形方面，金木散人利用從一個人物的眼睛去看另一個人物外形的傳統筆法，來刻劃人物外形，不僅使讀者獲知人物的外貌特色，更從中了解書中人物對另一人物的評價。三十八回中，李蔑形容張秀的外貌是：「比著小的身材還生得卑陋，一副尖嘴臉，兩隻圓眼睛，行一步跳一跳的。」此時呈現讀者腦海中的張秀，身材猥瑣，神情狡滑，輕浮落魄的形象，實在比作者直接的描繪要有力、深刻的多，而讀者也可以輕易的獲知李蔑對張秀的印象與評價。而對於最能表現人物獨特性格的心理刻劃方面，金木散人除了用「暗思」、「暗忖」的方式，讓讀者直接由人物的自白中看出他的心理發展之外，還利用了人物的眼神、笑容、音調來加以表現。如二十六回寫李若蘭因思念文荊卿抑鬱得病，荊卿得知後喬作醫人，隨店主婆同到李府探病。這李若蘭不知情，先是「把秋波向外一轉，……卻嘆了一口氣，輕輕向羅帳裡，把一隻纖纖玉手伸將出來。」之後文荊卿將昔日若蘭所吟詩句相挑，若蘭聽了暗

自驚疑，便「凝眸在帳裡，仔細睃了兩眼。」直到若蘭也以當日荊卿答她的詩句相問，見醫生所答不誤時，「一霎時，頓覺十分的病症就減了三、四分，兩下裡眼睜睜，恰正是隔河牛女，對面參商。」作者用若蘭眼神的變化，表現了其由不知情到懷疑到確信的這一段心理歷程，而後的眼睜無語，更寫出了閨中少女在面對情郎時的矜持羞澀。

（2）動作刻劃

人物的外在動作除了可以表現人物的神情體態外，更因為動作是內在思想的反應，所以藉由人物的動作，可以窺探他的內心活動，而動作又是由人物自己本身表現的，因此是用作間接刻劃人物性格的最好方式。第二回寫韓玉姿在玉鳧舟上聽了杜開先所吟之詩，知他是個人才，因此心中屬意，遂趁眾姊妹熟睡時，「把窗兒推開半扇，假以看月為名，伸出纖纖玉手，扣舷而歌云……」玉姿除了推開窗子還以指扣船，在這夜深人靜的時節弄出聲響，其目的無非是想引起隔船男子的注意。這種小動作，使讀者意識到，這個相府中的歌妓並不是個頭腦簡單的人物。第五回寫杜莘借寓清霞觀藏修，臨行時取出謝儀禮物酬謝李乾道士時，李道士所表現的是要收不收的樣子，口頭上說：「一些也不敢再受」，可是一等到杜莘把謝儀撳在他袖裡時，「便把手來按住」。作者不加批判，而「用手按住」的這個動作，卻充分表現出李道士的貪財與做作。十九回裡流落紫石灘行乞的夏方本是在一座小古廟門首「吹著一堆稻柴火，煨著一个砂罐」，後來因為婁祝經過，動了念舊之心，重新收留他在身邊，夏方「便把煨的砂罐一下甩得粉碎，跟在馬後飛走。」這個甩砂罐的生動動作，把一個小人得志，不念舊情的心態給細膩的表現達出來。用動作來描繪人物，最成功的是二十二回中的啞園公，由於他口不能言，因此一切的意志及心情都得靠動作表現。他因為不知道美人圖的來歷，而誤賣給文荊卿，待侍婢瓊娥在遍尋不獲的情況下疑心於他，稟報老夫人親自責問時，「那啞廝一時心慌，便把手向天指了一指，又向天拜了一拜，止不住就淚如泉湧，就連磕了十數個頭。」作者藉著指天、拜天、流淚、磕頭這一連串的動作，表現出啞園公內心的焦燥、恐慌及有口難言的苦楚，把一個啞巴的形象，深刻的印在讀者心中。

（3）語言刻劃

語言是人物思想、感情、性格最直接的表現和流露，人物自身的說話，

相互間的對話，可以顯現人物的內在性格與事件發生當時的情緒。因此，吳功正認為，塑造人物應該以人物本身的語言和相互間的對話為主〔註3〕。精審、準確的對白能表現出人物鮮明的思想感情，使人物的刻劃更成功。金木散人對於利用語言表現來刻劃人物性格、展現人物情感，有其值得肯定的成就。其水準雖還未達到「聞其聲、知其人」的地步，但是藉著語言的刻劃精確，不僅表現了人物當時的情緒，也顯現不同職業，不同階層人物所特有的表達方式，烘托了人物性格，也加重人物個人色彩。二十八回中寫李嶽對文荊卿懷恨在心，一心想要報復，某日於街道上碰見賈秋，遂要賈秋為其效力，答應事成之後扶持他做生意。賈秋歡喜，笑道：「二相公若肯抬舉小子，就是生人膽，活人頭，也去取了來，有甚做不得的事。」賈秋是個光棍，渾名賈斯文，原靠設騙為生，因被人識破，只得學些麻衣相法，賺幾文錢過活。這一番話，把他的無賴性格真實的表現出來。而十三回中，夏虎欲轉賣其在西湖用幾文錢贏來的幾十尊泥菩薩，索價高達一個一吊錢時，聲稱其運送之難：「你們不知道，我在杭州帶得到此，有四五千里程途，走了兩個月日，用了許多盤費，費了無數心機。遇關津要路，若是盤詰不出，便是龍神佑護，若還盤詰出來，便做了販賣人口，連性命也難保哩！」其買一賣十的做風及把賣泥菩薩玩偶稱做是販賣人口的說詞，充分顯現出夏虎的愛好錢財與油嘴滑舌的特性。

胡適在《兒女英雄傳》序中曾說：「小說裡最難的部分是書中人物的談話口氣。」〔註4〕吳功正也認為人物的語氣是提供給讀者判斷性格屬性，把握性格內在的最直接、最集中的媒介〔註5〕。因為語氣是人物在特定的社會地位，由特定的經歷、性格所決定的，是人物語言特徵最集中的反映和顯示。《鼓掌絕塵》對語氣的拿捏，大致說來都十分恰當，其中幾處特別生動的，如三十一回寫眾乞兒圍坐土地廟前吃酒，見張秀經過，遂喚住要他唱歌取樂，允諾事後送他一瓢酒吃。張秀受辱氣惱，抽身便走。乞兒怒道：「眾弟兄，這囚養的來得大模大樣，買乾魚放生，不知些死活。我們是一箇前輩老先生，抬舉喚著他，明明好意要與他瓢酒喫，便做作起來。教他不要著忙，少不得明日

〔註3〕吳功正，《小說美學》，江蘇：江蘇人民出版社，1985年6月初版。第三章「小說美學的基本特徵」，頁266。

〔註4〕文康，《兒女英雄傳》，台北：河洛圖書出版社，1980年5月臺排印初版。頁873。

〔註5〕同註3，頁270。

入我們貴行，學我們貴業，那時把他箇辣手段看看！」使用詞句的粗俗，語氣的潑皮無賴，深刻刻劃出說話者的身分與性格。又如第七回寫杜萼與韓玉姿私奔至長沙，在客店中巧遇親父舒石芝，杜萼欲相認，舒石芝猶疑未決，店小二在旁攛掇道：「老舒，你好沒福，這樣一個後生官人認你做老子，做夢也是不能勾（夠）的，兀自裝模作樣，強如在那灶頭吹灰煨火過這日子！他若肯認我小二做了父親，我就端端坐在這裡，隨他拜到晚哩！」這一段模擬逼眞的口氣，活現了一個與舒石芝相識、相熟，水平不高，愛湊熱鬧，而又頗爲熱心的店小二形象。

　　另外，在對話方面，由於語言的使用恰當，語氣逼眞，更是表現出了人物的身分與特性。三十六回寫魏忠賢生日，接到崔呈秀送的五彩蟒衣時說：「好一件蟒衣！只是難爲了媳婦們半年工夫，怕咱爺消受不起哩！」待拿起一看，發現袖子相當大，便問緣故。崔呈秀笑道：「袖大些，願殿爺好妝（裝）權柄。」魏忠賢此時已掌東廠，權傾朝野，奏疏巨細皆經其手，天下無人敢稱「魏」字，眞的是居一人之下，萬人之上。他說：「怕咱爺消受不起」，自然不是眞心話，反而有著無限的喜悅與自得，崔氏迎合其權勢慾，回答了正中魏宦心竅的話，顯示了崔氏的心細如髮及奉承巴結之能。短短幾句對話，把兩個人物的性格、心思表露無遺。

　　就整體人物而言，金木散人對下階層小民的刻劃是遠勝過上階層的達官貴人的。金木散人很可能是囿於本身的社會地位及經驗範圍，對於那些達官貴宦、公子千金的描寫總嫌過於死板。在其外表服飾上既無細節上的交待，對其居處、生活場所亦無恢宏廣闊氣象的描寫，表現不出人物所應該擁有的富貴景象，語言表現上又採用較文言的形式，以致人物顯得平板、生硬，無大家之風。而在市井小民方面，舉凡落魄文人、醫卜星相、奴僕丫鬟、妓女乞兒等，作者都能掌握其外形、動作、語言的細節差異，表現出各類人物的特色，讓讀者產生深刻的印象。所以，《鼓掌絕塵》中成功的人物塑造不在其主要人物，而是書中爲數不少的小人物。

　　就個別人物言，筆者認爲花集中的夏方是刻劃最成功的一個人物。夏方是個幫閒大老，平日靠著媚骨柔腸、甜言蜜語而深獲婁祝歡心。清明時，夏方歸家掃墓，婁祝郊外踏青，於義塚地上掘得獨腳石蟹，又因途中結交俞祈而獲贈青驄寶馬。夏方歸來，婁祝詐稱以五百兩銀買此二物，要夏方評其優劣。夏方先是以輕蔑的口吻與搖頭，認爲婁祝不可能買到便宜好貨，待看到

獨腳蟹，便忍不住大笑起來，認為不僅不值一百兩，「便是一個銅錢也不要它」（十一回），更呵呵冷笑的認為婁祝眼力不濟至極，才會花了四百兩買下青驄馬。可是一等到婁祝說出真實情由，夏方立即改口：「莫說是五百兩，總然五千兩也值得。」而對此二物大大讚美稱頌一番。由夏方輕蔑的「搖頭」、「忍不住笑了一笑」、「大笑」、「呵呵冷笑」到「改口」、「心中一轉」、「欣然喝采」等種種動作、語言、心理的配合，作者把夏方的獨特性格給淋漓盡致的刻劃出來，成功的塑造出一個不起眼卻生氣勃勃的小人物形象，這的確是作者在刻劃人物上的成功之處。

第二節　曲折生動的佈局安排

　　小說術語中有一個名詞叫 Plot，意指佈局安排，其內容包括故事情節及結構的安排，因此在翻譯時，有人便直接譯成「情節」或「結構」。事實上，情節與結構有程度上的細微差異。所謂的「結構」，賈文昭和徐召勛在《中國古典小說藝術欣賞》一書中，對它所下的定義是：作者在確定主題思想和人物、故事之後，將雜亂無章的人和事加以組織安排，使之成為秩序井然的有機整體工作〔註6〕。而所謂「情節」，根據佛斯特（E.M. Forster）以及肯尼的主張都認為，它不只是事件的排列敘述，重要的還在於事件的因果關係上〔註7〕。所以情節可以說是一件包裝好了的故事，情節能否吸引人，端視作家對故事前因後果的安排而定。由此我們可以看出，小說的結構，指小說作品的複雜組織或構成而言；而情節，在本質上雖也屬於小說的另一種結構形式，但卻小於結構。人們承認結構大於情節的主要理由在於：結構包括情節組織與非情節組織二部份。賈文昭和徐召勛就指出，古典小說的非情節因素包括：

　　（1）入話、楔子或序言。

　　（2）議論和旁白。

　　（3）結語或總評〔註8〕。

〔註6〕賈文昭、徐召勛，《中國古典小說藝術欣賞》，台北：里仁書局，1983年3月初版，頁24。

〔註7〕佛斯特（E.M. Forster）著，李文彬譯，《小說面面觀》，台北：志文出版社，1987年6月再版，頁75。威廉・肯尼著，陳迺臣譯，《小說的分析》，頁9。

〔註8〕同注一，頁29。

這些雖然不屬於故事情節的本體，卻是古典小說藝術結構的有機組成部份，不可忽略。但由於《鼓掌絕塵》中的入話相當簡短，只有開場詩詞及作者的一些簡要議論，各回中雖有評者的眉批或夾批，但由於意見簡約而無創意，於解釋作品及輔助讀者了解作品內容上沒有什麼明顯的幫助，回末或集末也沒有總評以申述主題、抒發感慨，或對情節、人物加以品評，而其餘非情節性的組織所佔比例又不多，因此筆者不擬加以討論，僅就書中的情節組織加以分析探討

一、情節安排

中國小說美學一個相當重要的特徵，就是重視情節的審美因素，也因此導致出有人認為中國古典小說是情節小說，這種以偏概全的論斷。不過，此說雖然失之偏頗，但也說明了情節在小說中的重要性。由於中國小說的產生，特別是宋元小說，來自瓦舍勾欄的說話，說話人為了吸引聽眾，因此儘可能將情節設計的離奇、曲折，並利用行動性的描述取代大段靜止的人物心理剖析。行動性強，構成一定的小說情節，並逐步形成中國小說情節的審美習慣。也因此，古代的中國小說情節注重「奇」，認為只有奇特才能傳世。而後小說和戲劇互相發明，使得小說情節中具有很強的戲劇性，到了明代的擬話本，基於盡傳世態人情的內容，其情節不再以傳奇性取勝，而以生活本身的生動曲折顯長。四大奇書中大量的情節現象為中國的小說美學理論家提供了材料，金聖嘆、毛宗崗、馮鎮巒、但明倫等人，根據這些材料加以總結概括，用一系列的概念來說明小說情節、結構的章法。由於金木散人所運用的藝術手法與《水滸》、《三國》、《聊齋》等不同，因此筆者無法用金聖嘆諸人的理論直接加以套用，此處就依金木散人所用的各種製造高潮，加重情節戲劇性效果的特殊方法來加以分析論述，其方法包括：

（1）偶然相遇

現實生活中，人們在錯綜複雜的社交過程裡，偶爾相逢和失之交臂的情況屢見不鮮，小說作品中就常以生活中這種偶然性為基礎，進行藝術的集中與誇張，大大提高它的巧合率，以構成戲劇性的情節。風集和雪集的男女主角：杜萼與韓玉姿、文荊卿與李若蘭，他們的相遇都是偶然，不是事先安排，而後又都是在匆匆一瞥之後就失去訊息，這種情節安排，一方面造成了情節上的高潮，一方面也使讀者產生期待心理，希望得知接下來的故事發展。其

餘如杜萼與分別十數年，流落他鄉的父親舒石芝的會面；歸還本姓後進京赴
考，主考官赫然是義父杜翰林（風集）；婁祝郊外踏青，與俞祈相遇道上（花
集）；李嶽正謀陷害文荊卿，卻巧遇光棍賈秋為之設謀（雪集）；張秀返回金
陵，船中偶遇昔日之友陳通，因而引發出一連串的事情（月集），這些都是作
者利用生活中的偶然相遇來加強情節的戲劇性效果，增加作品生動性的例子。

（2）巧合與矛盾

情節的最可靠、最根本的基礎是生活，生活中的矛盾衝突是小說情節的
來源〔註9〕。金木散人利用生活中的「巧合」將人物集中，又於其中製造矛盾，
以形成情節高潮。風集中的杜萼與康泰和韓玉姿、蕙姿的相遇是在月色朦朧
的楊柳岸邊，雙方各在一條船上，一方為防友朋奚落，致無法直接表露愛意；
一方為恐姊妹發現，而無計通名報姓，兼之月光昏暗，雙方都看不清楚對方
的容貌，以致造成日後的一場誤會。月集的張秀偷了楊亨員外的三百兩銀而
到妓院鬧事，方幫、李蔑為圖銀子到官告發，縣官愛錢，只因見了張秀衣衫
破舊，神情落魄，又見銀上刻有大財主楊亨之名，遂當面讓真凶張秀當庭脫
逃，反捕無辜良民楊亨到案。這些人物性格、生活巧合上的種種矛盾交會，
造成了情節上戲劇性的高潮。

（3）峰回路轉

利用情節的變幻，造成事件的急轉直下，使讀者無法預料事情的發展，
進而造成情節的奇特和曲折，也是金木散人慣用的手法。例如風集中的蕙姿
把杜萼寫著情詩的紈扇交予韓相國，韓見之大怒，疑有私情，眼看當日之事
可能被發現，卻因玉姿的一番巧言及杜萼的盛名，反使韓相國去除疑慮，邀
請杜萼到府讀書。雪集中婁祝帶了韋丞相與盛總兵的兩封推薦信函，前到京
師，預備分別投予吏部右侍郎譚瑜與左侍郎常明元，以求取功名。只因陳亥
一時慌張，交待不清，致守門官吏錯投予吏部大堂，讀者心中暗自焦急，誰
料卻因此更使婁祝順利進入兵部任職。雪集中文荊卿和李若蘭的私情被發
現，送官法辦，本應判予刑罰，豈料由於高太守的憐才之心，反倒成就了一
段姻緣。月集中陳珍行賄事露，功名無望，父親、嫡母皆被氣死，不料陳珍
卻因此奮發向上，再取功名，告發他的金石反倒落在其後。這些都是讀者事
先難以預測的，使讀者在最後發現時感到驚訝，進而造成情節的高潮。

〔註9〕吳功正，《小說美學》，第三章第二節「情節美學」，頁278。

不過，除了這些優點之外，《鼓掌絕塵》在情節的安排上也出現了幾處疏漏的地方：

（1）梅萼在杜翰林收養時改名杜萼，並未取字號，及至長大欲與康泰同往清霞觀藏修，恐稱呼姓名不便，故由杜翰林取表字「開先」（第二回）。但書中在未提及其取表字之前，就先用了杜開先這個名字（第二回），實是疏漏之處。

（2）杜萼往韓府時，韓相國命蕙姿相陪，且於杜萼面前直呼蕙姿之名，何以杜萼卻未發現此名與紈扇上所題「韓玉姿」之名不同？

（3）康泰與杜萼於元宵節夜前訪佳人時曾言：「只把兩三個要緊字兒暗暗打動他。」（第三回），可是後來卻只說杜萼撇下紈扇在蕙姿身邊，對康泰見到蕙姿有何舉動，說了什麼話，並無交待，使接下來的「兩個說說笑笑，徐步蹀出城來」的描寫頗顯突兀。

（4）十五回中，招陳亥到船中飲酒的乃是林二官人，到十六回夏方敘及此事時，卻說成俞公子。

（5）夏方在花集中一直佔著極重要的地位，作者也花費許多心思在塑造、刻劃這一個人物，但是到第十九回寫陳亥、夏方到天官府錯投書之後，夏方就消失了，夏方後來有沒有和婁祝一同征西韃，結局如何，作者都沒有交待，顯然是一大疏忽。

這些疏漏都是令人覺得十分惋惜的地方。

二、結構方式

《鼓掌絕塵》共分風、花、雪、月四集，每集各十回，集演一個故事，所以總共是四篇故事。就內容而言，四集各成一個獨立系統，每個故事不相連貫，各有各的風格、主題、情節、結構。不過作者在回數的安排上，卻是由第一回直接延續到第四十回，並不在每一集上自成起訖，而且在回目的命名上也一律採取對句形式，由第一回到第四十回一氣直下，因此，單看目錄，會讓人誤以為全書只演一個故事。這是《鼓掌絕塵》在整體結構上的一大特色，它代表作者在撰作這四篇故事時，有一個整體的構思。

而就各集言，四集的結構方式稍有不同，各有特色。

（1）風集

風、花、雪三集都採用單線式的結構方式。所謂單線式結構，是全書有

一條主線，有一個或幾個中心人物貫徹始終﹝註10﹞。風集雖然主要在描寫杜萼與韓玉姿的婚姻之事，但事實上卻寫出了杜萼的一生，把他從出生到結婚生子，子女的成就都交待清楚。作者頗為用心的把人生四大樂事：久旱逢甘雨（康泰稱杜萼異鄉逢親父是「久旱逢甘雨」），他鄉遇故知（往京師赴考時與好友康泰重逢），洞房花燭夜（娶了韓玉姿與金小姐），金榜題名時（高中狀元）集於杜萼一身，在故事發展中，疊現高潮。而在寫杜萼與韓玉姿的愛情時，又與康泰對韓蕙姿的追求交織在一起，互相比對照映。私奔時在長沙府中認了親父，赴考時又與任職主考官的義父重逢，這些情節都不算太離奇，但安排的有起伏，有波瀾，頭緒也不單一，使整篇作品結構所呈現的不是平淡無奇的直線，而是有起有落的曲線。不過第一回中敘述杜萼前往梅花觀與許叔清敘談一段，卻顯得鬆散而多餘，是其敗筆。

（2）花集

花集的結構方式與風集稍有差異，作者主要是以婁祝如何掘得石蟹、被贈青驄、獲火睛牛等因緣際會，之後又如何在無意之中，藉著這些寶物，使他登上功名之路的這種種事蹟來推展故事。金木散人以婁祝的發跡變泰為主線，再搭配夏方、夏虎為副線，寫夏方、夏虎騙取婁祝寶馬，將馬賣予林炯，經商杭州，錢財被騙、被劫，最後一死一行乞的落敗史。這條副線在結構上處於從屬地位，時而獨自發展，時而與主線相合，在這兩線人物的矛盾衝突中，不僅突顯了重要人物婁祝、夏方的性格特色，也豐富了作品的曲折性與可看性。但花集在結構上卻有一個大敗筆，第十五回「杏花亭狐怪迷人」一段，在婁祝尋找夏方下落中，硬生生插入了婁祝被狐怪所迷，惑於美色，而後賈天師除妖的一大段描寫，這個情節不僅對後來的故事發展沒有一點幫助，也使讀者對主要人物婁祝的性格產生了負面的影響。筆者猜測，可能是作者欲增加故事的娛樂性而加的，但卻造成了花集結構上的缺陷，顯出了故事的鬆散與不嚴謹。

（3）雪集

雪集在結構上和風集頗為近似，二篇都以描寫男女愛情為主，敘述他們相識、相愛、遭遇種種磨難而終成眷屬的經過，都同樣以單線式結構進行整個故事。不過雪集在敘述方式上並不採用風集以正敘、輪敘、補敘交替進行

﹝註10﹞ 同注一，頁32。

的方法，而是幾乎完全採取正敘手法，按照故事情節發展的前後次序來加以描寫，使整個故事層次井然，脈胳清楚。雪集雖然在情節上不似風集多起伏，也不如花集多變化，但由於它在情節上的多所穿插，如高嶼的畫美人圖奇遇，媒婆們爭娶醜姑，星士的神前禳解，賈秋的假扮魍魎，都爲作品增添趣味性，而若蘭畫寢夢與荊卿燕好一段，又與醜姑和牧童園內偷情一段相比對，撇去其中的庸俗描寫，單就故事結構言，實是較爲曲折。因此，大致說來，雪集脈胳清晰，條理一貫，於平淡中不顯沈悶，是其結構上的優點。

（４）月集

月集的結構和前三集有顯著的不同，前三集均以一人或數人爲主角，以其自身的遭遇爲主線，再連帶交待身旁人物的際遇以完成整個故事。主要人物明確，主線清晰。月集則不然，它沒有貫穿全書始終的主要事件或共同主題，也沒有明確的主角，只是利用張秀這個小人物，使各個情節之間自然轉換。月集中的故事大致可分三個段落，每每段落的人物不盡相同，所要表達的思想也不一樣。上一段的主要人物到了下一段可能就成了次要人物，或稍露一角以連綴故事，就消失了，而敘述場景亦隨之轉變。不過作者對每個人物的活動都有具體的描寫，結局也有清楚的交待，不致使讀者有混亂之感。而每一段故事都反映社會一角，集合起來便現出社會一面，因此較之前三集，月集在結構上反而更顯創新，涉及的層面廣，探討的問題也多。

《鼓掌絕塵》雖然在情節上小有疏漏，在結構上也有鬆散不嚴謹處，但大致說來，它在結構上的層次井然，脈胳清晰，及情節上的生動性、戲劇性卻是有目共覩的。而且金木散人在寫作上加入了許多技巧，如正敘、輪敘、插敘、補敘方式的交替進行，伏筆、巧合、懸念手法的應用，都使得故事更曲折翻騰，提高了《鼓掌絕塵》在藝術上的成就。

第三節　豐富逼眞的語言運用

文學以語言來表達，小說作家在創作時，同樣必須藉助於語言文字的媒介，去創造作品中的人物，塑造典型，也要用語言去表現現實事件、自然現象和思維過程，才能出現可供讀者閱讀的作品。用語言材料塑造形象，讀者最先接觸到的自然是詞句，因此，詞句的優美與拙劣，就直接影響到讀者閱讀該作品的興趣與耐心。綜觀我國古典小說中的經典之作，沒有一部作品詞

句是艱奧難懂，蹇塞不通的，它們無論在言談、敘事、描情、寫景等方面，都力求用語的簡樸、自然，並在生動之外，各具特色。例如《西遊記》中就大量吸收、提煉了民間的口頭語言，特別是吳承恩運用了他家鄉蘇北方言中傳神的詞語，新鮮而富有生命力，使整部作品的風格呈現出流暢、明快之風，宛如一條跳濺的溪流（孟瑤語）。而《紅樓夢》中流利的北平方言，美妙的遣詞用句，更是中國小說史上最為人津津樂道的一件美談。

用白話文來寫小說，在唐末的變文及宋人的話本中雖然已經開始，但除了少數較優美的作品外，其餘大多是文白夾雜，粗劣拙笨的。到了明朝，我國小說戲曲迅速發展，口語文學也已達到成熟鍊潔的境界，文人們才有意識的來創作白話文學，《水滸傳》在此時以洗鍊生動的文字，風靡文壇，帶給小說創作更廣大的白話空間。鄭振鐸在〈水滸傳的演化〉一文中就曾給予《水滸傳》的文字「活潑潑的如生鐵鑄就的造語遣詞」〔註11〕的評價，自此，沒有人不承認白話文是寫小說的最好工具。

白話小說在創造藝術形象上較文言小說有更大的空間，白話較文言更適合於長篇的敘事與細膩的細節描寫，給予讀者親切活潑的感覺。白話小說既可利用方言土語來表現人物的對話，又可利用詩詞韻語來展現人物的才華，這是明清小說描繪生活能力遠勝於傳統詩文的一個重要原因，而《鼓掌絕塵》便是利用這樣的優越形勢，在語言文字上有特出的成就。以下筆者分三方面來討論《鼓掌絕塵》書中的語言文字特色：

一、詩詞韻語

話本由俗講演變而來，仍存留有韻散交替的文學形式，因此詩詞韻語的使用相當普遍。除了在故事的開頭有入場詩（詞），結尾時有結尾詩（詞）以歸結全篇的寓意外，話本小說中還經常利用詩詞韻語來描繪景物，形容人物，或作為作者對事件的贊揚或評論的意見。

中國的舊詩詞，能在含蓄不露中表情達意，寫詩的不管是男方還是女方，都可藉詩詞一展才情與抱負，並在表達情意時以暗喻的手法表現，以顧及自尊；讀詩的另一方更可一看（聽）而心領神會，或婉拒，或接受，進而成就一段姻緣。因此，用詩簡酬和來表達愛情的方式，從《西廂記》以來，一直是才

〔註11〕鄭振鐸，《中國文學研究》，台北：明倫出版社，出版年月不詳，〈水滸傳的演化〉，頁107。

子佳人戀愛的常套。《鼓掌絕塵》不脫此常套,風雪兩集中的才子佳人用以表露才華及互訴情懷的工具就是詩詞。風集中杜萼共吟了十三首詩,雪集中文荊卿吟了七首,李若蘭吟了十一首,月集的楊琦也吟了四首。在這些詩詞中,不乏佳作,如二十八回,文荊卿要上京赴試,李若蘭臨別所贈之曲【傾杯序】:

> 傷悲最關情,是別離,受寂寞,從今夜,想影暗銀屏,漏咽銅壺,
> 煙冷金猊。問此際誰知?休戀著路旁村酒,牆畔閑花,和那野外山
> 雞。怎教人不臨歧,先自問歸期。

就把閨中少婦既傷心丈夫遠離,又耽心他移情別戀的細膩心情給表達出來。不過有些詩詞卻寫得平庸、膚淺,不值一顧。例如才子杜萼在七歲時所題的詩,就顯得過於老練造做,沒有七歲小兒天真無邪的筆調,可謂一敗筆。

此外在第十二回中,作者也把明代流行的小曲「鬧五更」運用到作品中。沈德符《野獲編·時尚小令》條把它跟寄生草、羅江怨等曲牌並列〔註12〕,容易使人誤以為「鬧五更」是一種曲牌,事實上它是明代小曲的內容,它所使用的曲牌有劈破玉、哭皇天、疊疊錦等〔註13〕。鬧五更以五更分段,在敦煌寫本中已有「太子五更轉」、「嘆五更」等前例,明人散曲中則已經有人利用五更調來寫閨怨了。第十二回中的這首鬧五更也屬於閨怨詩,以五更分段,分敘每一更裡熬人的情愁,感情細膩而又帶點民歌的坦白與潑辣。

《鼓掌絕塵》中另外有一些詩詞式的韻語,用來形容人物外形,是其使用韻語頗為成功的一面。《鼓掌絕塵》書中的許多人物外形,都是以這種方式來描述的,對於表現人物外形特色及性格特點,有奇特的效果。如三十四回描寫陳進家中的一個老丫鬟:

> 頭髮蓬鬆緊合眼,插著一條針和線。頸上黑漆厚三分,腳下蒲鞋長
> 尺半。啞喉嚨、歪嘴臉,披一條,掛一片,渾身餓虱如牽鑽。破布
> 衫,油裏染,褲腳長,裙腰短,走向人前頭便顫。遠看好似三寸釘,
> 近看好像黑桲炭。年紀足有六十多,從來不見男人面。

就用戲謔的筆意,活畫出一個身材矮小,面貌醜陋,惹人嫌棄的老丫鬟形象。

《鼓掌絕塵》中以韻語寫成的對聯也都聯對工整,淺顯易解。如第一回杜萼為李乾道士的悟真軒所題的對聯:

〔註12〕 沈德符,《野獲編》,台北:藝文印書館,〔百部叢書集成〕第二十四輯〔學海
　　　 類編〕第一八七種,1966 年初版。卷二十五,頁 28。
〔註13〕 陳信元,《鴛鴦枕上》,台北:聯亞出版社,1982 年 4 月再版,頁 49。

千峰萬峰雲烏沒，十洲芳草參差。

五月六月松風寒，三島碧桃上下。

二十一回臨安客舍門前貼的對聯：

武士三杯，減卻寒威尋虎穴。

文人一盞，助些春色跳龍門。

都雅而不俗。另外，二十六回星士唸的「十供養」，是以韻文寫成類似俏皮的打油詩，以十種日常生活常見的用品來比喻世上的十種人，除了吟誦時的順口外，更將人物特性做了巧妙的比喻，是使用韻語成功的又一例。如：

這把等子，好像如今做蔑的人。見了金銀就小心，有朝頭重斷了線，

翻身跳出定盤星。這箇算盤，好像如今經紀的人。釐毫絲忽甚分明，

有時脫了錢和鈔，高高擱起沒人尋。

二、方言、諺語、歇後語

文學要能表現個性的差異，所以每個人物要有能符合其身分地位的語言，而方言，就是展現人物不同身分的最好表現方式。另外，適當的方言運用，可以使人物更活潑、生動，更具個性。胡適在序《海上花列傳》時曾說：「古文裡的人物是死人；通俗官話裡的人物是做作不自然的活人；方言土語裡的人物是自然流露的活人。」〔註 14〕說明了方言的運用在塑造小說人物時的重要性。

《鼓掌絕塵》中，除了通俗白話的應用外，還用了蘇州土白——吳語。月集中寫一個江南秀才李八八與其表兄陳百十六老的對話，所使用的語言就是吳語。作者用兩人蘇州土白的對話，來表現兩人的籍貫與主要人物陳珍和張秀的差異，從而使讀者輕易的明白，何以身爲金陵人的陳珍堅持要聘同鄉的王瑞爲塾師，捨棄李八八。而李八八與陳百十六老的吳語對話，更增加了讀者的臨場感，讀到兩人商議要「奪子渠個館來」，把束脩「都馱擔來送與表兄便歇」時，仿彿眼前一亮，活潑潑的跳出兩個江南人來。

我國的語言文字中，有非常豐富的慣用詞組和語句，它們總是簡鍊多采，能夠生動概括地表達某個繁複的思想和感情，爲人們所喜聞與樂用。它們被稱作「熟語」。「熟語」有多種類型，如成語、諺語、格言、俚語、歇後語等。

〔註 14〕語見胡適，〈海上花列傳序〉，收於清韓子雲，《海上花列傳》卷首，台北：廣雅出版有限公司，1984 年 3 月初版，頁 17。

在這些熟語中，金木散人採擇了富有地方色彩及詼諧筆調的諺語和歇後語於其作品中，使《鼓掌絕塵》的語言文字更具特色。諺語，是流傳於民間簡練通俗而富有意義的語句，是由日常生活中的語言經過千百年歷練而成，反映民間生活經驗的語言。它的最大優點是簡單、明瞭、涵意深刻而且為大眾所熟悉，這種語言在生活中使用，就像在話中加了佐料一樣，格外有味。它具有濃厚的鄉土氣息，在小說中恰如其分的運用，不僅能促使人物神理、性格的直接表露，在表達人物對事件的看法與評價上，更有畫龍點睛的作用，省卻許多饒舌不清的話。不過在使用這些語句時，不可用得太濫，而且要與作品全篇的文字、語氣調和，否則不僅會讓人覺得有賣弄才學之嫌，更可能因此破壞作品的完整，而弄巧成拙。

《鼓掌絕塵》對諺語的使用就十分恰當，常在關鍵處用一諺語形容而使人物神態畢現。如第六回寫病後的韓相國由蕙姿扶著，前往探視在百花軒中讀書的杜萼，「你看這老頭兒，扶了蕙姿，就像个土地挽觀音一般，前一步，後一步，慢慢的走到內門邊。」使讀者腦海裡呈現出一個老態龍鍾，一個風姿秀麗；一個一步三搖，一個蓮步輕移，鮮明而對比的畫面。又如第四回中，由於蕙姿、玉姿二人面貌相像，杜萼夜入相府投紈扇時難以分辨，故誤擲與蕙姿，姐妹二人因此以為兩人所想念的心上人同是杜萼，玉姿於是對著蕙姿說道：「姐姐，妹子想來，那晚杜公子在那邊偷瞧姐姐的時節，分明也有了一點心兒，不料夜來妹子倚闌（欄）看月，想是他到把我認做姐姐，故將詩句相挑。哎！這正是『溷濁不分鱸共鯉』。」蕙姿道：「妹子，這般說，我和你不知幾時纔得个『水清方見兩般魚』。」只這兩句諺語，就把彼此誤會的複雜過程，姐妹兩人鬱悶難解的心態給描繪的一清二楚了，更讓讀者於了解中發會心一笑。而二十五回李若蘭因思念文荊卿而患病臥床，李夫人焦急萬分，欲請大夫看時，若蘭云：「母親，那些煎劑孩兒自幼不曾服慣，郎中手賽過殺人刀，饒我遲死些。」除了說明醫術不精的醫生誤人之深外，也深刻描繪出病人的普遍心態。

歇後語是漢語裡流行較廣，運用靈活，富有表現力的一種語言形式。歇後語是語法的一種，即話說上句，下句省略不說，仿彿是個謎題，謎底揭曉了，才是真正想要表達的意思。歇後語的產生，富有地方性色彩，常以詼諧語氣，帶著民族的幽默，以簡明的話語說出心裡要說的話，而且是一種沒有遮攔，沒有顧忌的口語。善於說歇後語的，並不一定是滿腹經綸的知識分子，

反而是平常百姓更會利用它，因此，歇後語中沒有深奧的字眼。它通常以某種特定人物的動作形態做上句，下句就是那個動作所產生的結果，而上句的人或物，是老百姓日常所習知習見的。由於它所使用的字句通俗，譬喻又巧妙，常令人有拍案叫絕之感。

　　《鼓掌絕塵》中有好幾處利用歇後語以形容人物或當時情況的，輕鬆、俏皮、又貼切。例如二十八回寫李若蘭與文荊卿麗春樓上幽會，被返家的叔叔李嶽撞見，捉文荊卿見官，太守卻判二家聯姻。李嶽心中不服，恰好碰到前來賀喜的店主婆，想到她當初引進文荊卿，遂破口大罵。書中形容：「你看這店主婆，見罵了那幾句，霎時間把一張老面皮紅了又白，白了又紅，橫思豎想，又沒甚言語抵對，真箇就如張飛穿引線，大眼對小眼一般。」店主婆是若蘭的乳母，因李家賞賜的五十兩銀而得以開酒店過活，這段文字，將店主婆遭受辱罵時的驚愕、羞愧及懾於李嶽地位，不敢反唇相譏的無奈神情及心理，傳神的表現出來。又如月集中張秀在當驛丞時，認出了當初告他私和人命的徒犯李蔑，遂問李蔑可記得昔日「張大話」的面龐模樣。李蔑不知是他，極力醜化張秀形象，直到張秀說出真實身分，「這李蔑好似和針吞卻線，刺入腸肚繫人心，兩隻眼痴痴的把這張驛丞瞧定，心下卻也將信將疑。」（三十八回）把李蔑這個階下囚當時疑惑、驚惶、啞口難言的情景深刻的表現出來。此外如「三歲沒娘，說起話長」（第七回），「因風吹火，用力不多」（第九回），「甕中捉鱉，手到擒來」（第十六回），「雪獅子向火，酥了一半」（三十七回），「蒼蠅帶鬼臉，好大面皮」（三十八回），也都運用恰當，清新活潑，饒富生命力，增加了文章的通俗性與生動性。（《鼓掌絕塵》中所有之諺語、歇後語見附錄一）

三、修飾語、疊字

　　修飾語的巧妙運用，能使平平常常的一件事，一種心情，活靈活現於讀者眼前，把客觀外界的事物，生動形象地描畫出來；把人物內心世界的抽象情感，具體展現。《鼓掌絕塵》在修飾語方面，盡量不襲用前人的陳詞爛調，而以奇巧的創思，清新通俗的語句，創造出與眾不同的修飾語。例如寫縣官愛錢，見到銀子時，「就如見血的蒼蠅，兩眼通紅，那裡坐得穩。」（三十二回）形容小官沈七的識人之能：「那沈七雖然年幼，做小官的人，點頭知尾，眼睛就如一塊試金石頭，不知磨過了多少好漢，好歹霎時便識。」

（三十三回）都是形容眼睛，卻利用不同的修飾詞語，不同的具體形象，使讀者輕易的感受到縣官的貪財與沈七的老練和城府。另外，作者還運用了較為動態的修飾語，以形容人物的心情、行動。三十二回寫典史的醉態：「這典史扶牆摸壁，那裡站得穩，兩隻腳就是寫『之』字的一般。見了知縣，送上元寶，只管作揖。把楊亨兩字，口中念了又念，咿咿唔唔，再也不知講些甚麼。」用「之」字形容腳步的歪斜搖擺，用手上只管作揖，口中咿咿唔唔念個不停形容頭腦已混沌不清，這些動態的形容詞描寫酒後的典史，一下子就把典史的「醉」給具體化，形象化了。又如第四回寫蕙姿奉命獨自陪侍杜萼，二人皆誤以為對方是昔日所見的意中人，「兩家都是今朝乍會的，一個便不好倉皇啟齒，一個又不好急遽開言，眼睜睜對坐著，心兒裡都一樣蟹兒亂爬，眼兒裡總一般偷睛頻覷。」更寫出了兩人乍會時的欣喜、愛慕、覥腆、尷尬的複雜情愫，而用蟹兒亂爬形容慌亂、猶疑的心情，更是入木三分。

此外，金木散人也利用狀聲詞來修飾動作，使讀者在閱讀時如聞其聲，如見其形。例如形容康泰把酒瓶望船窗外一丟，「只見水面上『扑㪆』一響」（第二回）；杜萼在清霞觀靜坐想著佳人時，「只見那書房門『呀』的推將進來」（第三回）；杜萼偕同韓玉姿私奔時「只聽得那譙樓上『咚咚』的打了五更五點」（第七回）；那夏虎在那會說話的石佛前禱告時，「只見那石佛口中『撲』的跳出兩三個碩大的老鼠來」（十四回）；「酒痴生」文荊卿喝酒是「如長鯨吸百川一般，霎時間『咕都都』一氣飲個罄盡」（二十一回），都適切的利用了狀聲詞，增加了讀者閱讀時的臨場感。

除了上述深具形象化的修飾詞外，《鼓掌絕塵》中也使用疊字來作修飾。所謂疊字，意指兩個同樣的字所構成的詞〔註 15〕，它的使用不僅可以造成誇張或加重語氣的效果，在事物的描摹上，也能更顯逼真、神似。疊字在詩詞中曾被廣泛的運用，在戲曲中也可見到為數不少的疊字，但卻鮮有人注意、分析小說中的疊字使用。李世珍在研究《豆棚閒話》時曾對書中大量的疊字使用做過統計，發現《豆棚閒話》大量使用疊字高達四百八十七次〔註 16〕，是小說中大量使用疊字的一個明顯例子。根據筆者的統計，《鼓掌絕塵》中使

〔註15〕疊字的說法採用楊伯峻，《文言語法》，北京：大眾出版社，1956 年 11 月二版。
〔註16〕見李世珍，《艾納居士〈豆棚閒話〉研究》，台中：東海大學中文研究所碩士論文，1989 年 6 月，頁 97。

用疊字的次數高達一千一百五十二次〔註17〕，雖然就小說內容比例而言，不似《豆棚閒話》來得普遍，但實際數量也確實不少。其中有幾處寫得不錯，如第四回寫杜萼因迷戀韓玉姿，無心詩書之態：「整日在書房中愁悶不開，神魂若失，痴痴呆呆，懵懵懂懂，就如睡夢未醒的一般。」及三十二回寫生員們受楊亨之託，齊來向典史勸酒，「你看那些生員，落得官路當人情，你一杯，我一杯，霎時間把一個清清白白的典史，灌得糊糊塗塗。」這些疊字的使用，使作品更活潑生動，也算是其語言特色之一。

〔註17〕筆者所統計的疊字形式包括 AABB、AA、AAB、ABB 等四種。

第五章　《鼓掌絕塵》的傳承、影響及其他問題

第一節　《鼓掌絕塵》的傳承與影響

一、繼承前人

大凡一個作家，無論他的學識高低，才情大小，只要想在小說方面有所創作，幾乎沒有不參考前人作品中的情節，或受前人小說影響的。金木散人雖然明言：「種種俱屬新思奇創，非假借舊人口吻」，但我們仍於其故事情節中，看出許多前人小說的影子，其中或引為典故，或取其精神，或直接模仿當中的情節，情況不一，現在就分述如下：

（1）唐人小說

唐傳奇是中國小說史上第一批「有意為小說」（魯迅語）的作品，它脫離了六朝鬼神志怪書的荒誕不經，因果報應的內容，及粗疏淺陋的文筆，開始以華豔的文辭來正面摹寫人世，反映現實。無論在題材範圍、思想內容，抑或創作精神、藝術方法上，都有根本的轉變和進步，給小說文學奠定了良好的基礎，也為小說文學開闢了廣闊的遠景。唐傳奇的數量不少，現存者還有數百篇之多，而其故事主題亦頗多樣，包括早期沿襲六朝之風的志怪作品，還有一些以當時歷史事蹟為素材，加工寫成的故事，以及通過夢幻來寫人生經歷的故事，而其中以談論戀愛和婚姻問題所佔的比重最大，描寫也最成功。

作者們除了描寫當時的青年男女，爲爭取婚姻自由，追求幸福，而極力與傳統禮教相對抗的英勇事蹟外，也歌頌了這些奮鬥者對愛情的堅貞誠摯。雖然金木散人並沒有直接取法當中的情節，但是在男女主角爲愛情奮鬥的道路上，在作者對其中人物作爲評論上，我們仍可看出這些著名的愛情篇章對《鼓掌絕塵》產生的影響。

在描寫杜開先與韓玉姿、文荊卿與李若蘭的相思、相戀過程裡，金木散人引用唐傳奇中某些著名篇章爲典故。如第三回杜開先遇見韓玉姿以後，日夜難忘，但侯門似海，無計與通消息，書中便云：「崑崙難再見，紅綃豈重逢。」用了裴鉶《崑崙奴》的典故。又如二十六回，文荊卿喬作醫人，入李府探望若蘭之病，二人恐李母知覺，只得相對無言，作者云：「玄霜搗盡見雲英，對面相看不盡情，借問藍橋隔幾層？恨前生，悔不雙雙繫赤繩。」又用了裴鉶《裴航》的典故。而且這一首〔憶王孫〕，更直接襲用《裴航》文中雲翹夫人所吟詩「玄霜搗盡見雲英」一句〔註1〕。另外，在人物的口白中，也有直接引用唐人小說中的人物自喻的，如第七回，韓相國得知玉姿與杜開先私奔後云：「我那女侍，既做个打得上情郎的紅拂女，我學生也做个撇得下愛寵的楊司空，便去了也不足惜。」用杜光庭《虬髯客傳》中的楊素與紅拂女來相比，這些都可以看出《鼓掌絕塵》受唐人小說的影響。

（2）《金瓶梅》、《水滸傳》

閉戶先生在〈鼓掌絕塵題辭〉中言：「吾爲鼓掌，香韻金瓶之梅；君試拂塵，味共梁山之水。」把《鼓掌絕塵》捧得極高，認爲可與《水滸》、《金瓶》相媲美。在此，我們先不論《鼓掌絕塵》在思想及藝術價值上可否與這兩大奇書相提並論，但閉戶先生的這一段評價，至少反映出了作者在創作時是有意識的學習《金瓶梅》和《水滸傳》的，至少是以此二書爲典範的。

《金瓶梅》雖然借用了《水滸傳》中「武松殺嫂」一段故事作引子，並在第一回到第六回的關目情節上沿襲《水滸》，但是，作爲我國小說史上第一部文人長篇創作的作品，它的出現，標識著我國古典小說已經進入一個發展的新階段。從此，文人創作就逐漸替代宋元以來根據群眾口頭創作而整理加工的話本，成爲小說創作的主流。除了這一點貢獻之外，《金瓶梅》還擺脫了

〔註1〕 該詩云：「一飲瓊漿百感生，玄霜搗盡見雲英。藍橋便是神仙窟，何必崎嶇上玉清。」錄自張友鶴選註，《唐宋傳奇選》，台北：明文書局，1987年6月第三版，頁159。

中國小說以描繪神鬼志怪和英雄傳奇爲主要題材的傳統，也不根據歷史或民間傳說以創造故事，而是以當時的世間百態、愛慾情愁、日常瑣事爲主，描寫家庭生活，開人情小說之先鋒。

《鼓掌絕塵》屬人情小說，在題材的取捨上自然依循其開山祖之作風，以家庭生活、戀愛婚姻爲主。除此之外，在下列幾點上，《鼓掌絕塵》也是承《金瓶梅》作風的：

（1）《金瓶梅》取材於現實社會，並且專寫社會的陰暗面，暴露當時社會的種種惡習、毒害，分析明末政治腐敗的原因，對貪官、污吏、奸相、昏君，作綜合且全面深刻的描寫。此點爲《鼓掌絕塵》所繼承，書中廣泛的揭露明末社會種種混亂脫序現象，顯露當時科舉、婚姻、道德上的缺漏，並直接描寫魏忠賢、崔呈秀一幫人的胡作非爲，直指政治之弊。

（2）《金瓶梅》全書一百回，出場人物有二百多人，其中大部分是市井小民、幫閒無賴，即使是主要人物西門慶，也是個破落戶地痞流氓。作者精確的捉住這些人物的特性，以行動、對話刻劃個人性格，栩栩如生。《鼓掌絕塵》中爲數不少的市井人物，神態畢露的言辭、舉動，與《金瓶梅》頗爲類似。

（3）《金瓶梅》善於利用方言、成語、諺語、歇後語等，以形容、描寫一種情況或心情，靈活且獨特。《鼓掌絕塵》同樣的也相當活潑的使用方言、諺語，增加作品的藝術成就。此外，《金瓶梅》書中有不少精妙的詞曲，藝術性強且具時代性，例如第七十三回郁大姐唱的「鬧五更」，就是當時流行的小曲。無獨有偶的，《鼓掌絕塵》十二回中，秦素娥也唱了一首「鬧五更」，二首內容雖然不盡相同，但是利用時曲入書的作風卻是相同的（二首「鬧五更」見附錄二）。

（4）《金瓶梅》中赤裸裸的色情描寫，是其最受世人爭議且使其成爲禁書的主要原因，但是，它的淫穢描寫卻在明末清初小說史上產生了影響，引起人們更熱中於描寫現實生活中的男女關係。當時涉及淫穢的小說通常有幾種形式：一、爲宣淫而寫淫；二、爲勸人戒淫而寫淫；三、把人的色情和性行爲作爲寓言形式，進行哲理的表述，只述人物與人物之間的豔情關係，而不具體描繪其淫事行爲；五、

主題思想與淫穢無關，只在某些情節上稍涉於性行為的描寫〔註
2〕，《鼓掌絕塵》屬第五種，書中寫杜萼與韓玉姿、醜姑與牧童、
文荊卿與李若蘭的偷情，都屬此類。

以上是《鼓掌絕塵》可能受到《金瓶梅》影響的地方。

《水滸傳》的內容是根據民間傳說，再加上想像和創造而成的。此書的
背景雖然是北宋末年，但事實上，書中所反映的種種現實狀況，無論把它放
在中國歷史上的那一個朝代，都可以適用。不過，《水滸》的主要精神不限於
暴露客觀社會的黑暗，它還代表民眾向專制政府、酷吏、惡棍、壓迫平民惡
勢力的反抗，梁山泊內諸位英雄好漢的理想：八方共域，異姓一家，四海之
內皆兄弟的信念，也是一般人對綠林英雄的觀感與憧憬。《水滸傳》的產生代
表人民對統治階級的不滿，期待出現鋤強扶弱，為正義奮鬥的英雄人物的精
神，這是處於朝政混亂、社會動盪時期的平民百姓所常具有的想望。《鼓掌絕
塵》在部分情節上就承襲《水滸傳》的這種精神。

花集裡婁祝、俞祈、林炯三人的結交，江順、婁祝對夏方的援助，其
實就某些角度來看是頗有些《水滸》精神的，豪爽、乾脆而不求回報。除
了這種豪氣、義氣上的部分相似，金木散人在塑造人物上，也有刻意學習
《水滸》的地方，《鼓掌絕塵》第三十九回，張秀在任桃園驛驛丞時，因為
聽說當初的恩人楊亨的兒子楊琦升任廣西太守，將路經驛站，一時起了反
悔之心，便把當日向楊亨竊走的三百兩銀全數奉還楊琦。沒想到消息走露，
黃泥嶺的盜賊事先獲知，埋伏高崗，搶走楊琦的三百兩銀及諸多行李，還
殺死了前來搭救的夏方及李蔑。楊琦留得一條性命趕到白雲寺借宿，夜裡
想著張、李二人為他死於非命，故翻來覆去無法成眠，因而驚動隔壁禪房
的一個游方和尚，問明楊琦原委，就上山把為首的那二個強人殺了，捆綁
下山，為張、李報仇。金木散人在描寫這位游方和尚，塑造一種路見不平、
拔刀相助的精神，直率粗魯的性格，及一身高強的武藝，都可以看出梁山
英雄如李逵、魯智深的影子，作者並於文中明言：「雖不是聚義梁山花和尚，
也賽過大鬧天宮的孫剝皮。」（三十九回）可以看出作者在塑造這一位人物
時的刻意模倣。

嚴格說來，《鼓掌絕塵》在情節安排及藝術成就上是無法與《水滸傳》及

〔註 2〕 以上各類分法參考林辰，《明末清初小說述錄》一書「浪史簡要評述」，瀋陽：
春風文藝出版社，1988 年 3 月第一版，頁 401。

《金瓶梅》相比的，但在爲數不少的小人物的深刻描劃及寫實精神的繼承上，卻可說是深受二書影響的。

（3）〈靜女私通陳彥臣〉

此文出自宋羅燁《醉翁談錄》乙集卷之一，敘述靜女與陳彥臣的婚姻事。靜女是延平連氏簪纓之後，早孤，頗通經史。有鄰陳彥臣，叢儒。有執柯者，而女母堅不允。二人遂私相以詩詞酬和，終至於亂。事爲女母知覺，送二人到官囚之，時探花郎王剛中出爲福建憲台，出巡首到延平，獄中問靜女、彥臣犯罪因由，二人直言無諱，又出供狀，文字燦然。王剛中遂命二人吟詩，詩成，剛中拍手稱賞，判二人結爲夫妻。這篇故事很短，但當中的情節發展和雪集文荊卿與李若蘭的故事相當類似，尤其是後半王剛中斷獄一段，和雪集裡高谷太守的判案過程幾乎相同，都是命二人即席吟詩，再因詩憐才，成就二人好事。

除了情節上的雷同以外，文中王剛中命靜女所吟的竹簾詩：

> 綠筠擘破條條直，紅線經開眼眼奇，
>
> 爲愛如花成片段，置令直節有參差。

以及命陳彥臣所吟的蛛絲網蝴蝶詩：

> 只因賦性太猖狂，遊遍名園切（通「竊」）盡香，
>
> 今日誤投羅網裡，脫身惟仗探花郎。〔註3〕

與雪集中高太守命李若蘭與文荊卿所吟的竹簾與蛛網懸蝶之詩，幾乎無二〔註4〕，僅字句上稍有出入。而後王剛中的判詞與高太守的判文，雖然形式不同，但意義相等，都是憐其爲才子佳人，故網開一面，判爲婚眷。

由此，我們可以很明顯的看出並判定，《鼓掌絕塵》雪集在故事大綱及這兩首詩上，是沿襲〈靜女私通陳彥臣〉一文的。

（4）《牡丹亭還魂記》

雪集第二十三回，寫李若蘭因瞥見文荊卿後，鎮日抱悶耽愁，相思難忘。偶一日隱几臥去，夢見獨步園中，復見文荊卿。文荊卿欲行燕好，若蘭婉拒，荊卿道：「小姐說那裡話，豈不聞柳夢梅與杜麗娘故事，先以兩意相期，后得

〔註3〕羅燁，《醉翁談錄》，台北：世界書局，1958年5月初版，頁14。

〔註4〕若蘭所吟竹簾詩：「綠筠擘破條條節，紅線經開眼眼奇。只爲愛花成片段，致令直節有參差。」荊卿所吟蛛網懸蝶詩：「只因賦性太顛狂，游遍花間覓遍香。今日誤投羅網內，翻身便作採花郎。」見《鼓掌絕塵》卷二十七。

于飛百歲，至今留作美談。」由這一段話中，我們可以看出，作者是深知杜麗娘故事的。根據胡士瑩〔註5〕及譚正璧〔註6〕的考證認爲，晁瑮《寶文堂書目》中所載〈杜麗娘記〉一目，其內容很可能就是明何大掄《燕居筆記》卷九的〈杜麗娘慕色還魂〉、余公仁《燕居筆記》卷八〈杜麗娘牡丹亭還魂記〉的故事，也正是湯顯祖《牡丹亭還魂記》傳奇故事所依據的藍本。〈杜麗娘慕色還魂〉一文產生年代約在弘治至嘉靖初年這一段時期，湯顯祖爲嘉靖至萬曆間人，因此可知二文的產生年代都較《鼓掌絕塵》爲早，都有可能影響到《鼓掌絕塵》。不過據筆者推測，《牡丹亭》爲明代傳奇大師湯顯祖的玉茗堂四夢之一，四夢中又以此劇最受世人矚目，傳誦一時，其中部分情節甚且至今仍活躍在舞台上，如「驚夢」、「閨塾」等，可見其影響之深。而《燕居筆記》中的〈杜麗娘慕色還魂〉卻鮮爲人知，前人在探尋《牡丹亭》根源時也極少注意到此篇〔註7〕，因此筆者推測，生長在萬曆至崇禎時期的金木散人，曾讀過或看過湯顯祖《牡丹亭》並因而受之影響的可能性大於受〈杜麗娘慕色還魂〉一文的影響。

　　《鼓掌絕塵》受《牡丹亭》影響的主要是雪集，包括以下這幾個方面：

　　第一，畫與花園。《牡丹亭》中，柳夢梅之所以能和杜麗娘的鬼魂相見、相戀，進而結爲夫婦，是因爲在杜家的舊花園裡拾得了杜麗娘親手所繪的肖像，對畫中美女產生思慕、愛慕之意，因而感得杜麗娘魂魄前來。《鼓掌絕塵》雪集中的文荊卿之所以能遇到李若蘭，而後引發出一連串的風波，最後結爲眷屬，也是因爲恰巧經過李刺史府的花園，碰見了誤拾美人圖的啞園公，由這幅美人圖的獲得與失去，才得以遇見李若蘭的。

　　第二，利用夢境達成願望。《牡丹亭》中的杜麗娘因研習《詩經》關雎篇，想起自己的終身大事尚無著落，因而心生困悶。丫鬟春香唆使至後花園中消遣，杜麗娘見了滿園春色，更添煩愁，遂在困乏時隱几而眠。夢中見一少年書生柳夢梅，與他千般恩愛，致醒來割捨不下，抑鬱成疾。雪集裡的李若蘭是因爲在花園中窺見文荊卿之後，看上他的青年才俊，又感於自己年已二八，

〔註5〕 胡士瑩，《話本小說概論》，北京：中華書局，1980年5月第一版。第十二章第二節「現存明人編撰的話本集敍錄」，頁532。

〔註6〕 譚正璧著，譚尋補正，《話本與古劇》，上海：上海古籍出版社，1985年4月第一版，頁60。

〔註7〕 蔣瑞藻編，江竹虛編校，《小說考證》，上海：上海古籍出版社，1984年7月第一版。卷四，〈牡丹亭第六十一〉，頁109。

尚未婚配，因此心懷愁悶。一日隱几臥去時，夢見獨自閑步園中，見那書生復來花下，對之求好，遂行夫妻之事。醒來同樣難以忘懷，致憂悶成病。她們兩人都是感於本身婚姻大事的無著落，隱几臥去，在夢境中實現了白日裡所不敢妄想的願望，靠著夢境抒解抑鬱之情。而雪集中的這段情節，極明顯的是模仿《牡丹亭》的。

　　第三，女主角的反禮教歷程。《牡丹亭》中的杜麗娘原是個官家之女，宦門之後，在父親嚴格的教導下，謹守禮教，只許房中繡花、讀書，不許花園中閑玩、戲耍。但是在杜麗娘遊園之後，她驚覺於自己的處境，感嘆青春的不可能永久，不滿囚徒般的生活，她開始在夢境中私自而大膽的做出了違背禮教的事。而在成為鬼魂之後，還不忘尋找昔日夢中之人，與之結為夫妻。在還生為人，父親指責她的無媒而聘時，大膽的說出「保親的是母喪門」，「送親的是女夜叉」（第五十五齣「圓駕」），堅持自己的選擇，而與傳統禮教相抗爭。雪集的李若蘭是刺史公的掌上明珠，女工、文翰皆通，且信守母親教誨，是個賢慧女子。在得知丫鬟醜姑與牧童做出逾禮之事時，她深感有損閨門清白，故將醜姑交予母親，以正家法；在叔叔返家處理事務時，她更是親自到廚房中煮菜做飯。這麼一個服從於傳統教條下的女子，卻為了爭取自己的婚姻自由，不惜走上公堂，要求太守的成全，而後在面對叔叔的奚落時，正言以對。在丈夫不負重望，高中回來時，以勝利者的姿態高倨於前，而後又不念舊惡的接納了她的叔父。這兩名女子都各自為自己的婚姻奮鬥，由傳統的閨秀走到反傳統禮教的道路上，堅持掌握自己的命運，就這點精神而言，二者確實有傳承關係。

　　由上述這幾部作品中我們可以看出，《鼓掌絕塵》雖然有引用前人作品情節或直接抄襲前人作品文句之處，但是在經過作者的整體構思及匠心獨運的創造下，作品所呈現的風格卻是迥異於其他作品的。不論它在小說史上的地位是否勝於前人，至少它具有它本身獨特的藝術技巧及表現手法，就此點而言，筆者認為，這應是其值得肯定之處。

二、影響後人

　　受《鼓掌絕塵》影響的作品寥寥無幾，筆者在緒言中已經指出，此書在中國本土久經失傳，應該是它對後世小說作品影響不大的最主要原因。目前筆者所能發現的確受《鼓掌絕塵》影響的，只有二部。

（1）《鬧花叢》

《鬧花叢》全名《新鐫小說鬧花叢》，又名《鬧花叢快史》，全書分四卷十二回，共演一個故事，前題「姑蘇痴情士筆」。根據孫楷第及大塚秀高的考證，此書共有幾個版本：

（1）康熙間刊本。每半葉八行，每行十八字，共有圖四葉。

　　東京大學東洋文化研究所雙紅堂文庫藏有此本。

　　此書第十二回末有缺，有無跋則不明。

（2）本衙藏板。每半葉十行，每行二十五字，無圖，有跋。

　　馬廉藏本，今存於北京大學。

（3）刊本。每半葉十行，每行二十字。

　　據吳曉舊藏本知，天津市人民圖書館、周紹良、吳曉鈴處藏有此書的卷三、四，即第七至十二回殘本。

筆者所見為由台灣天一出版社影印出版的日本內閣文庫本。抄本，每半葉十行，每行二十五字。有跋，無圖。分四卷，每卷三回，每卷之後有總批。

《鬧花叢》一書大致是敘述明弘治間一官家子弟龐國俊（文英）的一生事蹟。書中先敘述其未遇時的種種風流事蹟，而後因文機敏捷，高中狀元。此後官運亨通，位至翰林侍讀，弟子遍天下。除娶妻劉玉蓉外，並納妾美娘、桂萼、瓊娥、秋香四人，並曾先後與多人發生性關係，終日縱情於美色功名之中。後經赤松道人點破，云其本是仙骨，眾夫人亦是仙姬，文英遂上旨稱病回鄉，逕去求仙。後與兩位老夫人（文英之母及玉蓉之母）、五位夫人皆成地仙，所生三子並獲高官。

孫楷第《中國通俗小說書目》曾云：「《鬧花叢》四卷十二回，……實即明小說《鼓掌絕塵》之雪集。」〔註8〕這一點錯誤，胡士瑩已經指出〔註9〕。事實上，《鬧花叢》是以《鼓掌絕塵》雪集的內容作為主要情節，再加上一些旁枝而成的。這些旁枝大部分是龐文英與其妻妾之間的色情描寫，及後來的成仙修道等情節。我們單由二書的回目上，就可以發現兩篇作品的傳承關係：

〔註8〕孫楷第，《中國通俗小說書目》，台北：木鐸出版社，1983年7月初版，頁84。

〔註9〕胡士瑩遺著，《〈中國通俗小說書目〉補》，瀋陽：春風文藝出版社編，《明清人情小說論叢》第四輯，1986年6月初版，頁182。原文為：「按《鼓掌絕塵》之雪集共十回，此十二回，不合。吳曉有藏本。」

《鼓掌絕塵》雪集	《鬧花叢》
	第一回　看金榜天賜良緣 　　　　抛情友誘入佳境
第廿一回　酒痴生醉後勘絲桐 　　　　梓童君夢中傳喜訊	
第廿二回　啞園公誤賣美人圖 　　　　老畫師驚悟觀音像	
第廿三回　訴幽情雨下傳詩 　　　　諧伉儷一場歡夢	第二回　赴佳期兩下情濃 　　　　偕伉儷一場歡喜
第廿四回　醜姑兒園內破花心 　　　　小牧童堂上遺春譜	第三回　梅香閣內破花心 　　　　安童堂前遺春譜
第廿五回　鬧街頭媒婆爭娶 　　　　捱鬼病小姐相思	第四回　鬧街頭媒婆爭娶 　　　　病閨中小姐相思〔註10〕
	第五回　表姊弟拜壽勾情 　　　　親姑嫂賀喜被姦
	第六回　新郎邀歡酹嬌妻 　　　　書生受侮效鸞鳳
第廿六回　假醫生藏機探病 　　　　瞽卜士開口讓星	第七回　假醫生將詩挑病 　　　　瞽卜士開口讓星
第廿七回　李二叔拿奸鳴枉法 　　　　高太守觀句判聯姻	第八回　天表拿奸鳴枉法 　　　　學憲觀句判聯姻
第廿八回　文荊卿夜擒紙魍魎 　　　　李若蘭滴淚贈驪詞	第九回　恨前仇糾黨雪恥 　　　　苦讀書獨立登科
第廿九回　赴臨安捷報探花郎 　　　　返姑蘇幸遂高車願	第十回　長安捷報探花郎 　　　　金陵錦衣歸故里
第三十回　節前非廳前雙膝跪 　　　　續後韻頁上兩留題	
	第十一回　假滿還朝攜眾妾 　　　　　難逢前途仗一仙
	第十二回　歷久官尊富貴足 　　　　　閱盡塵埃仙境高

　　不過《鬧花叢》雖然在主要情節上依循《鼓掌絕塵》雪集，在文字上亦多所襲用，但就整個藝術成就、思想主題言，卻與雪集有天壤之別，究其原因，主要有以下幾點：

〔註10〕目錄作「病鬧中小姐相思」，恐筆誤，此處依正文所寫。

（1）雪集的主題敘述青年男女爲爭婚姻自主而與傳統禮教勢力相抗爭，並於其中廣泛展露人情百態與社會風俗。而《鬧花叢》卻是假才子佳人小說之名，大寫色情淫穢場面，宣揚宗教迷信觀點，其間高下可見。

（2）《鬧花叢》的大部分內容雖然是直接由雪集中抄錄下來，但可能是作者或抄者爲了省儉筆墨，而將文中的許多俚語、歇後語，修飾詞省略，因而使得細節上的描寫過於粗糙，少掉生動、活潑的感覺。

（3）由於《鬧花叢》是抄襲雪集的，作者沒有做全盤整體構思，因而在某些人物關係，情節發展的安排上，顯得漏洞百出。如雪集中的文荊卿因與其叔鬥氣離家，從姑蘇跑到臨安，所以才招贅入李府，而《鬧花叢》中，龐文英明明還有母親共同生活，且與劉玉蓉居於同鄉之中，何以入贅於劉府？又如雪集中店主婆是若蘭的奶母，文荊卿寄寓之身，不明瞭二人的關係，實屬合理；而《鬧花叢》中余五是文英的鄰居，文英且與余五之女順姑有私情，余五之妻爲玉蓉奶母，文英居然毫不知情，豈非荒謬？凡此之類，皆可看出《鬧花叢》撰文之草率與因襲之跡。

（4）《鬧花叢》抄本一書中，錯字連篇，諸如「有就（應作說）文英標緻可愛」（第二回），「當日院子柙（押）了安童來到莊上」（第四回），「金（全）是那張口舌賺人錢鈔」（第四回），「他二人眉迎目送，正要說些哀（衷）腸話」（第七回），「文英只徘（得）近前唱喏」（第九回），「他知文英初回，無片刻之假（暇）」（第十一回），凡此之類，不勝枚舉。

　　《鬧花叢》是筆者所能發現，在中國本土，於小說內容上受《鼓掌絕塵》影響的唯一的一部作品〔註11〕，可惜竟然爲色情小說，實是一大憾事。

（2）《宜春香質》

　　《宜春香質》全名《新鐫繡像批評宜春香質》，書分風、花、雪、月四集，

〔註11〕由大塚秀高《增補中國通俗小說書目》所列出的諸多小說作品中，筆者由當中的目錄發現：不知作者的《山水情》第一回「俏書生春遊逢麗質」，第二回「痴情種夢裡悟天緣」，以及清初梧崗主人的《空空幻》第二回「寓名園初盟淑女，治孤舟又遇佳人」，第六回「一幅畫巧諧美事，三杯酒強度春風」，由目錄名稱中推測可能受到《鼓掌絕塵》的部分影響，但由於未見其書，因此不敢妄下斷言。見該書頁114及120。

每集五回，集演一個故事，共四個故事。每集前題「醉西湖心月主人著，且
笑廣芙容僻者評，般若天不不山人參」。根據孫楷第《中國通俗小說書目》及
大塚秀高《增補中國通俗小說書目》的記載〔註 12〕〔註 13〕，此書最早的刊本
是崇禎間刊的筆耕山房刊本，每半葉八行，每行十八字，共有圖十六葉。據
大塚秀高言，日本天理圖書館藏有此書，唯其中雪集第五回、月集第三至五
回的圖缺佚。筆者所見爲台灣天一出版社影印日本內閣文庫筆耕山房刊本，
版式行款及所缺插圖部分與大塚所載相同。

　　《宜春香質》確切的出版年代不詳，只知它是崇禎年間的作品，故事內
容淫穢不堪，劉廷璣《在園雜志》稱此書：

　　　　當斧碎棗梨，遍取已印行世者盡付祖龍一炬，庶快人心。〔註 14〕

書中內容與《鼓掌絕塵》全不相干，且各集回目自成起訖，與《鼓掌絕塵》
不同，只是以風花雪月來總稱各個故事的這種結構形式與《鼓掌絕塵》相同。
根據孫目所載，題「醉西湖心月主人著」的小說有二：一爲《宜春香質》，一
爲《弁而釵》，孫楷第在書中稱作者爲「清無名氏」。另外孫目在「著者索引」
中指出，「醉西湖心月主人」即「西子湖伏雌教主」，也就是《醋葫蘆》的作
者，孫楷第並據《醋葫蘆》書中引吳石渠《療妬羹》，而認爲作者是晚明人。
以這些資料來推測，心月主人應該是明末清初人，也就是說，他的年代應該
晚於金木散人，而且胡士瑩在提到《宜春香質》時，也認爲它較《鼓掌絕塵》
後出〔註 15〕。由此種種推斷，《宜春香質》的成書年代晚於《鼓掌絕塵》的可
能性極高，而它以風花雪月來分稱各集故事的這種方式，也極可能是受《鼓
掌絕塵》影響的。

　　（3）《（畫引）小說字彙》
　　此書爲日本秋水園主人編。此書的原刊本成於寬政三年（西元一七九一
年，乾隆五十六年），大阪嵩堂泉本刊本。此書傳本甚多，由化政時代的秋田
屋印本及明治時期大阪的岡島眞七藏本中得知，此書傳本共有八種〔註 16〕，

〔註 12〕孫楷第，《中國通俗小說書目》，頁 126。
〔註 13〕大塚秀高，《增補中國通俗小說書目》，頁 26。
〔註 14〕劉廷璣，《在園雜志》，台北：文海出版社，〔近代中國史料叢刊〕，1969 年 2
　　　　月再版，頁 106。
〔註 15〕胡士瑩，《話本小說概論》，頁 399。
〔註 16〕長澤規矩也，《唐話辭書類集》第十五集，東京：汲古書院，1974 年 12 月初
　　　　版。「書前解說」說明《小說字彙》有：江戶的須原屋茂兵衛、山城屋佐兵衛、

流傳地區亦甚廣，可見它受歡迎的程度。根據蘆屋的序言指出，作者編著此書的目的在於有感坊間譯書粗陋，不僅無法表達原書（中國書）眞義，甚且有顛倒是非之嫌。爲使讀者能直接了解原書，故編《小說字彙》以供參考。

秋水園主人的這本《小說字彙》，主要是從中國通俗小說中摘出詞語，按照筆劃排列，加以簡單解釋的。此書書首列舉援引的中國小說書目及其他書目多達一百六十種，《鼓掌絕塵》就是其中之一。這一百六十種書目中，絕大部分是通俗小說，也有一部分是文言小說，還有戲曲、笑話、筆記等，並包括一些非文藝性的作品，如《清律》、《西洋曆法》等。有些書名，編者著錄時有舛誤，如《繡榻野史》誤作《繡榡野史》；《炎涼岸》誤作《炎冷岸》；《玉樓春》誤作《王樓春》；《定情人》誤作《定人情》；《金雲翹傳》誤作《金翹傳》；《徧地金》誤作《偏地金》等。

秋水園主人究竟是什麼身分，筆者無法查出，但是可以確定的是，他不可能接觸到傳入日本的全部中國通俗小說，而就其所援引的數量驚人的作品、編寫此書的目的及此書流通的廣泛度看來，這至少反映了兩個事實：

(1) 在乾隆五十六年以前，流入日本的中國通俗小說，品種、數量之多，恐怕出乎我們的意料之外。

(2) 這些中國通俗小說在當時的日本社會，若不是具有極高的知名度，至少也有一定的通行程度。

《鼓掌絕塵》躋身其中之一，推測應該有一定的通行度。至於是否對日本文壇上的某些作品產生影響，則由於資料上之缺乏，筆者不敢斷言。

第二節 《鼓掌絕塵》與後代才子佳人小說的異同

中國小說中，以愛情與婚姻爲題材的作品，數目繁多，淵源久遠。六朝作品裡的《韓憑夫婦》、《吳王小女》、《鄭元義妻》、《河間郡男女》、《賣胡粉女子》、《龐阿》等，或寫男女相愛，或寫人鬼之戀，或寫人神遇合，大多眞摯感人。到唐代傳奇，更是出現了許多愛情中的經典之作，如《離魂記》、《李娃傳》、《柳毅傳》、《霍小玉傳》、《長恨歌傳》等等。這些小說作品或借史事加以演繹發揮，或者描述人神之間的戀情，大半都是闡述個人的豔遇故事，描寫的人情物態，眞實感人。

岡田屋嘉七、和泉屋吉兵衛、須原屋伊入、和泉屋金右衛門、京都的丸屋善兵衛、大坂的秋田屋太右衛門等八種傳本。

如果要限定小說中的男女主角是才子與佳人的話，起源亦甚早。《史記》中的《司馬相如傳》裡就已經記載了司馬相如以琴心打動卓文君，兩人一同私奔到臨邛賣酒的故事，而唐傳奇中的《鶯鶯傳》、《步飛烟》、《張浩》等篇，男女主角更都符合了才子、才女的要求，劇情也都描寫了雙方以詩酬和的情節。不過，目前我們所稱的「才子佳人小說」是一個特定的概念，它特指明末清初產生在《金瓶梅》和《紅樓夢》之間的一大批以青年男女婚姻戀愛為主題的作品〔註 17〕。而在情節結構上也有一個特點，就是男女主角的戀情分成三大步驟：一、一見鍾情，二、撥亂離散，三、及第團圓。另外，它與歷史上的同類小說相比較，也有兩個明顯的發展變化：

（1）愛情與婚姻之事走出了個人和家庭的小天地，而與廣闊的社會生活聯繫起來。

（2）以大團圓的理想結局，突破了愛情與婚姻小說的長期的悲劇命運。

《鼓掌絕塵》作於明末崇禎年間，風、雪兩集的內容符合才子佳人小說的公式化概念，同時也把兒女情、婚姻事和社會生活相聯繫，依其產生時間看來，可以說是才子佳人小說的發軔期。筆者此節就是希望討論這個屬於才子佳人小說雛形的風、雪兩集與後來的才子佳人小說有何異同，但由於才子佳人小說的作品繁多，筆者以下僅就《平山冷燕》、《玉嬌梨》、《春柳鶯》、《定情人》、《玉支璣》、《麟兒報》這幾部代表作品加以討論。

一、相同處

（1）自主婚姻

風、雪兩集中，金木散人雖然沒有直接描寫男女主角婉拒父母為其擇配伴侶，但卻極力鼓吹青年男女積極爭取自己的幸福，追求愛情，選擇自己所喜愛的婚姻對象等觀念。這種自我選擇伴侶，決定婚姻對象的作風，在後來的才子佳人小說中被大力提倡。《玉嬌梨》中的盧夢梨，公開非議父母之命，媒妁之言；《定情人》中的雙星，不願母親為其草率擇配，堅持定要找到一個才、情、貌皆備的女子，才願成婚，於是由家鄉四川出發，千里迢迢直尋訪到江浙，才巧遇足以定情的蕊珠；《春柳鶯》中的石池齋，因見凌春女子題詩，為之傾倒，毅然捨棄束脩豐厚的佳館，暫拋伸手可得的功名，前往尋找這位

〔註17〕盧興基，〈在《金瓶梅》與《紅樓夢》之間填補歷史的空白〉，春風文藝出版
　　　　社編《明清小說論叢》第一輯，頁 11。

素昧平生，自感文心相通的意中人；而《平山冷燕》中的燕白頷與平如衡，為了追求各自心目中的情侶，也幾乎達到痴狂地步。他們都在言論和行動上表現了堅持自主婚姻。

（2）宏揚女子之才

　　魯迅在《中國小說史略》中評論被視為才子佳人小說代表作品的《玉嬌梨》、《平山冷燕》時，透過作品的才子佳人遇合的外殼而指出其深刻的寓意：「二書大旨，皆顯揚女子。」〔註18〕，說明了才子佳人小說一個相當重要的特色。

　　由於才子佳人小說強調小說男女主角是「才子」與「佳人」，要求「才子」除了才之外得有「貌」，「佳人」除貌之外得有「才」，因此，在描繪佳人時就特別著重突出她們在小說中的地位，常常把佳人們的聰明才智、機敏果敢、勇於和傳統習俗抗爭，而又忠於愛情的性格特徵做為藝術刻劃的中心。金木散人在塑造風、雪兩集的女主角——韓玉姿與李若蘭——時，除了強調其美色外，也同樣的把她們的才氣、機智與果敢的性格納入描畫的重點，強調這些特性在她們追求婚姻道路上起的效果。不過，才子佳人小說除了強調女主角的種種才情在作品中的地位外，並認為她們所具有的「才」，是男子所愛慕和追求的重要因素。《定情人》中，雙星提出的擇婚標準之一就是要有「咏雪的才情，吟風的韻度。」〔註19〕；《春柳鶯》中石池齋對凌春的追求，最初亦由於才的吸引。《平山冷燕》中的山黛、冷絳雪；《玉嬌梨》中的白紅玉、盧夢梨，都才學富贍，膽識過人，並且憑藉著本身的才華，追求到自己的幸福。這些小說作者都在小說作品中極力強調女主角的才情、才華，甚且有壓倒男主角的趨勢。

（3）一夫多妻制

　　筆者曾於第三章中指出，金木散人對於男女之情的一個相當守舊、陳腐的觀念，就是認同一夫多妻制並讚揚此種制度的優點。反觀才子佳人小說，也有許多作品有著這種思想傾向。才子佳人小說雖然大都在熱列地歌頌對於愛情的忠貞，但其中仍有不少作品在美化一夫多妻制，甚至製造許多曲折不合理的情節，讓佳人親自為才子代娶另一佳人（如《人中畫》中的〈風流配〉

〔註18〕魯迅，《中國小說史略》，第二十篇「明之人情小說（下）」，頁202。
〔註19〕無名氏撰，李落、苗壯校點，《定情人》，第一回，頁4。

及《春柳鶯》等），然後再謙謙讓讓的拜姐姐、認妹妹，樹立不忌、不妒、不吃醋、寬宏大量的良妻典型。於是所謂的忠貞，成了女子單方面對男子應盡的義務，而才子則由其忠於當年的婚約，而理所當然的得到一份坐享雙美圖的犒賞。《玉嬌梨》、《春柳鶯》、《麟兒報》、《玉支璣》、《定情人》等，都是這種一夫多妻的結局。

二、相異處

（1）門戶之見

才子佳人小說中的男女主角大半是上階層社會的青年男女，都是一些名門之後，書中雖然強調描寫與宣揚「憐才愛才」的愛情選擇，實際上仍以「門當戶對」為基礎。男主角必定是謝世清官的後裔，只因父親居官清正早逝，沒有留下遺產給兒子，沒有貴戚可以攀附；女主角必定是退歸林泉的廉潔重臣之女，只是由於父親疾惡如仇，所以不嫁權門。因此，所謂的不主張「門當戶對」，其實只是主張忠奸不聯姻、善惡不結親罷了。《麟兒報》中的幸尚書，不顧夫人反對，將女兒許配給賣豆腐老頭兒的兒子，事實上是因為斷定廉清終必成為廟堂之器，才下此決定的；《玉支璣》的管待郎聘長孫肖為西席，並有意將女兒在日後許配與他，也是深信此人必非久居人下，而有飛黃騰達之日的。因此比較起來，《鼓掌絕塵》裡的杜薴與李若蘭，他們在選擇婚姻對象時，就確實是打破門戶之見的。韓玉姿只是相府中的一名小歌妓，杜薴貴為翰林府義子，卻能毅然的與她私奔，另創前程；李若蘭身為刺史之女，卻因愛情的因素，堅持與流浪書生文荊卿相守。這種徹底的不顧對方身分地位，只堅持兩情相悅的婚姻，比起後代的才子佳人小說，在思想上更為前進。

（2）結合方式

才子佳人小說裡的男主角們，雖然在一開始時便竭力的為自己的婚姻幸福奮鬥，強調不求到自己真心愛慕的對象則不婚娶，堅持不受權貴欺壓而放棄自己的這項信念，但是，在他們找到自己的意中人時，又往往基於小人阻隔，無法順利獲取婚姻，或者心懷壯志，立志功成名就後再談婚娶。到最後成婚時，便以功名的成敗來決定其婚姻的取得與否，或者是以「奉旨成婚」的方式來幫助完成婚姻，前者如《玉支璣》，後者如《平山冷燕》、《麟兒報》。

　　對於這種結合方式，魯迅曾經批評說：「作者是尋到更大的帽子了」〔註20〕，指出了這對整個故事所造成的缺憾。不過這種缺憾在風、雪兩集中並不存在，男主角們雖然爭取自主婚姻期間遭遇了傳統勢力及衛道者的阻撓破壞，但都依憑著自己對婚姻的執著而終獲佳耦，不因外力的介入與干預而決定成敗。並且他們的獲致佳耦在功成名就之前，以婚姻的成功作為他們仕進的動力，就此點而言，筆者認為風雪兩集的積極意義，是遠勝於才子佳人小說的。

　　由於《紅樓夢》的作者曹雪芹曾經指出：

　　　至若才子佳人等書，則又千部共出一套，且其中終不能不涉於淫濫。

　　　〔註21〕

致使後代對才子佳人小說評論甚低，甚至與後來的色情小說混為一談，這是極錯誤的觀念。況且，曹雪芹所說的公式化概念，應該只適用於末期作品，在層層相因，同類型作品泛濫的情況下定的，初期發軔之作不僅不會有公式化的弊端，而且有開創之功。風、雪兩集在這一點上，應該是值得肯定的，而其影響後代才子佳人小說之處，亦可於此節中看出一二。

〔註20〕魯迅，《中國小說的歷史的變遷》，頁 344。
〔註21〕曹雪芹、高鶚著，其庸等校注，《(彩畫本) 紅樓夢校注》，台北：里仁書局，1984 年 4 月初版。第一回，頁 4。

結　論

　　中國古代小說，從明末清初開始，進入了以人情小說為主體的作家直接
創作的新階段，金木散人以天時之利躬逢其盛，創作出屬於人情小說開創期
的作品，在促進人情小說的發展上，有其不可抹滅的功勞。而此書繼承了《金
瓶梅》文人自創故事的手法，不再根據群眾口頭相傳的故事再加以加工整理，
直接運用巧思，創造出迴異於前人作品的故事內容，在促進小說邁向純綷的
文人自創階段，也有值得肯定的成就。此外，金木散人以熟悉市井民情，人
物風俗的有力背景，以觀察入微而又幽默風趣的心思，處於明朝末年政治、
社會最動盪不安的時期，運用他的生花妙筆，描繪出明末的社會百態，政治
敗壞現象及人性中黑暗的一面，不僅為小說史上增添了一部寫實作品，也為
歷史的發展過程提供了一個有力的見證，補正史不足之缺。另外，月集的獨
特結構，這種「僅驅使各種人物，行列而來，事與其來俱起，亦與其去俱訖」
〔註1〕的結構方式，雖然深受學者們的批評〔註2〕，但不容否認，這的確是一
種創新的手法，而且也極可能或多或少的影響了《儒林外史》。這些都是《鼓
掌絕塵》應該受到重視，值得肯定的成就。

　　不可諱言的，《鼓掌絕塵》自從董康介紹以來，歷經了五十多年，卻遲遲
沒有受到學者們的注意，自然是由於它本身的缺陷所在。除了筆者在前面幾

〔註1〕 魯迅，《中國小說史略》，第二十三篇「清之諷刺小說」，對《儒林外史》的評
　　　語，頁231。
〔註2〕 孫楷第，《日本東京所見小說書目》稱其「敘次蕪雜」，頁13。林辰，《明末清
　　　初小說述錄》，瀋陽：春風文藝出版社，1988年3月第一版。稱它「堆砌故事，
　　　勉強連綴成篇」，頁426。

章所提及的此書在佈局安排上的疏漏，在部分思想上的落後陳腐，以及加上不必要的色情描寫外，筆者認為它還有一個嚴重的失敗處，就是以較長的篇幅，卻沒有成功的塑造出一個典型或性格深刻的人物。《鼓掌絕塵》以十回的篇幅來寫一個故事，比起三言、二拍的小說長度，實在長得多，照理應該提供了小說創造者一個成功塑造典型人物的環境。但事實上，回顧書中一百多名人物，不僅沒有出現一個可供後世傳頌的典型人物，就連性格隨環境轉移而改變，遇重大事故而於心理、行為上產生強烈變化的這一類性格刻劃深刻的人物，都少之又少。這比起三言、二拍中，以短篇小說的形式，卻塑造出一大批令人難忘的人物形象，《鼓掌絕塵》在藝術技巧上，實在不得不屈居下位。再加上受它影響的作品極少，唯一的一部《鬧花叢》又是色情小說，更使它在小說史上始終居於末位，無法受人重視。

　　不過，經過筆者在前幾章的分析，明瞭了《鼓掌絕塵》在小說史上所處的承上傳統、啟下新風的歷史地位，筆者認為，我們實在應該給予《鼓掌絕塵》一個值得肯定的地位，不該再以它粗疏幼稚的藝術手法而予全盤否定。畢竟，處於人情小說的開創期，居於才子佳人小說的發軔地位，能有如此的成就，已經值得我們喝采了。

參考書目

（依據姓氏筆劃排列，同姓者則依出版先後）

一、原始資料

《鼓掌絕塵》版本

1. 河洛圖書出版社編，《明清小說七種》，〈鼓掌絕塵・月集〉，月集十回，崇禎四年刊本第三十一至第四十回排印本，台北：河洛圖書出版社，1985年2月臺排印初版。

2. 金木散人編，《鼓掌絕塵》，四集四十回，崇禎四年刊本影本，台北：天一出版社，1985年5月初版。

3. 金木散人編，李洛、苗壯校點，《鼓掌絕塵》，四集四十回，崇禎四年刊本排印本，瀋陽：春風文藝出版社，1985年12月第一版。

4. 路工編，《明清平話小說選》第一集，〈鼓掌絕塵・月集〉，月集十回，崇禎四年刊本第三十一至第四十回排印本，上海：上海古籍出版社，1986年3月第一版。

其　他

1. 大連圖書館參考部編，《明清小說序跋選》，瀋陽：春風文藝出版社，1983年5月第一版。

2. 王曉傳，《元明清三代禁燬小說戲曲史料》，北京：作家出版社，1958年7月北京第一版。

3. 孔另境，《中國小說史料》，台北：台灣中華書局，1976年12月臺三版。

4. 文康，《兒女英雄傳》，台北：河洛圖書出版社，1980年5月臺排印初版。

5. 天花藏主人述，周有德校點，《玉支璣》，瀋陽：春風文藝出版社，1983年11月第一版。

6. 心月主人，《新鐫繡像批評宜春香質》，台北：天一出版社，〔明清善本小說叢刊初編〕，1985 年 10 月初版。

7. 吳自牧，《夢梁錄》，台北：新興書局，〔筆記小說大觀〕第一冊，1960 年 7 月初版。

8. 沈德符，《野獲編》，台北：藝文印書館，〔百部叢書集成〕第二十四輯〔學海類編〕第一八七種，1966 年初版。

9. 李寶嘉，《官場現形記》，台北：廣雅出版有限公司，1984 年 3 月初版。

10. 何大掄，《重刻增補燕居筆記》，台北：天一出版社，〔明清善本小說叢刊初編〕，1985 年 10 月初版。

11. 施耐庵，《水滸傳》，台北：河洛圖書出版社，1980 年 8 月臺排印初版。

12. 耐得翁，《都城紀勝》，台北：台灣商務印書館，〔景印文淵閣四庫全書〕第五九〇冊，1986 年 3 月初版。

13. 胡應麟，《少室山房筆叢》，台北：台灣商務印書館，〔景印文淵閣四庫全書〕第八八六冊，1986 年 3 月初版。

14. 荑荻散人編次，韓錫鐸校點，《玉嬌梨》，瀋陽：春風文藝出版社，1981 年 12 月第一版。

15. 笑笑生，《金瓶梅詞話》，台北：聯經出版事業公司，1978 年 4 月景印本。

16. 荻岸散人編次，李致中校點，《平山冷燕》，瀋陽：春風文藝出版社，1982 年 3 月第一版。

17. 無名氏撰，李落、苗壯校點，《定情人》，瀋陽：春風文藝出版社，1983 年 8 月第一版。

18. 曹雪芹、高鶚著，其庸等校注，《（彩畫本）紅樓夢校注》，台北：里仁書局，1984 年 4 月初版。

19. 張友鶴選注，《唐宋傳奇選》，台北：明文書局，1987 年 6 月三版。

20. 湯顯祖，《牡丹亭》，台北：台灣商務印書館，1984 年 10 月臺四版。

21. 董康，《書舶庸譚》，台北：世界書局，1971 年 9 月初版。

22. 楊家駱主編，《新校本明史並附編六種》，台北：鼎文書局，1975 年 6 月初版。

23. 痴情士，《新鐫小說鬧花叢》，台北：天一出版社，〔明清善本小說叢刊初編〕，1985 年 10 月初版。

24. 劉廷璣，《在園雜志》，台北：文海出版社，〔近代中國史料叢刊〕，1969 年 2 月再版。

25. 韓子雲，《海上花列傳》，台北：廣雅出版有限公司，1984 年 3 月再版。

26. 羅燁，《醉翁談錄》，台北：世界書局，1958 年 5 月初版。

二、工具書

1. 大塚秀高，《中國通俗小說書目改訂稿（初稿）》，東京：汲古書院，1984 年 8 月初版。

2. 大塚秀高，《增補中國通俗小說書目》，東京：汲古書院，1987 年 2 月。

3. 王雲五主持，《續修四庫全書提要》，台北：商務印書館，1987 年初版。

4. 吳郵編著，《二百種中國通俗小說述要》，香港：中華書局，1988 年 10 月初版。

5. 長澤規矩也編，《唐話辭書類集》，東京：汲古書院，1974 年 12 月初版。

6. 孫楷第，《日本東京所見中國小說書目──附大連圖書館所見中國小說書目》，上海：上雜出版社，1953 年 12 月第一版。

7. 陳筦乾編著，《中國歷朝室名索引別號索引彙編》，台北：老古出版社，1979 年 9 月臺初版。

8. 陳子實主編，《北平諧後語辭典》，台北：大中國圖書公司，1981 年 4 月再版。

9. 華世編輯部編，《中國歷史大事年表》，台北：華世出版社，1986 年 3 月初版。

10. 陳新雄、竺家寧等編著，《語言學辭典》，台北：三民書局股份有限公司，1989 年 10 月初版。

11. 無錫師範學校《漢語諺語辭典》編寫組，《漢語諺語辭典》，江蘇：江蘇人民出版社，1981 年 9 月第一版。

12. 溫端政、沈慧雲、高增德編，《歇後語辭典》，北京：北京出版社，1984 年 2 月第一版。

13. 賈虎臣編，《中國歷代帝王譜系彙編》，台北：正中書局，1970 年 3 月臺三版。

14. 樊開印編著，《中國歷史疆域古今對照圖說》，台北：徐氏基金會，1979 年 4 月初版。

15. 劉鈞仁著，塩英哲編，《中國歷史地名大辭典》，東京：凌雲書房，1980 年 10 月初版。

16. 蔣瑞藻編，江竹虛標校，《小說考證》，上海：上海古籍出版社，1984 年 7 月第一版。

三、專書

小說戲曲類

1. 王秋桂，《韓南中國古典小說論集》，台北：聯經出版事業公司，1979 年 9 月初版。

2. 王利器等，《水滸研究》，台北：木鐸出版社，1983 年 9 月初版。

3. 方正耀，《明清人情小說研究》，上海華東師範大學出版社，1986 年 12 月第一版。

4. 王先霈、周偉民，《明清小說理論批評史》，廣州：花城出版社，1987 年 10 月第一版。

5. 朱星，《金瓶梅考證》，台北：木鐸出版社，1983 年 9 月初版。

6. 李希凡，《論中國古典小說的藝術形象》，上海：上海文藝出版社，1961 年 4 月第一版。

7. 吳功正，《小說美學》，江蘇：江蘇人民出版社，1985 年 6 月第一版。

8. 佛斯特（E. M. Forster）著，李文彬譯，《小說面面觀》，台北：志文出版社，1987 年 6 月再版。

9. 阿英（錢杏邨），《小說閒談四種》，上海：上海古籍出版社，1985 年 8 月第一版。

10. 孟瑤（楊宗珍），《中國小說史》，台北：傳記文學出版社，1986 年 1 月新版。

11. 林辰，《明末清初小說述錄》，瀋陽：春風文藝出版社，1988 年 3 月第一版。

12. 威廉·肯尼（William Kenney）著，陳迺臣譯，《小說的分析》，台北：成文出版社，1977 年 6 月初版。

13. 胡士瑩，《話本小說概論》，北京：中華書局，1980 年 5 月第一版。

14. 胡適，《中國古典小說研究》（採《胡適文存》第三集，第五、六卷），台北：遠流出版事業股份有限公司，1986 年 5 月一版。

15. 孫遜，《明清小說論稿》，上海：上海古籍出版社，1986 年 9 月第一版。

16. 徐君慧，《古典小說漫話》，成都：巴蜀書社，1988 年 3 月第一版。

17. 許懷中，《魯迅與中國古典小說研究》，陝西：陝西人民出版社，1982 年 8 月第一版。

18. 葉慶炳，《古典小說論評》，台北：幼獅文化事業公司，1985 年 5 月初版。

19. 賈文昭、徐召勛，《中國古典小說藝術欣賞》，台北：里仁書局，1984 年 8 月初版。

20. 寧宗一，《中國古典小說戲曲探藝錄》，河南：中州古籍出版社，1986 年 2 月第一版。

21. 蔣祖怡，《小說纂要》，香港：集成圖書公司，1960 年 12 月臺三版。

22. 魯迅（周樹人），《中國小說史略》，香港：太平洋圖書公司，1973 年 2 月再版。

23. 魯迅,《中國小說的歷史的變遷》,北京:人民文學出版社,〔魯迅全集〕第九卷附錄,1981 年北京第一版。

24. 蔡國梁,《金瓶梅考證與研究》,西安:陝西人民出版社,1984 年 7 月第一版。

25. 蔡國梁,《明清小說探幽》,杭州:浙江文藝出版社,1985 年 12 月第一版。

26. 戴不凡,《小說見聞錄》,杭州:浙江人民出版社,1980 年 2 月第一版。

27. 譚正璧,《中國小說發達史》,上海:光明書局,1935 年 8 月初版。

28. 譚正璧著,譚尋補正,《話本與古劇》,上海:上海古籍出版社,1985 年 4 月第一版。

29. 薩孟武,《紅樓夢與中國舊家庭》,台北:東大圖書股份有限公司,1988 年 1 月三版。

其 他

1. 中華文化復興運動推行委員會,國家文藝基金管理委員會主編,《清代文學》,台北:巨流圖書公司,〔中國文學講話〕十,1987 年 11 月一版一印。

2. 中國文學史研究委員會,《新編中國文學史》,高雄:文復書局,出版年月不詳。

3. 佛洛依德著,賴其萬、符傳孝譚,《夢的解析》,台北:志文出版社,1990 年 1 月再版。

4. 李光璧,《明朝史略》,帛書出版社,其餘不詳。

5. 昌彼得、潘美月,《中國目錄學》,台北,文史哲出版社,1986 年 9 月初版。

6. 陳信元,《鴛鴦枕上》,台北:聯亞出版社,1982 年 4 月再版。

7. 張曼濤主編,《佛教與中國文學》,台北:大乘文化出版社,〔現代佛教學術叢刊〕19,1981 年 7 月二版。

8. 張曼濤主編,《中國佛教通史論述》,台北:大乘文化出版社,〔現代佛教學術叢刊〕39,1987 年 7 月初版。

9. 楊伯峻,《文言語法》,北京:大眾出版社,1956 年 11 月二版。

10. 鄭振鐸,《鄭振鐸古典文學論文集》,上海:上海古籍出版社,1984 年 1 月第一版。

11. 趙滋蕃,《文學原理》,台北:東大圖書股份有限公司,1988 年 3 月初版。

12. 鄭振鐸,《中國文學研究》,台北:明倫出版社,出版年月不詳。

13. 劉大杰,《中國文學發達史》,北京:中華書局,1963 年 7 月新一版。

14. 魯迅，《集外集拾遺》，北京：人民文學出版社，1973 年 11 月第一版。

15. 魯迅，《魯迅書信集》，北京：人民文學出版社，〔魯迅全集〕第十二卷，1981 年北京第一版。

四、單篇論文

出　版

1. 朱眉叔，〈從《忠臣庫》談到中國通俗小說對日本的影響〉，春風文藝出版社編《明清小說論叢》第三輯，瀋陽：春風文藝出版社，1985 年 8 月第一版。

2. 李田意，〈日本所見中國短篇小說略記〉，樂衡軍、康來新編《中國古典文學論文精選叢刊》小說類，台北：幼獅文化事業公司，1980 年 3 月初版。

3. 李豐楙，〈六朝鏡劍傳說與道教法術思想〉，靜宜文理學院中國古典小說研究中心編《中國古典小說研究專集》第二集，台北：聯經出版事業公司，1980 年 6 月初版。

4. 李落、苗壯，〈香韻金瓶之梅，味共梁山之水──《鼓掌絕塵》試論〉，春風文藝出版社編《才子佳人小說述林》，瀋陽：春風文藝出版社，1985 年 5 月第一版。

5. 李騫，〈再論明末清初才子佳人小說〉，其餘同上。

6. 林辰，〈烟粉新詁〉，春風文藝出版社編《明清小說論叢》第一輯，瀋陽：春風文藝出版社，1984 年 5 月第一版。

7. 胡士瑩遺著，曾華強整理，蕭欣橋校訂，〈《中國通俗小說書目》補〉，春風文藝社編《明清小說論叢》第四輯，瀋陽：春風文藝出版社，1986 年 6 月第一版。

8. 柳存仁，〈關於《道教影響中國小說考》〉，國立清華大學中國語文學系編《小說戲曲研究》第一集，台北：聯經出版事業公司，1988 年 5 月初版。

9. 孫楷第，〈中國短篇白話小說的發展與藝術上的特點〉，《俗講說話與白話小說》，台北：河洛圖書出版社，1978 年 5 月臺景印初版。

10. 馬幼垣、劉紹銘，〈筆記、傳奇、變文、話本、公案──綜論中國傳統短篇小說的形式〉，靜宜文理學院中國古典小說研究中心編《中國古典小說研究專集》第一集，台北：聯經出版事業公司，1979 年 8 月初版。

11. 馬幼垣，〈論《中國小說史略》不宜注釋及其他〉，《抖擻》，魯迅誕生一百周年紀念專號，1981 年 9 月。

12. 劉紹銘，〈唐人小說中的愛情與友情〉，林以亮等著《中國古典小說論集》第一輯，台北：幼獅文化事業公司，1977 年 8 月再版。

13. 盧興基，〈在《金瓶梅》與《紅樓夢》之間填補歷史的空白〉，春風文藝出版社編《明清小說論叢》第一輯。

14. 蘇淑芬，〈李汝珍用寓言表示諷刺的創作精神〉，靜宜文理學院中國古典小說研究中心編《中國古典小說研究專集》第五集，台北：聯經出版事業公司，1982 年 11 月初版。

未出版

1. 王千宜，《金雲翹傳研究》，台中：東海大學中文研究所碩士論文，1988年 6 月。

2. 李世珍，《艾衲居士〈豆棚閒話〉研究》，台中：東海大學中文研究所碩士論文，1989 年 6 月。

3. 陳大道，《檮杌閒評研究》，台中：東海大學中文研究所碩士論文，1987年 6 月。

附錄一

《鼓掌絕塵》中所有之諺語、歇後語。凡打△號者為歇後語。

第一回
姻緣本是前生定，曾向蟠桃會裡來。

第二回
兩好合一好。

佛面上刮金。

擇一賢師，不如得一良友。

既來雕闌下，都是賞花人。

第三回
心急步偏遲。

有緣那怕隔重山。

一片火熱心腸，化作一團冰炭。

第四回
錯認陶潛是阮郎。

溷濁不分鱸共鯉。

水清方見兩般魚。

不聽老人言，必有恓惶淚。

渾身是口，也難分辨。

醜媳婦免不得見公姑。

第五回

泥人勸土人。

第六回

隔牆須有耳，窗外豈無人。

羊肉未到口，先惹一身羶。

土地挽觀音。

吉人自有天相。

第七回

若要不知，除非莫爲。

一言既出，駟馬難追。

蜿蚰不動自然肥。

六眼不藏私。

親不親，鄰不鄰，也是故鄉人。

△三歲沒娘，說起話長。

第八回

至親莫如父子，至愛莫如夫妻。

男子漢志在四方。

萬事不由人計較，一生都是命安排。

揀日不如撞日。

隨鄉入鄉。

姨娘見妹夫，勝如親手足。

心也堅，石也穿。

貴人多忘事。

第九回

△因風吹火，用力不多。

螺絲腦裡灣。

尚可移名，不可改姓。

天有不測風雲，人有旦時禍福。

第十回

天機不可漏洩。

寧爲色中鬼，莫作酒中仙。

人無遠慮，必有近憂。

先入門爲大。

糟糠之妻，禮不下堂。

十一回

家欲興，十箇兒子一樣心；家欲傾，一箇兒子十條心。

兒孫自有兒孫福，莫替兒孫作馬牛。

有花方酌酒，無月不登樓。

烈士千金，不如季布一諾。

欲結其人，不如先結其心。

十二回

人無遠慮，必有近憂。

畫虎不成反類狗。

行短天教一世貧。

事不關心，關心者亂。

寶劍贈與烈士，紅粉贈與佳人。

三百六十相，走爲上相

不是知音不與彈。

一分行貨一分錢。

他財莫想，他馬莫騎。

十三回

撐破大家船，擂破大家鼓。

時來風送滕王閣，運退雷轟薦福碑。

上說天堂，下說蘇杭

有花不採空歸去。

和尚要錢經也賣。

時運好，看了石灰變做寶；時運窮，掘著黃金變做銅。

聰明一世，懵懂一時。

十四回

做客的人，出路由路。

舉頭三尺有神明。

千聞不如一見。

畫虎畫皮難畫骨，知人知面不知心。

人生路不熟。

一飲一酌，莫非前定。

肚飢思量冷缽粥，寒冷難忘盤絡衣。

好馬不喫回頭草。

萬事不由人計較，一生都是命安排

螻蟻尚且貪生，爲人豈不愛命。

十五回

君子不念舊惡。

畫虎不成反類狗。

有心不待忙。

十六回

冤家路窄。

惻隱之心，人皆有之。

十七回

同行莫失伴。

十八回

無錢課不靈。

恭敬不如從命。

有其父必有其子。

十九回

人又心焦，馬又力乏。

人生路不熟。

行短天教一世貧。

君子不念舊惡。

鬼門上貼卦。

二十回

一斟一酌，莫非前定。

二十一回

渾身有口，也難分剖。

掬盡湘江水，難洗今朝一面羞。

冷眼覷醉人。

相逢不飲空歸去，洞口桃花也笑人。

二十二回

千丈麻繩，終須有結。

天網恢恢，疏而不漏。

渾身有口，也難分辯。

得馬未為喜，失馬未為憂。

二十三回

相逢盡道誰家好，不飲由他酒價高。

閉口深藏舌。

莫信直中直，須防人不仁。

二十四回

隔牆須有耳，窗外豈無人。

二十五回

怒從心上起，惡向膽邊生。

三人不像人，七分不像鬼。

郎中手賽過殺人刀。

二十六回

男大須婚，女大須嫁。

早知燈是火，飯熟幾多時。
依得山人好，泥饅頭也好燒紙。

二十七回

一斟一酌，莫非前定。
好事不出門，惡事傳千里。

二十八回

△丈二和尚，摸頭不著。
∧張飛穿引線，大眼對小眼。
怪人在肚，相叫何妨。
瓜藤搭柳樹。

二十九回

一家女子不喫兩家茶。
凡人不可貌相，海水難將斗量。
一人有福，挈帶滿屋。
一人有慶，萬人賴之。
大人不作（計）小人之過。

三十回

樹高千丈，葉落歸根。

三十一回

雙拳難敵四手。
龍潛淺水遭蝦戲，虎落平陽被犬欺。
△買乾魚放生，不知些死活。
財利動人心。
見物不取，失之千里。
怒從心上起，惡向膽邊生。

三十二回

畫虎畫皮難畫骨，知人知面不知心。

火燒眉毛，且救眼下。

官差吏差，來人不差。

弱莫與強爭，貧莫與富門。

三十三回

（無）

三十四回

螻蟻尚且貪生，人生豈不惜命。

三十五回

（無）

三十六回

男子志在四方。

△甕中捉鱉，手到擒來。

身在矮簷下，不敢不低頭。

福無雙至，禍不單行。

大廈將傾，一木怎支。

人生枉作千年計，一旦無常萬事休。

三十七回

△丈二和尚，摸頭不著。

鄉人遇鄉人，非親也是親。

先下手為強，後下手為殃。

喫酒圖醉，放債圖利，薦館圖謝。

搶人主顧，如殺父母。

△雪獅子向火，酥了一半。

冤家遍遇對頭人。

一葉浮萍歸大海，人生何處不相逢

蚤知今日，悔不當初。

識時務者呼為俊杰，知進退者乃為丈夫。

冤家兩字，宜解不宜結。

人無遠慮，必有近憂。

撇卻心頭火，拔去眼中釘。

三十八回

千聞不如一見。

寧可信其有，不可信其無。

管山喫山，管水喫水。

△蒼蠅帶鬼臉，好大面皮。

一飯之德必酬，纖介之恩必報。

凡人不可貌相，海水不可斗量。

△和針吞卻線，刺入腸肚繫人心。

有眼不識貴人。

飲不飲，村中水；親不親，故鄉人。

脫災致福，轉禍爲祥。

三十九回

羊觸藩籬，進退兩難。

前不著村，後不著店。

心安茅屋穩，性定菜根香。

長他人志氣，滅自己威風。

四十回

火燒眉毛，只圖眼下。

人無遠慮，必有近憂。

附錄二

（一）《金瓶梅》第七十三回「潘金蓮不憤憶吹簫，郁大姐夜唱鬧五更」
中的鬧五更曲文。笑笑生，《金瓶梅詞話》，台北：聯經出版事業
公司，1987 年 4 月景印本，頁 15。

〔玉交枝〕彤雲密布剪，鵝雪花辭舞，朔風凜冽穿窗戶。你心毒奴更受苦。
爹娘罵得奴心忒狠毒，你說來的話全不顧，把更兒從頭細數。

〔金字經〕夜迢迢，孤另另，冷清清，更靜初，不寄平安一紙書。腮邊流淚
珠，不把佳期顧，一更里無限的苦。

〔玉交枝〕一更纔至冷清，撇奴在帳里，番來復去如何睡？二更里淚珠垂。
二更難過，討一覺頻頻的睡著。今宵今宵，夢兒里來托。我思他，
他思我，去時節海棠花兒開了半朵，到如今樹葉兒皆零落，枉教
奴痴心兒等著。

〔金字經〕我痴心終日家等待你，何日是可？合多離少咱命薄；命薄，孤另
孤另，怎生奈何！好著教難存坐，三更里睡夢兒多。

〔玉交枝〕三更月上好難挨，今宵夜長。燒殘蠟燭，銀臺上淚珠流三兩行。
紅綾的被兒，閒了半床。新桃的手帕兒在誰行放，瘦損了腰枝，
腰枝沈郎。

〔金字經〕沈郎的腰枝瘦，每日家愁斷了腸。盼望情人淚兩行；兩行，對菱
花懶去妝。瘦損了嬌模樣，四更里偏夜長。

〔玉交枝〕四更如畫枕邊想，不覺的淚流。靈神廟里曾發咒，剪青絲兩下里
收。說來的話兒不應口，到如今閃的我，似章臺柳，教奴痴心等
守。

〔金字經〕我痴心終日家等著你，何日是休？盼望情人空倚樓；倚樓，想情
　　　　　人一筆勾，不由把眉雙皺，五更里淚珠流。

〔玉交枝〕一更雞唱，看看兒天色漸曉。放聲，欲待放聲，又恐怕旁人笑，
　　　　　一全家心內焦。燒香禱告神前筊，負心的自有天知道，枉教奴痴
　　　　　心兒等著。

〔金字經〕我痴心終日家等待你，何日是了？簷外叮噹鐵馬兒敲兒敲，攪的
　　　　　奴睡不著。一壁廂寒鴉叫，淒淒涼涼直到曉。

〔玉交枝〕曉來梳洗傍妝臺，懶上畫眉。房簷上喜鵲兒喳喳的，小梅香來報
　　　　　喜。報道是有情郎，真個歸奴，奴向入羅幃里，向前來奴家問你。

〔後庭花〕我問你個負心賊，你盡知一去了，半年來怎生無個信息？我道你
　　　　　求官應爵去，誰想你戀烟花家貪酒杯。我為你受孤恓，在那里偎
　　　　　紅倚翠？我為你病懨懨減了飲食，瘦伶仃消了玉體。挨清晨怕夕
　　　　　晚，一更里聽天邊孤雁飛，二更里想情人入魂夢里，五更里醒來
　　　　　時不見你。

〔柳葉兒〕呀！空閒了鴛鴦錦被，寂寞了蒸約蒸約鶯嘶。海神廟見放著傍州
　　　　　例，不由我心中氣。你盡知負心的，自有個天知道。

〔尾聲〕流蘇錦帳同歡會，錦被里鴛鴦成隊，永遠團圓直到底。

（二）《鼓掌絕塵》第十二回「喬識幫閒脫空騙馬，風流俠士一諾千金」
　　　中，秦素娥唱的鬧五更。

　　一更裡不來呵，痛斷腸。不思量，也思量。眼兒前不見他，心兒里想呀，
空身倚似窗，空身倚似窗。你今不來教我怎的當，你今不來呵唔噯唶，教我
怎的當。

　　二更裡不來呵，淚點衾。紗窗外，月兒明。銀盤照不見咱和你呀，抬頭
側耳聽，聽得打二更。枕兒旁邊缺少一箇人，枕兒旁邊呵唔噯唶，缺少一箇
人。

　　三更裡不來呵，淚點拋。紗窗外，月兒高。促織蟲兒不住梭梭叫呀，檐
前鐵馬敲，檐前鐵馬敲。好一似陳摶睡又睡不著，好一似陳摶呵唔噯唶，睡
又睡不著。

　　四更裡不來呵，淚點滴。紗窗外，月兒西。花朵身子獨自一箇睡呀，負
心短行虧，負心短行虧。你在誰家貪花戀酒杯，你在誰家呵唔噯唶，貪花戀
酒杯。

五更裡來了呵，喫得醉醺醺，打著罵著只是不則聲。聲聲問他只是不答應呀，嚇得臉兒紅，嚇得臉兒紅。短倖喬才笑殺一箇人，短行喬才呵唔噯喏，笑殺一箇人。

訴罷離情呵，奴爲你受盡了許多熬煎氣。那一日不念你千千遍呀，焚香禱告天，焚香禱告天。幾時得同床共枕眠，幾時得同床呵唔喏噯，同床共枕眠。

晚清婦女問題小說《黃繡球》研究

劉怡廷　著

作者簡介

劉怡廷，東海大學中文系、東海大學中國文學研究所碩士班畢業。曾任東海大學自然科學與信仰課程兼任助教、高雄工學院共同科講師，現任義守大學通識教育中心講師。教授課程包括華語文學與思想、小說與社會、古典小說中的女性議題、中高級華語……等。目前致力於以學生為主體之討論教學法，以及性別、家庭與文學之研究。

提　　要

　　晚清小說是古典小說過渡到五四小說的橋樑，在文學史上有著重要的地位。八〇年代的台灣在晚清小說的研究上，除了小說理論之外，還包括政治、思想、教育、社會問題等外緣的探討，及主題、專著等內部的研究，但研究範圍大部分僅限於四大譴責小說及《文明小史》，其他小說的研究則較為忽略。本論文以《黃繡球》為研究對象，不僅因為希望能深入地研究一本晚清小說，更因為《黃繡球》是晚清婦女問題小說的代表作，我們可以從婦女運動的角度來看晚清的社會及文人的思想，這是具有特別意義的。本論文共分四章。第一章緒論部分，除了說明晚清小說發展的概況，更針對當時婦女運動產生的背景、進行的過程，以及在小說中反映出來的情形做一說明，以使《黃繡球》的時代意義更加明確。第二章探討《黃繡球》的主題思想，在作品中發表作者的意見是晚清小說的常態，本章分別討論了作者在婦女、教育、政治及其他社會問題各方面的改革意見。第三章人物刻劃，主要是透過人物來看作者如何呈現其主題，至於人物的刻劃技巧及作品的結構、形式等問題，屬於第四章寫作技巧的討論範圍。《黃繡球》寫作於中國婦女運動的初期，雖然在藝術成就上不高，但卻反映出婦女運動處於新舊潮流中，一股混亂、不安定的現象，然而，它也為後世婦女小說的主題－反映時代婦女生活、提倡男女平等思想，提供了一個新的方向。因此，作為晚清婦女小說的代表作，《黃繡球》在社會、歷史、以及文學上，都具有承先啟後的意義。

謹以此書的出版

紀念在教育和人生態度上影響我深重的歐保羅教授

（Prof. Paul S. Alexander，1928.1.3 ～ 2014.6.17）

劉怡廷 2014.7

於觀音山・義守大學

目

次

第一章　緒　論

晚清（1840～1911），在政治、社會、甚至文學上，都是一個新舊交替的時代，處於中國由傳統走向現代的一個關鍵。

晚清文學以小說為一枝獨秀，尤其辛亥革命前十年（1902～1911）最是蓬勃發展。雖然晚清小說的文學價值屢被質疑，但在文學史上，它是古典小說過渡到五四小說的橋樑，有著重要的地位。

目前台灣地區在晚清小說的研究上，除了小說理論之外，還包括政治、思想、教育、社會問題等外緣的探討，及主題、專著等內部的研究，但研究範圍大部分僅限於四大譴責小說〔註1〕及《文明小史》，其他小說的研究則較為忽略〔註2〕。

本論文以《黃繡球》為研究對象，不僅因為希望能深入地研究一本晚清小說，更因為《黃繡球》是晚清婦女問題小說的代表作，我們可以從婦女運動的角度來看晚清的社會及文人的思想，這是具有特別意義的。

第一節　晚清小說概況

晚清，是指鴉片戰爭（1840～1842 年）到辛亥革命成功（1911 年），大約七十年的時間。鴉片戰爭是我國近代史上的重大事件，滿清政府於戰敗後

〔註1〕 四大譴責小說包括：李伯元的《官場現形記》、吳趼人的《二十年目睹之怪現狀》、劉鐵雲的《老殘遊記》及曾孟樸的《孽海花》。

〔註2〕 林明德，《台灣地區的晚清小說研究（1968～1991）》。收在中國古典文學研究會主編，《二十世紀中國文學》。台北：台灣學生書局，民國 81 年（1992）1月初版，頁 371～372。

簽訂了我國第一個不平等條約——南京條約，從此，列強的勢力進入中國，不平等條約陸續簽訂，不但影響國計民生，更使民族的自尊心大受打擊。雖然朝中有些大臣開始籌辦洋務，力圖振作，但這些人對西方文明並沒有眞正的認識。一直到甲午戰敗（1895 年），國人才瞭解到，要救亡圖存，不能只是船堅砲利，而必須謀求政治上徹底地改革。當時，在政治改革的主張上可分爲君主立憲派（或稱改良派）和革命派。前者主要是康有爲、梁啓超等人，他們希望能透過君主立憲的手段，達到政治改良的目的；革命派則認爲專制的滿清政府已經無可救藥，必須推翻君主制度，建立民主共和政體，才能挽救中國的命運。

為了達到宣傳政治主張的目的，晚清的知識份子開始尋求最佳的宣傳手段，他們積極發展文學的工具作用，而小說更是被提高到前所未有的地位。一般大眾是以小說的娛樂性和消遣性來看待它的，所以小說是最具通俗性的文學。知識份子抓住了這個特點，有意地將小說拿來當作開啓民智、宣傳政治主張、改革社會風氣的工具。因此，晚清的小說不再只是單純的文學，而背上了沈重的政治使命。知識份子對救國救民的熱切，也使得小說的創作，達到空前的盛況。阿英在《晚清小說史》中提到，《涵芬樓新書分類目錄》所收錄的小說，光是創作就有一百二十種，但阿英以爲，當時成冊的小說就在一千種以上，約是涵芬樓所藏的三倍〔註3〕。

除了背負救國的使命之外，造成晚清小說如此的盛況，還有許多原因。阿英另外還提到了兩個原因：一是由於印刷事業的發達，二是知識份子受到西洋文化的影響，認識了小說的重要性〔註4〕。

印刷事業的發達，使得刻書不再像以前那樣困難，中國也開始出現了報紙和雜誌。報紙雜誌大量的發行，使得文字的傳播更爲快速有效，而且，在相互競爭之下，報紙雜誌紛紛連載小說，以期吸引更多的讀者閱讀；甚至在1902 年以後，《新小說》雜誌問世，帶動了更多專門刊載小說的雜誌發行。以前的小說因爲出版不易，不一定能夠呈現在讀者面前；晚清的小說作家，則透過報紙雜誌的刊載，作品能夠很快地呈現在讀者面前，作家可以有意識地透過作品與讀者對話，而且還可以得到相當的稿酬，對於面臨科舉制度廢除、

〔註3〕阿英，《晚清小說史》。香港：太平書局，1966 年 1 月。第一章「晚清小說的繁榮」，頁 1。

〔註4〕同註3。

一時仍無所適從的一些讀書人而言，是一條很好的謀生之道。在這種情形之下，自然有更多的人願意投入小說創作的行列，成爲職業作家。相對而言，一些新興都市的發展，帶動了市民階層的興起，也增加了小說發展的條件。這些市民階層較一般農民階層的識字率要高得多，由於居住在都市中，接觸的人事較多，人與人之間的往來較頻繁，市民階層對國家局勢、社會現象，相對地較爲關心，再加上這些人較有閒暇來閱讀小說，更使得晚清小說的讀者群擴大許多。因此，都市化的發展，爲小說的發展創造了有利的環境，而印刷事業的發達，使小說的傳播快速而便利，也提供了小說作者相當的利益，在讀者群與作者群都增加的情況之下，自然促成了小說的興盛。

西洋文化對知識份子的影響有兩方面：一是小說理論，一是實際的創作。在小說理論上最有影響力的，首推梁啓超。梁啓超在 1898 年發表的〈譯印政治小說序〉中，揭櫫了西方「小說爲國民之魂」的觀點，他以爲「歐洲各國變革之始，其魁儒碩學，仁人志士，往往以其身之所經歷，及胸中所懷，政治之議論，一寄之於小說。……各國政界之日進，則政治小說，爲功最高焉」〔註5〕。這裡把政治小說的地位提得很高，認爲在西方國家的現代化過程中，政治小說所產生的影響力是不容忽視的。1902 年，梁啓超在《新小說》雜誌上又發表了一篇〈論小說與群治之關係〉，更指出「小說爲文學之最上乘」〔註6〕，他主張「今日欲改良群治，必自小說界革命始；欲新民，必自新小說始」〔註7〕。他賦予小說時代的使命，這本與中國「文以載道」的傳統精神相符，更容易爲一般知識份子所接受。經過了梁啓超等人大力地鼓吹和提倡，小說的文學地位大大地提高了，不再是從前不登大雅之堂的「稗官」、「小道」，這就鼓勵了知識份子閱讀小說，而且自覺地從事小說的翻譯和創作。

晚清小說中其實以翻譯小說佔了大部分，大量輸入西方小說對於晚清小說家的影響是相當大的。

當時譯書最有成就的首推林紓，他是以古文筆法來翻譯西方小說的，共

〔註5〕 梁啓超，〈譯印政治小說序〉，原載於《清議報》第一冊，1898 年。收在陳平原、夏曉虹編，《二十世紀中國小説理論資料》第一卷（1897〜1916）。北京：北京大學出版社，1989 年 3 月第 1 版第 1 刷，頁 21〜22。

〔註6〕 梁啓超，〈論小說與群治之關係〉，原載於《新小說》第一號，1902 年。收在陳平原、夏曉虹編，《二十世紀中國小説理論資料》第一卷（1897〜1916）。北京：北京大學出版社，1989 年 3 月第 1 版第 1 刷，頁 34。

〔註7〕 同註6。頁 37。

譯書約一百六十餘種〔註8〕，數量相當驚人。雖然林譯小說有他先天上不諳英文的缺點，在選書上以及口譯過程中，都需借助於他人，難免在小說的品質上出現參差，或是有曲解原意的情形。但是，由於他大量的翻譯小說，開闊了中國知識份子的視野，從內容上、從寫作技巧上，吸取了西方小說的長處，使晚清小說的型態更加多變。

除此之外，還必須提到晚清小說的發展是以上海為中心區域的。一方面由於上海是商港，與外界的接觸頻繁，新的、外來的東西，對舊的、本土文化的衝擊，刺激了作家的創作意圖，這些新舊交替的現象，變換了作家取材的角度，也豐富了作品的內容。另一方面，上海是各國勢力劃分之處，言論自由的尺度因此較寬，讓小說作家可以自由而大膽地從事創作。這些都是促使晚清小說盛況空前的原因。

不過，由於過度受到政治的影響，晚清小說家很少真正視小說為文藝作品，而是片面地強調小說的社會功能，急切地想要將政治的黑暗、社會風氣的腐敗完全表現出來，或是擺脫現實，構築一理想的未來世界。作者急於呈現給讀者的是作品內容的事實性，而相對忽略了文藝作品典型化的原則，即使是較著名的四大譴責小說的作者，也常常在作品中表露出本身情感的憤激，失去了客觀的美感距離。再加上當時小說是發表在報紙雜誌上的，作家常常寫得相當匆促而草率，有的甚至不了了之。因此，這一時期小說的成就和藝術性普遍不高，並沒有真正優秀的作品出現。

那麼，晚清小說究竟有什麼重要性呢？

首先，晚清小說是一面時代的鏡子。晚清小說作家是有意識地將歷史材料放進作品中的。但是，不同於前代的小說家，他們不再假託為前朝的人物或事件，而是直接而明確地指出小說中所呈現的就是當代的、甚至是才發生不久的事件。晚清小說家積極地反映出那個混亂複雜的時代，積極地挖掘出政治、社會上的各種問題，也反映了在政治、經濟急速變遷下產生的各種現象和思潮。晚清小說家是真正地認識了小說的社會功能，而且是真實地面對當時社會，以小說來批判和推動改革的。

其次，晚清小說呈現了過渡文學的色彩。處於舊小說與五四小說的夾縫中，晚清小說常常在文學史上被一筆帶過。但我們不能忽視晚清小說是舊小說前進到五四小說的一個跳板，儘管晚清小說的藝術成就不大，但是，我們

〔註8〕同註3。第十四章「翻譯小說」，頁182。

仍然可以在晚清小說中發現一些嘗試性的技巧。前面提到，由於大量翻譯西方小說，帶給中國的小說作家在內容上及寫作技巧上很大的影響，許多作家嘗試了一些舊小說較忽略，而西方小說較強調的寫作技巧：大段的心理描寫、風景的描繪、倒敘、插敘的運用、敘事觀點的改變……等，這些技巧到了五四小說是廣泛地被學習和使用的。晚清小說家仍然不能完全擺脫舊小說的一些形式，如章回體等，但它所表現的內容，卻是新穎的，這看起來不免有些滑稽，但這正是一種過渡文學的特色。我們不能對一個正蹣跚學步的幼兒太過苛求，而必須正視並肯定這一學習的過程，同樣的，我們也不能忽略晚清小說的存在，而以為五四時期小說的絢爛是突然而然的。

第二節　清末的女權運動與婦女問題小說

在以男性為主的傳統社會中，中國婦女的地位是極低落的，尤其到了宋代，在「存天理、滅人欲」的理學旗號之下，「餓死事小，失節事大」的要求，更無理地套在婦女的身上，使婦女在婚姻上受到更大的限制。到了明清，「女子無才便是德」的信念，剝奪了婦女受教育的權利，纏足歪風的盛行，更是對婦女身體直接的殘害。幾百年來婦女遭受的是如此不人道的待遇，但在男尊女卑的傳統社會中，婦女沒有發言的權利，她們甚至將這些限制、壓抑，當作是一種美德來遵從。

雖然歷代以來，有一些學者替婦女發出了不平之鳴〔註9〕，但在整個社會風尚的洪流之中，他們的聲音是極微小的，發揮不了什麼作用。但是到了清末，由於許多外國宣教士、宣教團體積極地展開一些婦女工作，為改善中國婦女生活、提高中國婦女地位而努力，婦女問題才受到社會上普遍的重視，不論是改良派或是革命派人士，都認為婦女問題是國家積弱不振的原因之一，必須謀求解決。女權的爭取成為兩派人士共同的政治訴求，使得女權運動得到快速的發展。

在女權運動的發展上，外國宣教士先發性地投入，是一個不可抹滅的貢獻，他們引進了男女平等平權的思想直接地衝擊了中國的傳統社會。值得注

〔註9〕 宋朝有袁采（著有《世範》），清朝有毛奇齡（撰《禁室女守志殉死文》）、俞正燮（著有《癸巳類稿》和《存稿》）等，在他們的著作中表現出對婦女的同情，以及對婦女所遭遇的問題的看法。引自陳東原，《中國婦女生活史》。台北：台灣商務印書館，民國75年（1986）10月台8版。

意的是，這些來華的宣教士中有相當多是女性〔註 10〕，使得國人明瞭原來婦女也可以有一番作為，可以在社會上盡一己之力量，這些女性宣教士為中國婦女起了很好的示範作用。宣教士們在從事宣教工作的同時，觀察到了中國社會的一般現象，對於中國婦女所受到的不平等待遇，他們開始採取一些行動，希望為中國婦女爭取一些合理的對待，打破她們身上傳統的枷鎖。他們對中國婦女問題的關切反映在他們創辦的報刊上，特別在美國監理會（Methodist Episcopal Mission, South）傳教士林樂知（Young John Allen）創辦的《萬國公報》上，涉及的婦女問題最多，除了介紹西方婦女概況之外，也譴責纏足的惡習〔註 11〕，並提倡發展女學〔註 12〕。

在反纏足方面，倫敦傳教會（London Missionary Society）牧師約翰·克高望（John Macgowan）聯合了一些在廈門的傳教士，於 1874 年，組織了第一個反對纏足的社團——「廈門戒纏足會」。1895 年，十位外國婦女在上海發起了「天足會」（The Natural Feet Society）〔註 13〕，天足會的活動以刊印書冊與集會演講為主，對象則以中國官長與紳士們為主，希望先影響上層社會，再發揮他們的影響力去改變下層社會。天足會在全國各地設了許多的分會，因此，它的影響層面是比較廣泛的。此外，一些教會興辦的女學校，也規定不纏足者才可入學〔註 14〕。在提倡女子教育方面，1884 年，英國「東方女子教育協進會」派教士愛爾德賽夫人（Miss Aldersey）在寧波創辦女塾，寧波女塾可以說是西方傳教士在中國設立最早的教會女子學校，也是近代中

〔註 10〕呂美頤、鄭永福，《中國婦女運動（1840～1921）》。鄭州：河南人民出版社，1990 年 7 月第 1 版第 1 刷。第二章「婦女解放運動的醞釀」，頁 35～36。

〔註 11〕如〈裏足論〉、抱拙子的〈勸戒纏足〉、英教士秀耀春的〈纏足論衍義〉、天足會閨秀著，廣學會督辦譯的〈纏足兩說〉……等文章。引自李又寧、張玉法主編，《近代中國女權運動史料》。台北：傳記文學出版社，民國 64 年（1975）12 月初版。

〔註 12〕如范褘的〈論中國薄待婦女之制度〉、任保羅的〈論家之本在女〉與〈振興女學之關係〉、林樂知（Young John Allen）的〈中國振興女學之亟〉等文，主張女權是由女學開始的。引自魏外揚，《宣教事業與近代中國》。台北：宇宙光出版社，1981 年 7 月再版。第一輯「宣教事業與婦女運動」，頁 19～26。

〔註 13〕這十位外國婦女包括有宣教士、商人與外交官的夫人，公推立德夫人（Mrs. Archibald Little）為會長。

〔註 14〕1867 年，杭州一所教會學校規定：由校方供應膳宿的女生不得纏足。1872 年，北京一所教會學校規定所有入學的女生不得纏足。此後，這種類似的規定就普遍存在於教會女學中。

國第一所女子學校。此後，幾乎每一個來華的宣教團體至少都設有一所女子學校〔註15〕。

我們可以說：廣泛探討中國婦女問題，並以實際行動幫助中國婦女爭取基本人權，是從西方宣教士開始的。他們本著神愛世人的信念，來關懷中國婦女的實際需要，喚起了從事社會改革人士對婦女問題更多的注意，在婦女運動方面有積極推動的貢獻。

受到外國宣教士的啓發，部分有識之士開始瞭解到婦女問題必須受到重視，「婦女地位的高低可視爲文明興衰的指針」、「不重視女子教育的國家就不可能富強」〔註16〕。以當時婦女運動的兩大方針來說，纏足使得婦女身體虛弱，對下一代的健康有直接的影響，婦女未受教育，就使得中國四萬萬人民，有一半爲無用無知之人。對於當時亟亟於找尋國家民族積弱不振原因的知識份子而言，婦女問題的解決，就成了他們在政治上的訴求。也就是說，婦女運動的初期，並不是站在男女平等的立場上、基於尊重婦女本身應有的權利來發展的，婦女運動的最終目的乃在救國，在強國保種，他們要求婦女「天下興亡，匹婦亦有責」，要求婦女盡義務，對於婦女的權利則較輕忽。

中國的婦女運動，並不是在婦女本身自覺中發展起來的，反而是由男性所倡導，這在婦女運動史上是一個很特殊的現象，這種現象主要是由於歷史和社會的因素造成的。長久以來，在傳統社會的保守勢力之下，中國婦女一直受到禮教、習俗的壓制和傷害，掌控大權的一直是男性勢力，他們有意剝奪婦女的婚姻自主權、受教權，甚至是行動的自由，造成一個「謙卑柔順」的婦女假象，事實上，他們是刻意造成婦女的愚昧、無知、自我禁錮的軟弱性格。這樣一來，男性可放心地執其在國家、社會、家族中的權力，婦女亦自甘淪爲男性的玩物，專爲取悅男性而生存。在這種情形之下，婦女是不可能有「聲音」的，除非有一群眞正同情女性、眞正重視人權、重視平等的男性，主動爲婦女爭取應有的基本權利，否則婦女不太容易自我覺醒，因爲她們始終被圈在房門內，不易看到外面的世界，習慣性地受男性「保護」，以爲丈夫、兒子就是她們的一片天，她們的世界是狹窄的、封閉的，最大的極限

〔註15〕以上參見魏外揚，《宣教事業與近代中國》。台北：宇宙光出版社，1981 年 7 月再版。第一輯「宣教事業與婦女運動」，頁 19～26。

〔註16〕這是林樂知在其著作《全球五大洲女俗通考》序言中歸納出的論點。引自魏外揚，《宣教事業與近代中國》。台北：宇宙光出版社，1981 年 7 月再版。第一輯「宣教事業與婦女運動」，頁 24。

可能只是家族，根本接觸不到社會，甚至國家。所以，必須藉由男性的力量，主動爲她們打開一扇窗，爲她們解禁，讓她們可以走到外面的世界來。因此，當時許多爭取女權的組織，是由男性組成，或由男性贊助的。他們參與組織，保證維護自己妻子、女兒的權益，由這些先覺人士的聯合，逐漸擴展到家庭，以至整個社會，由點，而線，而面，以期爭取整個社會的支持與參與。

雖然如此，傳統保守的勢力仍是根深蒂固、冥頑不靈的。婦女地位的改變，勢必影響整個家族制度、宗法制度，因此，中國婦女運動一直受到一股保守衛道勢力的頑強抵抗，他們不看婦女運動的正面意義，而以反面的、開放帶來的弊端來詆毀婦女運動，甚至誹謗這些大力推行婦女運動人士的動機。他們所指出的這些點，我們不能完全否認，的確有些人假自由之名，行罪惡之實，但是若將眼光一直放在這一點上，婦女運動的成效必然大打折扣，甚至停滯不前。這些保守勢力的阻攔，是婦女運動中的一股逆流，使得中國婦女運動顯得格外複雜而艱辛。

同樣的，整個婦女運動的發展情形也反映在若干晚清小說中。這一類小說，阿英《晚清小說史》統稱爲「婦女解放問題小說」。

晚清以反映婦女問題爲主題的小說相當地多，據阿英《晚清小說目》所記已近四十種，實際可能還不止此數〔註 17〕。這些小說大概又可分爲幾類：鼓吹男女平等、以放足和興女學來從事婦女運動的，有頤瑣的《黃繡球》；寫放足運動的，有靜觀自得齋主人的《中國之女銅像》、程宗啓的《天足引》、陶報癖的《小足捐》（短篇）等，這一類作品在數量上是比較多的，因爲放足可說是婦女運動的第一步，在其他非以婦女問題爲主的小說中，也有許多涉及此一問題。另外還有寫女子參政問題的，有思綺齋的《女子權》、《中國新女豪》；寫秋瑾事跡的《六月霜》（靜觀子著），以及反映當時女子痛苦生活的，有王妙如的《紅閨淚》、呂俠人的《慘女界》等。

這些小說不同程度地反映了當時婦女的問題，或描繪當時婦女生活的實際情形，或創造理想女性，甚至女英雄、女豪傑，以不同的角度、方法來探討女權低落的原因，思索女權與禮教傳統的關係和衝突。作者們企圖透過小說來教育婦女，爲中國婦女注入新知，這些小說肩負了啓導女性意識的作用。

但同時也有一些反面的作品，如亞東破佛的《閨中劍》、紅葉的《十年遊

〔註 17〕引自時萌，《晚清小說》。上海：上海古籍出版社，1989 年 6 月第 1 版第 1 刷。三、「晚清小說的分類」，頁 40。

學紀》等，他們看到的是婦德低落，以及開放後黑暗的一面，可稱作是婦女
問題方面的譴責小說，主題仍算嚴肅。更等而下之的，如陸士諤的《女子騙
術奇談》、煙波釣徒的《女滑頭》，只是揭露隱私，技巧拙劣，主題頗不健康，
而且不具建設性。

在眾多婦女問題小說中，頤瑣的《黃繡球》是寫得比較出色的，也比較
全面性地反映了當時整個婦女運動的情況。

《黃繡球》，作者頤瑣，真實姓名不詳，但由書中所描述的情景來，作者
應是江南人氏。本書原載於《新小說》雜誌，從光緒 31 年（1905）3 月起，
分十次連載於《新小說》第十五至二十四號，標明是「社會小說」〔註 18〕。
共二十六回，光緒 33 年（1907），由新小說社印成單行本，續滿三十回，分
兩冊，早已絕版。全書共十六萬言〔註 19〕，有二我的批語。

二我的評，在第一回至第十二回，有眉批和回後批，第十三回至第十九
回，有眉批而無回後批，二十回以後則兩者皆無。從「二我」這個名字來看，
二我應該是作者頤瑣的化身。在傳統小說中，作者自撰自評的情形是相當普
遍的，晚清小說也沒有脫離此一樊籠。

阿英編《晚清文學叢鈔・小說一卷》有收《黃繡球》三十回足本，刪去
全部的批語。另外，《明清小說鑑賞詞典》提到，在大陸上現有 1980 年 12 月
上海書店《新小說》影印版，收有《黃繡球》，以及 1987 年 5 月中州古籍出
版社出版了附有曹玉校點的單行本〔註 20〕；《中國古代小說人物辭典》還提到
有吉林文史出版社整理的單行本出版〔註 21〕。除此之外，大陸出版的《中國
近代小說大系》，及台灣廣雅出版社的《晚清小說大系》、博遠出版有限公司
出版的《中國近代小說全集》第一輯《晚清小說全集》，都收有《黃繡球》〔註

〔註 18〕 江蘇省社會科學院明清小說研究中心文學研究所編，《中國通俗小說總目提
　　　　要》。北京：中國文聯出版公司。1991 年 9 月天津第 1 版第 2 刷，頁 923。
〔註 19〕 同註 18。《中國通俗小說總目提要》並指出，阿英《晚清小說史》說「三十萬
　　　　言」是錯誤的。
〔註 20〕 何滿子、李時人主編，《明清小說鑑賞詞典》。杭州：浙江古籍出版社，1992
　　　　年 9 月第 1 版第 1 刷。附錄二「明清小說刊本索引（1949～1989）」，頁 1395。
〔註 21〕 苗壯主編，《中國古代小說人物辭典》。濟南：齊魯書社，1991 年 5 月第 1 版
　　　　第 1 刷，頁 748。此外，李成杭在《晚清婦女問題小說的最好作品──黃繡球》
　　　　一文中，指出本書是「1985 年吉林文史出版社收入《晚清民國小說研究叢書》，
　　　　標點分段排印」，本文收在《明清小說研究》，1993 年第 3 期。
〔註 22〕 廣雅版與博遠版所收之晚清小說，皆為王孝廉等編，內容相同。

22）。本研究採用的是廣雅版的《黃繡球》，同時參考大陸《中國近代小說大系》版所附之二我評。

　　《黃繡球》出版期間（1905～1907），婦女運動已經有了一些績效。1902年，慈禧太后下詔廢除纏足，國人的心態也不再以纏足為美，反而視之為國恥；1903 年，日本博覽會台灣館有纏足少婦侍茶，引起國內報紙的強烈指責；1904 年，美國聖路易賽會，其中兩名纏足少女侍茶，留美學生上書請求制止，國內報紙更是大加撻伐〔註 23〕。在興女學方面，除了教會興辦的女學之外，中國人開始在各處設立女學堂，但是直到 1907 年，清廷才頒布了《學部奏定女學堂章程》，女子教育正式劃歸於教育系統之內。除此之外，女學報、女性社團也開始出現，女子出洋留學的風氣也大開〔註 24〕。

　　《黃繡球》的作者透過書中人物的議論，反映了當時一些婦女運動的情形，除了實際提到了「薛錦琴」這位女性，有「女梁啓超」之稱的張竹君，也化身為書中人物畢強。在反映時代的腳步、社會的跡象之外，作者頤瑣也塑造了一位理想的女性——黃繡球來從事婦女運動，透過這個角色，作者全面地寫出了婦女運動和當時社會的關係：來自官方和民間的衝突與困難；作者並提出他對婦女運動未來方向的建議。總之，當時婦女問題的幾個基本議題，作者在書中都討論到了。《黃繡球》可以說是婦女問題小說的代表作，在時代意義上，具有特別的價值。

〔註 23〕 以上兩則，引自鮑家麟，《辛亥革命時期的婦女思想》，收在鮑家麟編，《中國婦女史論集》。台北：牧童出版社，民國 68 年（1979）10 月初版，頁 268。
〔註 24〕 1902 年，陳擷芬於上海辦《女學報》。
　　　　 1903 年，陳擷芬於上海成立「女學會」；上海女界組「對俄同志女會」，響應拒俄運動；薛錦琴參加上海張園集會，力爭俄約。
　　　　 1904 年，秋瑾創《白話報》於東京；張竹君於廣州開辦「女工藝廠」，於上海發起「衛生講習會」、「女子興學保險會」。
　　　　 1905 年，張竹君於上海設「女子中西醫學院」；北京《女報》創刊；湖南派二十名女生赴日留學。
　　　　 1906 年，秋瑾創《中國女報》於上海；江西十名女生公費留日。
　　　　 1907 年，江蘇三名女生公費留美；北京、浙江設女子師範學堂。
　　　　 以上資料，參考賴芳伶，《晚清女權小說的淵源及其影響》。國立中興大學文史學報，第 19 期，民國 78 年（1989）3 月，頁 63。

第二章　主題思想

　　晚清討論婦女問題的小說相當地多，每部小說所著重的問題並不一致。
《黃繡球》是以較廣泛的角度，討論到當時婦女運動的幾個重要的問題。作
者以整個大環境來寫婦女運動與時代的關係，比較深入地探討到婦女問題產
生的原因、婦女運動發展的過程、以及一些可能的弊端，他不但讓我們看到
當時婦女運動的情況，他也描繪出心目中理想社會的藍圖。

　　作者認為中國的婦女問題，並不能單純地歸咎於婦女本身，而必須從整
個社會制度對婦女的重重壓制來看。因此，在《黃繡球》這本小說中，作者
不只是討論婦女問題，他試圖以婦女問題為一個基點，進一步地去看整個政
治社會制度、風俗民情與婦女問題的關係。前面我們曾經談到，晚清的婦女
運動與當時要求政治、社會、經濟……整體變革的趨勢是密不可分的，它是
社會改良運動的一個重要環節，同樣是處於新舊勢力的衝突點上。阿英《晚
清小說史》說：「這部書是如《文明小史》般的反映了全面的事態」〔註1〕。
以下我們要從社會、政治兩個方面來探討本書的主題思想。由於作者是基於
改良社會的立場來寫作本書，因此在社會方面討論的問題較多，除了主要談
到婦女問題之外，教育問題也一直在書中被論及，因為作者認為所有社會問
題的發生，是因為教育不普及，所以要提倡教育，以達到改良社會的目的。
我們將把婦女問題及教育問題獨立於社會問題之外討論。此外，提到晚清小
說不能不談到作者的政治理念，因為反映在每部晚清小說中的政治觀是相當
紛歧的。最後，我們要再提幾個作者較關心的社會問題，也是晚清小說中普
遍反映的迷信及吸食鴉片等社會現象。

〔註1〕阿英，《晚清小說史》。香港：太平書局，1966年1月。第九章「婦女解放問
　　　題」，頁110。

第一節　婦女問題

婦女問題其實是社會問題的一部分，但本書最重要的目的在反映晚清的婦女問題，所以在此特別獨立一節討論。

在傳統社會中，婦女地位是極其低落的，甚至沒有地位可言。「三從」的觀念，使得女子一生都受到男人的轄制，「未嫁從父、既嫁從夫、夫死從子」，婦女在家庭中永遠是順從的，在男性給予的束縛中，絲毫沒有反抗的餘地，「男尊女卑」的觀念在傳統社會中根深蒂固，婦女甚至淪落到不被當作「人」一般的尊重。在家庭中，女兒被視為「賠錢貨」，對家庭沒有什麼幫助，養大了是嫁到別人家的，在這種心理之下，未嫁的女兒通常在家中是受到歧視的，有的甚至被當作丫鬟一般看待。

在家庭中婦女幾乎是等於男人僕役的角色，「女人只要學習梳頭裹腳、拈針動線、預備著給男人開心，充男人使役」（第二十二回），女人「除了生男育女，只許吃著現成飯，大不了做點針黹，織點機，洗洗衣裳，燒燒飯，此外天大的事都不能管」（第二回）。婦女在家庭中根本談不上「權利」的，她們只是男人的財產，粗暴的男人對婦女拳腳相向，即使不然，男人也控制了家庭中的經濟大權，因此，婦女便私底下藏錢，做一些偷偷摸摸的事，「大人家或是在娘家姊妹裡，丫頭老媽子裡尋個腹心；或是借三姑六婆做個名目；小人家更是張家婆婆、李家嫂嫂終日鬼混，什麼事情都從這上面起頭」，「再講那有妯娌姑嫂的，各人瞞各人的丈夫，各人爭各人的手勢，說得來就大家代瞞，說不來又大家作弄，稀奇八古怪，真可也一言難盡」（第二十二回）。在重重的壓制和束縛下，婦女走不出外頭的世界，只能在狹小的屋簷底下勾心鬥角，爭風吃醋。自古以來難解的婆媳問題、妯娌、姑嫂問題，都是在這種被壓抑的情緒下產生的。

再則，婦女沒有獨立謀生的能力，一切只能仰賴男子供應。運氣好的，所謂「靠著祖宗福蔭」，還可做夫人、小姐、太太、奶奶，做一世庸人，享得些庸福；運氣差的，死了丈夫，又沒兒子可靠，還不知道要淪落到什麼地步，大概只有走上出家的路，靠別人的捐獻和同情來勉強糊口了。

女人始終是依附男人而活的。婦女在傳統社會諸多的壓制底下，活得沒有尊嚴，也輕賤了自己，她們甘心服在男人的威權之下，卑顏屈膝。惡性循環的結果，婦女的地位就更加低落了。

對於這種男女不平等的現象，作者在書中一再提出了質疑：

但不知自古以來，男女是一樣的人，怎麼樣做了個女人，就連頭都不好伸一伸，腰都不許直一直？（第二回）

男人女人，又都一樣的有四肢五官，一樣的是穿衣吃飯，一樣是國家百姓，何處有偏枯？（第三回）

俗語所說：沒有女人，怎麼生出男人？男人當中的英雄豪傑，任他是做皇帝，也是女人生下來的，所以女人應該比男人格外看重，怎反受男人的壓制？（第二十二回）

作者看到了婦女地位低落的不合理性，因此他極力主張男女平等，婦女不應再受到傳統的壓制。作者用了二氣絪縕的觀念，來說明這個道理：「古來已說二氣絪縕，那絪縕是個團結的意思，既然團結在一起，就沒有什麼輕重厚薄、高低大小、貴賤好壞的話，其中就有個平權平等的道理」（第二十二回）。作者並重新解釋了「三從」的道理。他認為為父、為夫、為子者，必須有一定的品德、才識，為女、為妻、為母者才可從之，他認為「從」是「信從」，不是服從，更不是盲從，信其在我，因此信不信從，有我自己的主張，作者認為這便是有自己的權。從這裡，我們可看出作者的平等觀是相當保守的，他認為在家庭、社會和諧的情形下，才能講究男女平等，這與基督教強調妻子對丈夫，不是盲目地依從，而是在雙方願意和睦共處，相互尊重的原則下順服丈夫，意思是很相近的〔註2〕。

　　解決婦女問題的第一步，作者認為是放足運動。因為作者認為纏足是做女人的第一大苦，這是對婦女有形的束縛，而且是對婦女身體上直接的殘害。「小腳一雙，眼淚兩缸」，纏腳的痛楚，並沒有讓成千上萬的婦女卻步不前。在男子崇尚小腳的歪風盛行之下，小腳幾乎成了婚姻的基本要件，因為大腳女孩是嫁不出去的。這種陋習，完全是在男子情慾的基礎上建立起來的。作者反駁了這種以小腳為美的觀念：「這好看是自己看呢，還是給人家看的？人家看了好看，還是敬重我呢，還是輕薄我的？究竟我們女人講賢惠、講德行、講相夫教子諸般大事，可在這雙小腳上做出來的不是？」（第十四回），作者更說明萬一發生了緊急事故，平日使女子走起路婀娜多姿的小腳，非但沒有任何好處，還可能成為自己的致命的要害。因此，作者認為女人若要同男人一樣做事，一定先要放腳，行動便利了，才能圖謀大事。

〔註2〕中文聖經啟導本編輯委員會編，《聖經啟導本》。香港：海天書樓，1993年5月普及本初版。新約以弗所書第五章第二十一節，頁1700。

其次，作者強調女子受教育的重要：「我們女人，要破去那壓制，不受那束縛，只有趕快講究學問的一法」（第二十三回）。

作者認爲婦女要跳出傳統社會的窠臼，必須本身要能夠自覺，而自覺的產生是因爲有了知識，知道「世界上的男女本來各有天賦之權，可以各做各事」（第二回）。因此，婦女不必屈居於男子之下，成爲男子的附屬品，女子自己可以立身立業，就不必處處仰賴男子的供應；知道了自己的主權和責任，就不必再受到傳統社會無理的壓制；甚至婦女有了學問、有了見識，還可以在家庭中感化父母兄弟，由個人到家庭，再慢慢擴展到村落，這麼一來，風氣就可以大開了。相反的，如果只知道要開風氣，卻沒有學問做基礎，就會走岔了路，只是爲了要滿足個人的私慾，或是有樣學樣，學得一些男人落拓不羈、不修邊幅的表面功夫，落得徒具形式，惹人看笑話。這對女權運動而言，反倒是一種傷害。作者認爲，如果婦女不能眞正明瞭女權運動的眞義，不能同時肩負起女子本身應盡的責任義務，那麼女權運動只會更加敗壞社會風氣。即使是近百年後的今日，仍有許多人誤解了女權運動的眞正精神，使得女權運動發展到了令人生畏的地步。由此看來，作者的觀點是相當進步而且正確的。

作者也在作品中呈現出興辦女學必須面對的困難：一是經費不足，二是缺乏師資。由於女學大都是私人出資興辦的，立意雖良，但是一旦經費籌措不及，女學只有面臨倒閉的命運；至於師資，更是不容易，一方面因爲略具才識的女子，不一定熱心於女學；即使是，也未必具備教授他人的能力。作品中，黃繡球幸運地聯繫上一些官太太及商人之妻，所以在經費上不見窘迫，在傳播面上也較具優勢，；至於師資，黃繡球採取了變通的辦法，將課程編成歌唱、圖畫，這樣一來，易教好學，又方便傳佈於女學堂之外。事實上，以演說方式或彈唱方式來傳播女權思想，是當時社會普遍採行的方式〔註3〕。

除此之外，作者還提到了婚姻的問題。自古以來，中國的婚姻講求的是父母之命、媒妁之言，講究的是門當戶對，又加上男女的界限極嚴，夫妻常常是在新婚之夜才第一次看到對方的廬山眞面，造成了不少怨偶。爲了安撫這種情緒，人們又想出了「巧妻常伴拙夫眠」的話來，將一切歸結於「緣份」、

〔註3〕寫成彈詞的作品，如挽瀾詞人的《法國女英雄彈詞》、鍾心青的《二十世紀女界文明燈彈詞》、及秋瑾未完稿的《精衛石彈詞》等，目的在使女權思想透過婦女喜愛的彈唱方式，更容易達到潛移默化的效果。

「命運」的安排，婚姻幸不幸福，靠的是運氣，完全是一種消極的宿命觀。作者批評這種婚姻制度，「自古至今，也不知害死多少女人」（第二十三回）。對於寡婦再嫁，作者是贊同的。他強烈指責宋儒提出「餓死事小，失節事大」的教條，讓一個女人連對方的面都還沒見過，就被認定是完全屬於某個男人的。萬一那個男人死了，女人還得活活地替他守著寡，而男人卻被允許擁有三妻四妾，天底下還有比這更不公平的事嗎？

作者雖然抨擊了中國傳統婚姻制度對婦女的壓制和束縛，雖然他主張不可勉強擇配，要聽由當事人自己去配人（第二十三回），但是另一方面作者又不贊同男女公開交往（第十回），他認為男女公開交往是件奇聞，甚至是件醜事。這種前後矛盾的說法，表示作者本身仍無法完全走出傳統婚姻的模式，他進步的思想仍只停留在理論上，一旦付諸行動，又不免有所懷疑。這大概是晚清知識份子面對新舊潮流所共有的迷思吧！

第二節　教育問題

作者認為婦女問題需要以教育的方法來解決，同樣的，所有的社會問題也都可以藉著教育，提高人民的知識水準，來達到改善的目的。因此在本書中，教育問題一直是被作者強調的，他認為教育可以救民，進而救國。

教育是國家的百年大計，是培植國家人材的方法。以當時的中國社會而言，幾乎大半的人民都是文盲，即使是受過教育的「士人」階層，所圖謀的只是「進學中舉」，求的是自己本身的前途利益，作者說這些人「連自家門裡的事都糊糊塗塗」（第一回），根本談不上為國效力這回事。

中國幅員廣大，人口眾多，中國人的生活哲學常常是「明哲保身」、「自掃門前雪」，國家民族的意識相當模糊，因為「天高皇帝遠」，反正事不關己，「天塌下來還有別人頂著」，這些觀念，反映了中國百姓對政治漠不關心的態度，對時局的敏感度也不高。作者在第一回描述了自由村民的生活片段：

> 所見吃茶的，大半是族中長幼，各人言談嘻嘻哈哈，全無一樁正事：問起農務，都說是要看年歲；問起生意，都說是不敷開銷；問起男孩子們，說是還不曾上學；問起女孩子們，說是還不曾裹腳。七嘴八舌，聽了半天，有的約了去吃酒，有的約了去吃烏煙，就陸續散完，日已沈西。（第一回）

表面上看起來，這似乎是一幅「安居樂業」的景象，然而，當時的中國正處

於危急存亡之秋，如果一國的百姓仍抱著如此的生活態度，毫無危機意識，只怕國家亡了，百姓還莫名所以。因此，作者主張學堂教育，不能再像從前的私塾，只教孩童識字、做文章，而是要為國家培植有用的人才，讓學生明白「國非強種不能立，種非合群不能生，合群先要愛群，強種先要保種」（第十六回）的道理，激發學生愛國保種之心，同心為國奮鬥。

晚清許多知識份子看到清廷對外戰爭屢吃敗仗，漸漸領悟到這是制度上以及文化上的問題，便積極引進西方關於這些方面的思想，以此為政治、社會、文化……改革的參考，希望中國經過徹底改革之後，能迎頭趕上西方文明國家，擺脫中國庸弱殘敗的形象；另一方面，在華的宣教士也在各地興辦學校，使西方的文化思想更直接地影響了中國學生。面對西方文化的衝擊，一些知識份子也開始對傳統文化有一番省思，主張學習西方文化的，與主張舊傳統文化不能全然廢棄的，互相僵持不下，於是形成了新學和舊學之爭。

新舊之爭，是晚清的政治問題，也是教育上的問題。作者認為舊學上的一些缺點，是因為某些人過份崇拜古人，不論對錯全盤接受，以致於產生種種謬誤的見解，主張新學的人不能因此就將舊學的好處一概抹煞；反之，強調舊學的人，也不能因為看到新學的流弊，就識之為毒蠍猛獸，一味退縮，完全排斥新學。作者主張新、舊學是相輔相成的，不能有一方偏廢。舊學必須淘汰掉過於瑣碎迂謬的部分，發揚其博大精深之處，而且必須不斷地吸取新知，以臻於至善；新學也必須避免浮而不實，不可只求速成，要慢慢地培養，針對其弊尋求改善之法。作者對朱子《鵝湖寺和陸子壽》詩中「舊學商量加邃密，新知培養轉深沈」一句，特別加以闡釋：

> 舊學不商量就不能邃密，不邃密就不成其為舊學。新知不培養，或覺得新不如舊，就知了也是皮毛，浮而不實。新定要培養起來，纔覺得新知的好處，轉入深沈，於是新舊相輔，兩不相離。（第十六回）

因此在本書中，以「商舊培新」作為學塾的匾額，可以看出作者的教育理想：他認為要辦教育，「最要緊的是擷取舊學精華，闡發新理新識」（第十六回）。

至於新學為什麼會產生那麼多的弊病？作者認為是因為這些人只學了點新學的皮毛，並不真正懂得新學的精義，而且這些人「錯認了自由宗旨，只圖做的事隨心所欲，說的話稱口而談，受不得一毫拘束」（第十六回），我們知道作者相當強調真自由，他認為「凡有教育，皆注重在倫理憲法上，使人人知公德，不以囂張為自由」（第七回）。教育，使得人們可以明白自由的真

諦，反之，自由需以學識爲基礎，才不會流於狂妄。此外，作者也重視衛生教育，他批評了中國所謂名士派講求不修邊幅、落拓不羈〔註4〕，根本就是隨便、不愛乾淨、懶散的態度。懶散慣了，精神容易萎靡，無法振作，作者認爲這是一種落後、不文明的行爲，

> 不論男女，要講究衛生的功夫，衛生乃是強種之本，能夠衛生，纔能夠懂得體育的道理，從體育上再引到德育上去，自然聰明強固，器識不凡，不至於流入庸闇一路。（第二十四回）

作者認爲理想的國民應該要有強健的體魄和良好的品格，他主張學堂教育應以「培養性情、擴充知識、強壯氣體爲宗旨」（第十九回），不是教學生去爭功名利祿，而是要教導學生明白做人做事的道理，並進一步能夠有獨立謀生的技能。

　　至於教育的方法，作者主張由淺入深，務必使人人都能明白些學問。除了正式的學堂教育之外，對於下層社會的人，作者認爲採取「演說」的方式，可以吸引群眾的注意力，而且內容淺顯，容易明白。對於上流社會的人，則必須靠地方官和鄉紳的密切配合。鄉紳必須有剷除地方上惡俗、開通地方上文明風氣的決心，才能有效地宣導，鄉紳不能發揮力量時，就要靠地方官的力量，因爲「中國的百姓，受慣了專制勢力，必須要有個專制的人，在上面同水車上鞭牛，磨子上鞭驢似的，他纔甘心服從。借著一點點專制力量，我們便可慢慢放手做來」（第二十七回）。這裡特別指的是對付一些頑固保守的勢力，就要用他們習慣服從的對象來導引他們接受新知，必然能收到快速的效果。

　　作者認爲，教育雖然需要長時間的投資，但是它的效果最顯著，而且眞正用心辦教育的人，必然會時時修正教育的內容，以求能夠確實矯正其弊。這是從根基做起，是救國保種的最佳途徑。

　　此外，作者還提到了傳統知識份子的出路問題。

　　明清兩朝採行的科舉考試，都是以八股文爲主。八股文又稱制義，它的命題取自於四書五經，文分八段，每段有一定的格式，文體呆板，又只能代

〔註4〕 第十七回：「也有自命志士的，頭髮養得又長又亂，身上的內衣，穿得同煤鍋一般。早上起來，來不及洗臉就吃飯；晚上到三四更天，連著外衣，就滾在床上，呼呼大睡。……這種性情，向來是中國的名士派，叫做不修邊幅，又叫做落拓不羈。」

聖賢立言，不能發表個人的見解，這種考試方法，只會扼殺了讀書人的智慧和批判力。頤瑣將此毒害比之為秦始皇焚書坑儒，「豈知自從有八股以來，書不焚而如焚，儒不坑而如坑」（第二十七回）。多少年來，千千萬萬的讀書人就被推進坑裡而不自知，而一旦這些人被錄取為官，又怎能為國家圖謀大事呢？

光緒 28 年（1902），清政府下令以策論代替八股文，光緒 31 年（1905）廢止科舉考試，這些平時仰賴科舉為生、指望靠科舉做官的人，頓時失去了倚靠、失去了目標。因為從前的人讀書，幾乎只是為了參加科舉，而在新式教育推行之後，「一方面教育設施的建立給人們就學提供了較好的機會，另一方面學費也較進私塾或者專門請家教遠為便宜」〔註 5〕，這些傳統知識份子在社會上變得毫無用處。或許我們不能將所有的過錯歸在他們的頭上，只能說是兩百多年來八股取士的制度害了他們。

作者認為這些人並非無可救藥，他們就像鏽了的刀，磨一磨，總還有些用處。作者擬定了三個方法，一個是從頭學起，進小學堂或中學堂讀書；若是程度好一點的，就交給他們各種新教科書，叫他們自行教授學生；程度差一點的，就讓他們拿個演說稿子，到處去演說，傳佈知識。這麼一來，這些人有事可做，對於開通鄙陋的風俗又有助益，可說是一舉數得。我們知道，科舉廢除後，的確有許多傳統知識份子投身於小說的寫作行列中，一方面是賺取稿費，一方面也肩負起政治宣傳的責任。

總歸作者的教育理念，是要讓社會上所有「無用」之人，都能夠成為有用之民，不論是婦女、和尚尼姑、或是這些不合時代潮流的傳統知識份子，作者都希望他們也能夠受教育，並積極投入強國保種的工作中。

第三節　政治問題

鴉片戰爭以後，中國整個政局動盪不安，帝國主義國家武力的侵略和不平等條約的一一簽訂，使得西方國家的勢力不斷深入中國，通商口岸開放、劃租界、割地……，列強紛紛前來瓜分中國這塊大餅，雖然美國提出門戶開

〔註 5〕樂梅健，《二十世紀中國文學發生論》。台北：業強出版社，1992 年 4 月初版。一、「科舉制度的廢除與讀者群體的轉變」，頁 165。

放政策〔註6〕，使得中國國土維持了表面上的完整，但事實上卻是「東倒西歪，外面光華，內裡枯朽」（第一回）。在此國難當頭的時刻，滿清政府對外仍只圖自保，凡事畏首畏尾；對內只求自我權力的鞏固，缺乏改革的誠意。然而，隨著列強勢力的侵入，西方思想文化也急速地湧進中國，西方講究民權、自由的思想開始衝擊整個保守專制的中國，使得許多知識份子開始對舊有的政治制度產生懷疑。面對著國家民族存亡的關鍵時刻，有些知識份子透過小說，提出了自己的意見，他們希望能夠對解決政治方面的問題有所裨益。

　　《黃繡球》的作者頤瑣在本書的開始，以年久失修的房子來比喻當時在風雨飄搖中的中國。面對這房子，眾人意見紛紜，有一派主張「若還可以將就得過，不如雇兩個瓦木匠，先用木架子支他幾年，再用石灰磚瓦粉刷點，填補點，料也不妨」（第一回），另一派則主張「人生在世，如白駒過隙，得了一天算一天。……我們守著祖宗的遺產，過了一生，後來兒孫，自有兒孫之福」（第一回），前者是「政府議改革新政的影子」〔註7〕，後者是保守派、頑固派的觀念，但是作者認為要救中國，不是這裡修修，那裡補補就可以了事的，「我想要成個樣兒，索性一齊破壞了他」（第一回），作者以長遠的眼光來看，中國的問題不是頭痛醫頭、腳痛醫腳那麼簡單，它是複雜的、環環相扣的，所以，必須根本地發現問題、解決問題，才能謀得長治久安。

　　長久以來中國在專制政權的統治之下，老百姓非但沒有受到統治者的保護，反而是被欺壓的對象，「送不完皇上家的租稅錢糧，受不盡做官的嘴臉脾氣」（第三十回），老百姓的生活是痛苦的，因為統治者拼命從他們身上壓榨出金錢利益。然而，對既得利益的統治者而言，老百姓是下賤的，是豬狗不如的，偶而做錯了事被捉到官府裡，「就跪斷了兩隻腿，打爛了兩面屁股，關在牢裡，比鄉下的豬圈狗窠還要不如」（第三十回）。一旦真有訴訟，「不管原告被告，一樣的下跪，一樣的受罵受打，伸手只是要錢，有了錢，不怕殺人都是應該；沒得錢，不怕老子打兒子，都是犯法」（第三十回）。老百姓沒有尊嚴可言，他們的權利極端地被漠視。然而老百姓並沒有反抗這種政體，雖

〔註6〕 由於列強紛紛在中國租借軍港，劃定勢力範圍，美國以列強在華的競爭會妨礙商業的發展，因而在光緒25年（1899）提出「中國門戶開放」的主張，強調各國在華工商業機會均等，並維持各國勢力範圍內的中國主權。見傅樂成，《中國通史》下冊。台北：大中國圖書公司，民國82年（1993）1月第21版。第二十六章「清帝國的亂亡」，頁692。

〔註7〕 二我第一回之眉批。

然經過改朝換代，專制政體卻從沒有被推翻。作者認爲這是因爲老百姓習慣於服從傳統的教導，性情又保守封閉，不知道外面的世界是個什麼樣子，才會安心服貼於專制政體之下的。

在專制政體中，皇帝是高高在上、神聖不可侵犯的。然而，作者認爲皇上不過是人民的管家，人民才是國家的主人，如果人民沒有意識到自己的權利，不力圖振作，整個家國的權柄就會完全落入管家的手中，家產任由管家揮霍、丟棄、送人，弄得家不成家、國不成國，到最後人民連自己的性命都保不住。因此，作者主張人民要起來合力保住自己的家國，不能任憑管家霸佔了自己的產業。

做皇帝的怎樣待老百姓，底下做官的也依樣畫葫蘆，而且變本加厲。中國人的觀念一向是期望著「升官發財」，做官和發財是分不開的，這種心態在晚清的官場上更是被發揮得淋漓盡致，似乎做官爲的只是壓榨民脂民膏。官與百姓之間，遇著了訴訟，講究的不是法律、公理，而是送了多少銀子。有了銀子，公門中的人簡直就像有三頭六臂一般地神通廣大，如果能打點得好，「安安穩穩的保管無事」（第四回），但若照顧得不周到，衙門中認眞辦起來，可是「家破人亡，禍在旦夕」（第四回）。所謂「有錢能使鬼推磨」，訟事可大可小，可小可無，完全憑衙門中的人隨意編造，可憐的是老百姓，爲了滿足這些貪官污吏的慾望，往往弄得傾家盪產還爭不到一個公理。因爲這些貪官污吏要的只是錢，根本不去注意到底發生了什麼事，

> 這些無頭無腦的事，我們一年到頭不知有多少，那裡去考較實在的來由，不多是糊糊塗塗的辦過去。開頭辦不了，有的拖了幾年，官也不問，我們也忘了，官若問起，或是上司查下來，也總有個現成例套。不瞞你說，就是辦完了，連我們也不知其中的所以然。
> （第四回）

官吏對公事竟然抱如此馬虎的態度！他們根本不是爲老百姓做事、爲地方謀福利，完全只在乎自己能從百姓身上搜括多少財利。書中人物豬大腸到自由村之後，看到村上政簡刑清、禮教修明，非但絲毫沒有高興之意，反而是「只嫌尋不出貪贓枉法的錢，刮不出什麼地皮，鎮日價愁眉苦臉，盤算法門」（第二十八回），完全一副自私自利的小人嘴臉。政府與官吏之間也存在著金錢交易的關係，官可以捐，秀才可以捐，政府以賣官鬻爵的方式廣增財源，官與官之間也爭相仿效，想做官的人拼命巴結、諂媚、送錢給那些「有辦法」的

人，謀得了一官半職，也是打著「功名富貴」的旗號搜刮錢財，根本不是為國家辦事。「錢」，成為政治上、社會上最好的、最有利的、最快速的溝通管道，有錢什麼事都好辦，金錢與權力掛勾，賄賂成了公開而合法的事。在這種惡劣的政治環境下，國家還有什麼前途，百姓還有什麼希望呢？

作者認為「做官的原是替皇上家辦事，做一處的官，這一處的事情千千萬萬實在只有兩件：一件要他幫助百姓做事的力量；一件要他防備百姓的事被人侵害」（第二十九回），如果不但做不到，反而處心積慮地與老百姓做對，這種官吏就是地方上的公敵，不能容他在地方上興風作浪，讓老百姓受他的壓制，必須立即更換。為了維護地方上的利益，作者主張要伸張民權，倡導地方自治，由小地方做起，不能因為地方小就一味退讓，因為「大地方就是小地方湊起來的，多的人就是少的人積起來的，小的讓了，大的就失了勢；少的退了，多的就散了場子，那可就讓不清，退不完！」（第三十回）。

雖然如此，作者並不主張以血腥暴力的革命手段來達到地方自治的目的。他認為個人可為這個理想奉獻自己，甚至犧牲自己的生命，卻不可以傷害別人的身體，更不可以傷害別人的性命，他認為要理性地運用群眾力量來爭取百姓的權益。

作者是理性的改良派小說家，他對於保守派的人講忠君愛國只「不過在功名富貴上著眼」（第十五回），頗不以為然；但某些維新份子，激於一時血氣，就要把中國舊有的一切全部推翻、完全抹煞，他認為這不是負責任的做法。他認為中國舊傳統中，也還有好的一部分，不宜輕言放棄。作者重新闡述了《孟子》上一句「不愆不忘」的含意，說明先王之法並非完全不可違背，他認為「愆」是差脫，而非違背之意，所以「凡先王之法，惟其不愆者，必宜遵守勿忘，如忘之，即非先王之法。若其已愆，又宜及時修改，使歸於不愆而後已」（第七回）。作者認為後人不可迷信前人立下的舊章典範，而完全不考慮實際的需要，他認為「什麼時勢自然用什麼法子」（第九回），所以他稱讚宋朝王安石變法的動機和決心，至於後人看到王安石變法失敗的例子，就一味墨守舊章，絲毫不敢更動，他認為這種態度對國家民族是有百害而無一利的。另一方面，維新份子也不能膚淺地因為古人對舊學一兩處的誤會誤解，就把中國數千年來先王留傳的良法美意，一概抹煞。作者主張「其實有舊學的，方能窺見新學；真維新的，無不從舊學中考察折衷而來」（第七回）。

作者的政治理念是徹底破壞，徹底改進。但是在方法上他認為改良必須

循序漸進，不可急切求功，必須在老百姓對國家民族有了一定的共識，而且是真正瞭解自由獨立意義的基礎上，才能夠收到真正的果效，不致於造成社會的混亂。在最後一回，作者很清楚地闡明了他的理念：

> 我們這個村子叫了自由，自由卻有個界限，界限仍是法律，人人守著法律幹事，纔算得人人在自由之中。法律卻不是什麼王法刑章，是人心上的公理，公理關係一國，不是只關一人一家的，不過總從一人一家做起。所以像此番大眾的事，看似成了野蠻舉動，實在為衛護公理起見。公理上有什麼爭鬧，就情願碎骨粉身，死個乾淨，也不應絲毫退讓。這是何故？因為失了公理，就失了人心，失了人心，就不成為國；沒有了國，還保得住家，做得完人嗎？大眾明白這個道理，所以苦苦的要爭，便是能伸出自由的權柄。（第三十回）

作者講究的是真自由，不是一個政體或政權的推翻或取得，他看重的是國家民族的完整，而不是個人的私權。在第一回，作者便指出，自由村（影射中國）被外村人挾制、受外村人糟蹋，已經「弄得全無一點自由樂趣」，因此，作者希望能「恢復我這自由兩字的權限，組織我自由兩字的光彩」（第一回）。從這一點，我們可以很清楚地瞭解作者在政治上強調伸張自由民主之權，為保自由之權雖可採取必要的手段，但作者仍強調是以和平理性的方式來進行的。

第四節　其他社會問題

破除迷信，也是晚清社會改良的重要項目之一。

在民智未開的社會中，人們對一切自然現象或超自然現象，都會存著一種恐懼的心理，因為這些事物超過了人們可以理解的範圍，為了避免遭到這些不可知力量的傷害，人們開始採取一些儀式，來表達對這些事的敬畏之意，希望能與這些不可知力量達成協議，能夠趨吉避凶。

中國一向是多神崇拜的國家，固然是因為我國以農業立國，知識份子在整個社會中的比例並不高，大多數的人民是文盲，沒有受過什麼教育，而且從事耕作相當倚賴天候條件，為求風調雨順、五穀豐登，因此對自然現象存敬畏之心，甚至進一步產生膜拜的行為。

在晚清知識份子的心目中，這種以萬物都有靈的泛神信仰，其實是一種

落後的、不文明社會的象徵，是一種迷信的行為。他們認為，要從事社會改良，就必須打破迷信的觀念。

晚清小說中以反對迷信為主題的小說不少〔註8〕，針對這個問題，本書作者也提出了一些看法。

作者認為中國人迷信，是因為中國人禍福的觀念很重，如果從一口井旁邊走過，回到家之後生病了，就認為那口井一定有精靈鬼怪，為了要求醫治，求避禍，趕緊大肆宣傳一番，讓大家一起來向著那口井跪拜禱告。其實這可能只是一個巧合，也許只是天氣太熱中暑了……。由於缺乏科學知識，醫學常識不足，再加上恐懼禍患的心理，對於不可捉摸的「鬼神」，就更存一種憂懼，深怕一不小心得罪了鬼神，便會惹禍上身。因此，中國人崇拜鬼神，「不過存著個邀福避禍的心」（第十三回）。作者提到自由村上的村民，因為村子上鬧瘟疫，就要建齋打醮，做七七四十九天的功德，充分顯示出這種心態。作者還寫到中國人對風水的迷信。黃繡球放了腳之後，在風氣閉塞的村子裡引起了軒然大波，村民紛紛揣測事情的因由，剛好前一陣子黃通理藉修房子的事說了一番道理，讓村民頗不以為然，兩件事湊在一塊兒，迷信的人就以為這是黃通理家修房子修出了問題：「動亂了土，拆了木頭，沖撞了太歲，所以惹出些狐鬼，附著他夫妻，顛顛倒倒，弄些笑話」（第三回），反映了中國人迷信風水，知識淺陋，凡事因為怕惹禍而顯得縛手縛腳，無怪乎社會封閉保守，對於新知的接受度很低了。

作者進一步指出，中國人迷信鬼神，還存著一種自私自利的心態，並不是真心相信。中國人對鬼神，求免災禍、求財、求子、求壽……，講求的是「有求必應」，這種靈驗的鬼神才是好的，是順應民情的。中國人求鬼神的時候心中有鬼神，求過之後，就把鬼神拋到九霄雲外，一點也不記掛在心上。換句話說，中國人對鬼神的態度，是敬畏，但是希望鬼神得了人給它的好處之後，就不要再干擾人們的生活。這是一種交換條件的信仰，出於一種媚神的心態。

作者以為鬼神的世界和人的世界是一樣的，鬼神世界也有它們的倫理要遵守，也必須講道理。譬如中國的鬼神，就要愛中國的種族，不可妄弄禍福，不知自愛。至於禍福的觀念，作者認為禍福存在於道理之中，「有道理自然獲福，沒道理自然遭禍，禍福只看自家的道理，自受自取，也沒有什麼形影可

〔註8〕如壯者的《掃迷帚》、嘿生的《玉佛緣》、吳趼人的《瞎騙奇聞》……等。

尋」（第十三回）。然而作者卻沒有說明「道理」是什麼？「道理」的基礎來自於哪裡？顯示作者本身的觀念仍有些模糊不清。

作者的宗教觀是以「人」為出發點的。鬼神雖然是未知的，但不是可怕的，它們和人一樣，只是它們以另一種方式存在，可能沒有軀殼，可能可以穿透實體，來去自如，作者認為「菩薩就是人，人就是菩薩」（第二十三回），鬼神是人造出來的，是騙人的東西，但是若能善加利用，可以導人入正途。作者的確安排了黃繡球利用兩個尼姑迷信菩薩的心理，把她們騙得團團轉，再慢慢地引她們到正路上，成為她在教育事業上的幫手。作者認為破除迷信要從教育著手，因為迷信就是知識淺薄的結果。

有一點是我們必須提出來討論的。作者雖然反對迷信，但是他描述黃繡球由一個不識字的村婦，變成一個識見卓越的新女性，在這個複雜的轉變過程中，作者卻用了「夢境」來簡化這個過程。作者寫黃繡球夢見羅蘭夫人之後，突然開了竅，像變了個人似的，雖然作者強調，他並沒有用神話傳說中「抽換腸胃，納入聰明智慧的那些無稽之談」（第三回），但是這種在夢中授書、如仙佛點化似的觀念，不也是一種對鬼神的迷信嗎？後來黃繡球勸化王老娘、曹新姑兩人所用的計策，是騙她們說，她做了個夢，夢見觀音娘娘在夢中指示她來點化她們，在此二我的批語註明了「前夢羅蘭夫人是實境，此夢是假託，絕不相犯」（第十三回）。雖然如此，作者對夢境的詮釋是前後矛盾的，對於他反迷信的態度，是一個致命傷，無法達到說服人的目的。當然，我們可以理解作者仍然無法擺脫傳統小說中對於處理這類問題的方式，但是我們必須指出，作者既站在理性的層面反對迷信，卻又以寓言式的手法來處理某些情節，這樣一來，便影響了作者在處理迷信這個主題上的一致性。

除此之外，作者還談到廟宇寺產對社會經濟的影響。我們知道，滿清政府對外戰爭失敗，簽訂了不少不平等條約，其中賠款一項，弄得國家民窮財盡，債臺高築。然而要辦洋務、要辦學堂、要擴充軍備……，在在需要大量的經費，政府處於經費短絀的情況下，可是卻還有人有閒錢捐造佛寺、齋僧、做法會……，寺廟道觀在社會上也享受了格外的優待，擁有相當的產業卻不必納稅。對於這點，作者發出了不平之鳴：「做官做百姓的，還有犯下罪來要抄封家產，頃刻的可以由富而貧，獨是做和尚道士，積了財產，一朝犯法，不過換個方丈住持，從沒聽見說抄和尚道士的家的」（第九回）。這些廟產是愈累積愈多的，做和尚尼姑的，可能過著比老百姓還舒服的日子，

聽説有些大尼姑庵裡，田產積了許多，金銀貯了無數，一切起居服
食，比那富貴之家還要受用，他也只顧是自己修行，並不把他庵裡
的家私拿出來做事，而且他的家私越弄越多，也不要募化。

（第十四回）

寺廟之外，是一片殘破、民不聊生的景象，而在寺廟之內應當「苦修」的出
家人，卻自顧自地享受，作者面對這種現象非常地憤慨，他認爲「要這些和
尚道士何用？還不一齊驅逐了，勒令還俗，將廟宇改作學堂；將產業盡數歸
公，一半辦學堂，一半辦警察，只怕就連辦機器廠，辦紡織局，都夠了」（第
九回）。這些廟產佔據了社會上相當大的資本，又不願回饋社會，是作者最感
不滿的。另外，作者也指出當時在大寺院中隱藏了多少腌臢醃齪的事，弄得
尼姑庵像個妓女戶，敗壞社會風俗。作者認爲這些人是一無用處，是社會上
的寄生蟲。

光緒 21 年（1895），英國教士傅蘭雅（John Fryer）在《萬國公報》上刊
登了一則徵通俗小説的啓事，啓事中指出「今中華積弊最重大者有三端：一
雅片（鴉片），一時文（八股文），一纏足。若不設法更改，終非富強之兆」
〔註9〕。

纏足是婦女的枷鎖，八股文控制了讀書人的思想，而鴉片卻是普遍地殘
害了大眾。自從英國東印度公司將鴉片大量傾銷中國，對我國的國計民生產
生了極大的影響，不但大量的金錢流於外人之手，也直接毒害了人民的身體。
吸食鴉片造成了人民精神上的萎靡，懶惰不圖振作，使得風俗敗壞，國力消
耗。反毒的宣導，在晚清小説中是一個重要的題材，因爲它是改良社會風俗
的重要項目之一。本書作者對於這個問題，並沒有深入的描寫，只是透過陳
膏芝這個人物來呈現吸食鴉片的害處。陳膏芝的煙癮很大，終日離不開鴉片，
什麼正事也不想做，外頭發生了什麼事也不問，家丁捲了錢財逃跑，他糊裡
糊塗的不細究；辦個喪事，被本家老爺從中狠狠賺了一筆，他毫不知情；到
上海謀個差事，也因爲吸鴉片煙而耽誤了時機。整日整夜地沈迷於鴉片煙中，
對什麼事都懶洋洋的，處理事情都馬馬虎虎的，終於把偌大的家私都敗光了，
弄得家破人亡。反映出社會上受鴉片毒害者的情形。

〔註9〕《萬國公報》，第 77 卷，光緒 21 年 5 月號，總頁次 15310。以上資料引自王
　　　爾敏，《中國近代知識普及運動與通俗文學之興起》。收在中央研究院近代史
　　　研究所編，《中華民國初期歷史研討會論文集（1912～1927）》下冊。台北：
　　　中央研究院近代史研究所，民國 73 年（1984）4 月出版。

　　本書中，作者對許多問題，尤其是社會問題提出反思，顯示出在那個時代中，不只是政治上腐敗不堪，社會上也是問題重重。除了婦女、教育、迷信、鴉片問題之外，書中還反映出一些社會現象，由於資料瑣屑，不是本書強調的重點，故不再多作討論。

第三章　人物刻畫

　　一篇精彩的小說，無論主題多麼深刻，情節多麼曲折動人，讀者注目的焦點終將落在人物的身上，因爲人物是活動的，只有透過人物的活動力，才能推動情節發展，進一步使主題呈現。因此，「人物是小說的主腦、核心和台柱」〔註1〕。

　　本書以女主角黃繡球的名字命名，焦點自然放在黃繡球一人身上。但是，這是一本反應婦女問題的小說，前面我們也曾提到，中國的婦女問題無法只憑婦女的力量獨力解決，需仰賴開明的男性來共同完成，因此，黃繡球的丈夫黃通理，是作者著力描寫的另一個重要人物。除了這兩個主要人物之外，其餘次要人物如張開化、王老娘、曹新姑、及敵對人物——豬大腸、黃禍等，在促進情節的衝突、解決和繼續進行上，有著一定的作用。

　　本章主要討論的方向，是人物的性格特徵，以及其與主題、整部作品的關係。至於加強人物性格特徵的一些寫作技巧，如對話、對比、心理描寫等，則留待下一章討論。

第一節　黃繡球

　　作者在一開始，並未賦予女主角一鮮明的形象，僅以「他妻子」（黃通理的妻子）稱呼之，似乎看待她如一過場的人物。在第一回，這個女性角色，只是安靜地扮演著一個舊式家庭中妻子的角色，她並沒有什麼特別之處，她

〔註 1〕 馬振方，《小說藝術論稿》。北京：北京大學出版社，1991 年 2 月第 1 版第 1
　　　　刷。第二章「小說的人物形態」，頁 24。

的出現，只是要告訴丈夫房子需要修理了，爲丈夫的邀宴準備酒席，收拾碗盤，打掃廚房……。當她聽到丈夫想要恢復村上自由的權限，急急地問了一句：「可不知世界上也有女子出來做事，替得男子分擔責任的嗎？」（第一回），一等到黃通理的肯定，她久藏於舊道德規範下的思想開始萌發，並積極化爲行動，作者才開始介紹這個二十世紀的女權運動者。

作者從第二回才追敘女主角的身世：

> 卻說這黃通理妻子，他娘家也是世代書香，從小兒就歿了父母，是他一個房分孀娘帶了，過去撫養，乳名叫做秀秋。後來做黃家的養媳……。（第二回）

因爲她從小失去雙親的照顧，她比一般的女孩還要可憐，雖然有孀娘收留，卻沒有盡到保護她、愛她、關心她的責任，完全把她當個丫鬟來使喚，不但支使她做各種粗重的工作，連三餐也都不得溫飽。可憐的是她才不過四、五歲，什麼事都還懵懵懂懂，就嚐盡了苦楚，挨餓受凍，生了病倒還像做錯事一般挨打挨罵，好像天生是別人的出氣筒。比起同年齡的女孩子來，她不但沒有享受過家庭的溫暖，還承受了超過她年齡所能負荷的重擔。

諷刺的是，她所享有唯一公平的對待，卻是所有女孩子都要承受的酷刑——纏足，

> 天天那雙腳是要親手替他裹的，裹起來使著手勁，不顧死活，弄得血肉淋漓，哭聲震地，無一天不爲裹腳打個半死。（第二回）

纏足是一件很殘忍的事，等於是把女孩子原本完好健康的雙足弄成殘廢。不爲別的，只爲了社會的風尚愛好小腳女子，纏不纏足關係著女孩子將來的婚姻，因此，中等以上家庭的女孩，都要承受這種不人道的行爲。

纏足一般是由母親來執行的。母親看著親生女兒受如此的痛苦，或許還有些不忍心，但爲了女兒將來的「幸福」著想，只能忍著痛，親手爲女兒裹腳，至少，手勁不那麼強。但是，秀秋的孀娘平常對她已是毫不顧惜了，即使秀秋痛徹心扉，她哪裡會有絲毫不忍心？甚至更加倍地使力。

雖然孀娘振振有辭地說這是爲了秀秋將來的婚姻著想，怕她大腳嫁不出去，事實上，她最怕的是秀秋賴在她家吃一輩子的飯，佔了她的便宜。秀秋知道了這層利害關係，就倔強地「死命熬住了疼，把眼淚望肚裡淌」（第二回）。她不再哭鬧，她已經醒悟到自己在別人心中的卑賤，寄人籬下，她是沒有資格喊疼的。當然，更不要寄望能識字讀書了。

比起在孃娘家的日子，秀秋嫁給黃通理後的日子是好多了，「也不過會些尋常操作，安安穩穩的做個婦道人家」（第二回）。一個尋常的婦道人家，是要遵守「三從四德」的。但是究竟「三從四德」指的是什麼，她卻是模模糊糊的，不太懂得是怎麼回事，只得到一個刻板的印象，就是要「從夫」、「從子」。雖然心中也懷疑「怎樣做了個女人，就連頭都不好伸一伸，腰都不許直一直？」（第二回），但是她還是認命了，因為是苦命做了女人，「只好悶在大門裡頭，有話也不敢說」（第二回），連丈夫黃通理也只把她看成是一個庸庸碌碌的婦人而已。

當秀秋第一次提出久藏心中的疑問——女子能不能為社會盡一份心力、盡一份責任？竟然得到了丈夫黃通理的認可。她受到很大的激勵，不願讓自己再活在傳統女子的牢籠裡，她積極地要把自己從痛苦中解脫出來。第一件事就是要放腳，因為小腳伶仃，行動不便。她認為「要做事，先要能走路，要走路，先要放掉了這雙臭腳。如今這腳底下纏了幾十層的布條，墊了兩三寸木頭，慢說要與男子一同做事，就是走路，也不能同男子大搖大擺，這便如何使得？」（第二回）。纏足造成女子行動上的不便，甚至出入都要倚賴別人的照顧，這樣的人，又怎麼談得上為社會做事呢？

放了腳之後，她渴望去見識外面廣闊的世界，渴望獲得知識，渴望貢獻自己的心力，出來做一番事業。她認為「天下無難事，只怕有心人」，她要慢慢地開通村上的風氣：

> 我將來把個村子，做得同錦繡一般，叫那光彩激射出去，照到地球
> 上，曉得我這村子，雖然是萬萬分的一分子，非同小可。日後地球
> 上各處的地方，都要來學我的錦繡花樣，我就把各式花樣給與他們，
> 繡成一個全地球，那時我就不叫秀秋，叫繡球了！（第二回）

從此，秀秋便以「黃繡球」為名。

不過，到此黃繡球面臨了一個實際的問題，因為她：「一來雖是粗粗的識幾個字，總是不曾讀書；二來實實在在自從進了黃家大門，守著婦女不出閨門之訓，一步不敢胡行亂走，大門外東西南北的方向還辨不清楚。」（第三回）。她對未來該做什麼，該怎麼做，根本毫無概念，因為她就像個初生的嬰兒一樣，沒有受過教育，對外面的世界也一無所知。作者在此安排了一個夢境，以羅蘭夫人來點化黃繡球，使其茅塞頓開。夢中羅蘭夫人授與黃繡球一本「英雄傳」，並加以解說，黃繡球便從「連三個大字都識不完，其中的文理，同那

小冊子上彎彎曲曲的一式，更不解何物」（第三回），剎那變爲「竟不覺的十分解悟，模模糊糊，像是那彎彎曲曲畫的，都變了字，又像這些字都認慣的，一目十行而下，不多幾刻，便把兩種書中的大概都記著了」（第三回）。這個夢境可說是黃繡球一生的轉捩點，讓她茅塞頓開，剎時從一個不識字的村婦，變成一個有知識的新女性。

正如二我所評的：「寫夢境入理，若非夢境，要黃繡球忽然識字，又忽然讀書，豈不費無數幹旋也說不去？」（第二回）。或許這種安排，是作者面對現實與理想衝突的無力，或許只是作者有意地使故事情節通俗化，容易被一般大眾接受。無論如何，這顯示黃繡球的思想演進並不眞實，她需借助外力，甚而是神力，才能在瞬間改變，可以自行閱讀，吸收新知。儘管在中國古典小說中，夢境的運用是相當普遍的，它是一種預兆，或是給予小說人物明確的指引。而在眞實世界中，夢有時候眞的會給人一些啓發，人們可以藉由夢境來瞭解自己潛意識的狀態，適時地調整或修正現實人生中的行動或思想。但透過夢境讓一個人由目不識丁，變成可以一目十行，這種安排似乎過於荒謬，而且也與作者在書中反迷信的主張有所衝突〔註2〕。

如同第七回作者藉黃通理口所言，黃繡球是一位「勇猛進取」的人。

她的個性是急躁的，想到就要去做的。當她從黃通理口中證實「世界上也有女子出來做事，替得男子分擔責任的」（第一回），她馬上收拾好東西，關上門，就要放腳。她認爲「凡事說做就做，有什麼不當眞？」（第二回）。當已被黃繡球繡成如錦繡般的自由村被豬大腸搞得烏煙障氣之後，黃通理偶發一辭「這個沒有地方自治之權，不能恢復」（第二十八回），她就「恨不得即刻回來，驅逐了豬大腸，豎起自立的旗號，立圖恢復」（第二十八回）。

她的脾氣是火爆的，當她知道黃禍陷害張開化之後，就怒不可抑地要去把黃禍找來，當面與張開化對質。面對豬大腸這個卑鄙無恥的小人，她更是拍桌大罵，巴不得「拖出那豬大腸來洗他一洗，纔洩我的氣」（第二十九回）。

但黃繡球也有她可愛的一面，她堅持原則，決定的事就不容改變。她放足的時候，只是「趁一時之性，原不曾計及女人的腳是能放不能放？放了能走不能走？」（第二回）。由於過去的生活太過封閉，以及知識的不足，她對於自己的判斷缺乏信心，她認爲應該問過黃通理才是。不過，她是這麼問的：

〔註2〕參見本論文第二章第四節「其他社會問題」中，對於作者反迷信主張的探討。頁38～39。

> 像我這一隻受罪的腳，可放得放不得？方纔我倒要放他開來，又恐
> 怕是放不得的，要問你一聲。如今我是問過你，你說可放最好，你
> 說不可放，我也一定放掉他，不能由你作主。（第二回）

這反映出黃繡球一種微妙的心態：不敢擅自做主，卻又渴望獲得自由。所以她用「蠻橫」的口氣要黃通理同意她的做法，使她心中的矛盾和不安可以「合理地」解決。

在勸化尼姑的時候，她一樣這麼對黃通理說：

> 你如要我修行，卻依我兩件事，你不要我修行，也依我兩件事。總
> 　是要你依我，我不依你的。（第十二回）

表面上她都在徵求黃通理的意見，事實上，她早已有了很明確的決定，並非事事依賴黃通理，聽從黃通理。她開始清楚地表達自己的意見，不像從前「有話也不敢說」（第二回）。不過，幸虧她有一位通情達理的丈夫，才能包容她、支持她、幫助她成為一個時代的新女性。

黃繡球對興女學、伸張女權的理想非常地執著。雖然因著放足的事被捉拿到官府，她並不因此而洩氣，更計畫利用這樣的機會，公開宣傳她的思想。當她一見著畢太太，就引以為知己，一股腦兒地「將他近來的歷史，從頭至尾一直說到他要怎樣開辦學堂的話，都盡情吐露，從飯前到飯後未曾住口，竟似忘記了初次在張府上作客一般，毫不客氣。」（第八回）。從這段描寫，我們幾乎看到黃繡球遇到了知己那樣興奮，滔滔不絕以至於忘我的神情。為了要收服兩位尼姑成為她開通風氣、興辦女學的助手，她寧願裝作瘋狂：

> 我自從做親拜堂，照著舊派的俗禮，拜天地，拜神明，以後除了拜
> 　祖宗，這一雙腳膝將近二十年沒有輕易彎過一彎。為了他們二人，
> 　叫我下過幾十回跪，磕過幾百個頭。當時我自己自認同發癡一樣。
> 　（第十六回）

後來施有功請黃通理籌辦官學，黃通理猶豫不願前往，黃繡球更是直接地表達了她的想法：

> 他偏不是請我，不是改女學堂，若是請我去開女學堂，我不管他事
> 　情如何，既請教到我，我總肯去的，何況這是分內應當去辦的事，
> 　哪裡顧慮得許多？（第二十五回）

在在表現出她對解決婦女問題的熱切。就是黃繡球這種勇往直前，為理想不顧一切的人，才能真正地去實踐她「錦繡地球」的理想。黃繡球一直堅持著

她的理念，絲毫不受外在環境影響，也不斷地去思考如何下手扭轉風氣，用什麼樣的法子來達到最快速、最有效的結果。在整個女權運動中，黃繡球是居於中心地位的，她是一位開拓者，也是一位領導者。

黃繡球幼年的經歷，讓她深刻地體會到男女是極端不平等的，一旦知道「世界上的男女本來各有天賦之權，可以各做各事」（第二回），她就勇往直前，毫不退縮，努力地去實踐她的理想，也就因為她這種精神，使得自由村風氣大開，人人明白道理。她並不以此為滿足，更伸出手去幫助鄰村的人，使他們一樣能享有自由的生活，邁向她繡成一全地球的目標。

作者刻劃黃繡球的性格——勇於打破傳統枷鎖，敢想敢做，在面臨每一次衝突的時候，她這種性格也就特別明顯，令人印象深刻。

小說家筆下的人物，必然是經過一番挑選的。為什麼作者要挑一個不是在正常家庭環境下長大的苦命女子作為本書的主角？為什麼作者以她為從事婦女改革運動的最佳人選呢？

我們知道作者頤瑣是位改良主義者，他的政治觀是溫和的，漸進的，反對激烈的革命手段。本書中也曾提到，在當時的一些女權運動者，「總讀過書，有點實在學問，游歷些文明之地，纔能做得到」（第三回）。這些女子多半受的是西方教育，她們的視野比較開闊，受到西方男女平等思想的影響也較深。她們可算是中國婦女中比較幸運的一群，在看到中西社會對婦女不同的待遇之後，她們很自然地肩負起中國女權運動的責任。反觀中國傳統家庭中的婦女，難道都沒有自覺到本身權利被剝奪，地位極其卑下的現狀？在國難當前的時刻，難道傳統的中國婦女仍然甘心隨命運擺佈，不圖振作嗎？

以黃繡球這樣毫無教育背景的人來從事女權運動以及教育事業，自然有些地方說不通，但是，她卻是最瞭解而且深刻體驗過中國婦女所受的一切剝削和壓制的人。這樣一個傳統婦女因自覺而主動發起女權運動，主動為社會的改革貢獻心力，對於廣大的婦女群眾，以及本書「婦女救國」的主題是很有說服力的。換句話說，作者賦予了人物某些神奇的特點，來加強人物對主題深化的貢獻。這在中國傳統小說中是個很普遍的現象。黃繡球是作者刻意創造的一位「二十世紀女豪傑」，她是本書的核心人物，作者以她來開展情節，促進情節的衝突。作者賦予她一個「勇猛進取」的個性，使她能由一傳統守舊的婦女，轉而成為自由村上首開風氣、爭取女權、爭取獨立的領袖人物。

如果以佛斯特（E. M. Forster, 1879～1970）的觀點來看，她或許只是一個

概念化的扁平人物（flat character）〔註3〕。但是，我們仔細看這個人物在情節中所處的地位，她的性格並非一成不變，她在不同的環境中，表現出不同的性格。從她小時候，她就懷疑爲何男女地位不平等、爲何女孩子沒有受教育的權利，還要忍受纏足的痛苦，但是她將這些疑惑深藏於內心，將自己深鎖於舊傳統的桎梏之中，她並沒有採取反抗的行動，她的態度是消極的，這與後來她放足、辦女學，甚至爭取地方自立的積極、急切的態度是截然不同的。作者描寫黃繡球的性格具有多面性，不能以一句話——「勇猛進取」來概括她，因此，她不是扁平人物；但她又不如圓形人物（round character）那般眞實。我們若以光譜（spectrum）來比擬，在這種精微的等級之中，她是由扁平人物向圓形人物延伸出去的。我們可用大陸學者馬鎮方先生的講法，稱之爲「尖形人物」〔註4〕。

在 1905 年前後，婦女運動正如火如荼地展開，許多先進的女性已站在歷史的舞台上賣力地鼓吹並進行爭女權的活動，作者此時塑造「黃繡球」這個人物，不能說只是純粹爲了要表現作者的政治意念、發表作者議論的一個虛構的、臆造的、毫不眞實的人物。在「黃繡球」的身上，我們可以察覺到當時一些女性如秋瑾、張竹君、薛錦琴……等人的影子，縱使秋瑾等人與作者的政治主張不同（秋瑾、張竹君爲革命派，作者爲改良主義者），然而這些女子的確是女權運動的領導者。我們可以說，作者在「黃繡球」的身上，灌輸了這些女子的思想精神、性格本質，使這個人物更形生動。

第二節　黃通理

黃通理在本書中也是一個舉足輕重的角色。故事一開始，我們幾乎會以

〔註3〕 李文彬譯，佛斯特（E. M.Forster）著，《小說面面觀》（Aspects of the Novel）。台北：志文出版社，民國 75 年（1986）2 月再版。第四章「人物」。

〔註4〕 據馬鎮方先生所言，尖形人物不是平面人物，而是立體人物。如果扁平人物可用一句話加以概括，那麼，若是用一句話或一個詞語，概括的並非人物的全部特徵，而只是其最突出的特徵，這種特徵具有某種超常性，因而帶有不同程度的漫畫化色彩和類型性特點，這種人物就是尖形人物。從另一個角度來看，以特徵形扁平人物爲主人公的作品，只要加入一段切實、有效的現實性描寫，人物就有了立體感，一變而爲尖形人物。馬振方，《小說藝術論稿》。北京：北京大學出版社，1991 年 2 月第 1 版第 1 刷。第二章「小說的人物形態」。

爲黃通理就是本書的主角。作者安排他做爲一個思考者，藉他的思考，引進故事的主題，逐漸介紹黃繡球出場。沒有他，黃繡球只能庸庸碌碌地過一輩子，根本不可能成爲新時代的女性。如同第七回黃通理所言：「有你的勇猛進取，就不能無我的審慎周詳。」黃通理可說是黃繡球的引導者和教導者，從他所表現的思想言論來看，他可說是作者的代言人。

對於黃通理，作者一開始有個簡單的介紹：

> 村上有一人名叫黃通理，此人約莫三十幾歲，很出過幾趟門，隨處
> 考察，覺得自家村上各種風物，無一不比外面強，卻無一能及外面
> 光彩，想來想去，不懂什麼原故。（第一回）

所以黃通理並非一個井底之蛙，他不但見聞廣，而且肯花腦筋去想、去反省。

黃通理是位個性保守而穩健的讀書人，面對事情，他的反應並不同黃繡球那般急躁。雖然村子上因黃繡球放足而引起了軒然大波，他並不急於與人爭辯，他認爲凡事要順著時勢慢慢地來，以免引起無謂的風波。他希望有一番作爲，但不若黃繡球那麼積極，他總在等待時機，等待志同道合的人。當然，他也不是坐在那裡乾等，他認爲要多看書，多吸收知識，充實自己，要以眞正的學問做爲做事的基礎。

由於性格保守，使得他在處理事情的時候深思熟慮，計畫審慎周詳，但是在面對人的時候，通常就會以一般傳統的態度，去接受人表面的樣子，較少積極去發掘人可造就的另一面。也就是說，他對人的態度是比較主觀的。

譬如對他的妻子黃繡球，黃通理幾乎完全展現了傳統中國大男人的態度。黃通理並不認爲黃繡球是可以接受新思想的人，他也不認爲黃繡球是可造之才，可以幫助他做出一番大事業來，他只看到一個守著三從四德的傳統妻子，他以爲黃繡球只是一個庸庸碌碌的女人。當黃繡球想多瞭解一些新事物時，他沒有警覺到妻子的改變，而以他大男人的角度喝斥她：「你去罷，你一個女流之輩，不要在這裡攪擾，讓我同兩個孩子講些學問」（第二回）。他並不瞭解從不出閨門的黃繡球放了腳以後，對外面的世界是多麼好奇，多麼想親自領會，他卻因黃繡球以練腳筋爲名想去看會而責備她：

> 你一向不出大門，如今便說放開了腳，要練練腳筋，也沒的要去看
> 會的道理！若講女人放掉了腳，今天去看會，明天去看戲，就使不
> 得，與你那說的話，發的誓願，就成了一個大反對，還說什麼繡那
> 地球上的新花樣，只怕村上的新鮮話把先讓你繡出來了。（第二回）

對於和尚尼姑，黃通理也是抱了一個成見，認為他們都是迷信，而且還利用別人迷信菩薩的心理來騙取衣食，他們對國家社會沒有絲毫貢獻。他反對黃繡球與那些「腌臢尼姑」（第十三回）來往，他認為他們都是滿口胡說，沒有什麼作用，根本不需要在他們身上花任何工夫。

從招募志士，發掘無用為有用這一點來看，黃通理是不如黃繡球的心思巧妙，他的想法也是比較悲觀的。

在他辦學的態度和方法上，他顯得相當謹慎，考慮得相當周延，而且儘量避人耳目，以免太過招搖而引起不必要的猜忌和反對。

他雖然一心想辦學堂，但又怕招致地方官太多的干涉，更怕捐款辦學堂的美意，變成了有心之人中飽私囊的工具，因此，他決定先由一個家塾辦起，避免太多外來力量介入其中，阻礙了他們興辦教育的決心。

> 我不過怕做得太顯亮了，被小人生心。不如先打個小鑼鼓，先由我
> 自唱曲子自做戲，倒有個實在影響，若驟然間開出戲場，就怕有看
> 的鬧些笑話，不免反要受官府彈壓。（第九回）

他對於自由村上閉塞的風氣相當瞭解，再加上有黃禍這般小人等著從中取利，因此，不論是籌措經費來源、立學堂名目、規模、或是教學內容，黃通理都是小心翼翼的，就怕弄出事情來，也因為他閱歷多，知道維新運動後弄出來的一些弊病，所以他特別謹慎，要把學堂辦得十分完美，不落人口舌。在他所定的「黃氏家塾規則」中，我們可以看出他用心良苦。一方面他怕受到官府的箝制，做起事來綁手綁腳，所以他在規則中寫了一句「悉遵欽定」的話，表示這個家塾並非要與官辦學堂互別苗頭，甚至傳佈一些官府不喜歡的新思想；另一方面，他也針對黃禍將來可能會與他爭學生，動搖了學生的學習意志，影響學生的學習成效，寧願一開始就少收一些學生，但要求這些學生必須是願意用心學習，能夠持之以恆的人，才能進入黃氏家塾學習。

好不容易自由村風氣開了，受教育的人愈來愈多，人人知書達理，原先反對的聲浪也逐漸銷聲匿跡，黃繡球等人決心到鄰村，幫助那邊的人同自由村一般享有自由的風氣。黃通理並沒有因為自由村的成果就掉以輕心，他認為每一村的風俗有異，可能遭遇的困難也不盡相同，因此他對黃繡球仍是千叮萬囑，吩咐她不能太過急切。

> 辦事為難，切莫操切。外鄉不比自己家鄉，設使下手太利，收不住
> 拳頭，反而於事有害。（第二十七回）

不過，這種保守謹慎、百般思慮的性格，似乎有一段時間讓黃繡球頗感不滿。對於地方官施有功好意請黃通理主持官辦學堂，黃通理卻是一副思前想後、遲疑不決的模樣，黃繡球忍不住指責他：「你不記得你從前何等憤激，如今變成這般畏縮，再歇幾年，怕你連這家塾還不高興開呢！」（第二十五回）。

但是，黃通理並不是一個畏縮的人，他的「憤激」，在自由村被豬大腸搞得百姓怨恨交加，人心惶惑時，也不禁搓手跳腳地喊出了要「地方自立之權」（第二十八回）。雖然「憤激」，他不因此而失去理智，他瞭解要攆走豬大腸不是一件容易的事。但是禁不住黃繡球天天激他，他終於下定決心要以行動來爭取地方上的權利。

> ……如今這豬大腸既經把我們鬧的稟了上去，我一個人抵樁承當罪名，跟那查辦的委員到省裡去，指定要攻掉了他；上頭就把我辦個罪，也不能不叫他撤任。這就叫犧牲一身，以爲國民，死而無悔的。除去了這個仇人對頭，換個別人，叫他曉得我們地方民心固結，不是輕惹的。這纔能讓我們再佈置起來，我不犯他的法，他也不能阻我的權，穩然立一個市民參預政府的規模。（第二十九回）

在形勢所趨之下，黃通理性格中積極的一面終於爆發出來，爲了一理想的世界，他甚至願意犧牲自己，死而無悔。他認爲爭取地方自立，並不是野蠻的舉動，而是爲了衛護公理，保有民心。因此，「情願碎骨粉身，死個乾淨，也不應絲毫退讓」（第三十回），這句話讓我們看到黃通理寧爲玉碎，不願瓦全的決心。作者塑造這個人物，從他原先保守溫和、事事周全，而在情勢所逼之下，挖掘出他內心的熱情與對理想的執著。作者表現了這個人物的多面性，比起黃繡球來，黃通理顯然更接近我們生活中的眞實人物，他的行爲和語言，反映了他的性格及思想，並沒有出現前後矛盾或表裡不一的衝突，而且沒有染上任何神話色彩。

第三節　其他人物

除黃繡球、黃通理兩個主要人物之外，書中還有幾個人物，作者也同樣賦予他們鮮明的形象。

張開化是衙門裡的書辦，作者藉這個人物來寫官場的事。他雖然算是個正派人物，卻不是一副道貌岸然的模樣。在衙門中，他是個頗有勢力的人，

雖然不至於玩弄權勢，但也不是出淤泥而不染的那種人。遇到訴訟事件，他一樣會藉機弄一筆錢，敲一筆竹槓。但是他不會貪得無厭，需索無度，拿了錢之後，他就真的盡心為人辦事，並不打馬虎眼。

他說話坦白，個性直率，對於衙門中腐敗不堪的現象，他也不諱言。黃通理與他談了幾次話，覺得他「雖然是個蠹吏，性情是瞭亮容易打夥的」（第四回），認為他是個可造之材，又可以替他們聯絡官府的事，因此黃通理極力拉攏張開化加入他們的陣營。而張開化知道黃通理夫婦有心在地方上創興事業，他就積極鼓勵他們捐款辦學堂或警察，他也從中奔走，盡心盡力，甚至病重在床，仍一直記掛此事。就在黃繡球去探望他之後，當晚，他覺得自己好多了，就跑到黃通理家，為要商量籌設學堂的事。他實在是個有心人，對待朋友很熱情，講義氣，令黃通理夫婦十分感動，而引以為推心置腹的朋友。

從另一方面來看，張開化跟黃通理在一起久了，耳濡目染，知道辦教育的重要性，知道這事馬虎不得，需要盡心費力去籌設，他似乎在這事情上看到了價值和意義，因此他願意更多投注自己的心血去幫助黃氏夫婦辦學。而且他並不張狂，反而謙卑地願意努力學習：

> 你看我近來公事，都交給夥計們，不去過問。等諸位各事辦成了，用得著我，我情願縮做小孩子，請諸位教導教導。（第十七回）

以整個故事來看，張開化對辦教育的事，他是愈來愈積極，當黃通理因官辦學堂的名目有所退縮時，張開化努力地在一旁慫恿他、激勵他的心：

> 這位本官，人倒可與有為，單看他把祠堂就能改做學堂，安置得妥妥貼貼，已經非同流俗，又能慕你老人家的名，再三敦請，你老是熱心教育的人，豈可始終推託，辜負他一片好意？他原是培植我們村上的人，你老一去，也是盡我們村上學界的義務，愛我們村上大眾的同胞。沒有這官來請還要把你老的抱負本領漸漸推廣出去，哪有遇此機會，倒執意退讓的道理？我張開化還想跟著你老，有個什麼用我的處在，難道竟叫我失望嗎？（第二十五回）

一方面再三保證新任地方官對辦教育的熱心和誠意，再方面提醒黃通理原先對教育所懷抱的理想，最後說到自己對幫助黃通理做大事的渴望。果然，這激將法讓黃通理願意去官府與新官溝通，因而在辦學上得到此官相當大的幫助，在開通地方風氣上能收到快速的效果，這不能不算是張開化的功勞。最後，他更積極主動地要到鄰村去，仿效黃氏夫婦的做法，去做出一番新氣象來。

　　張開化人如其名般，受到黃通理夫婦的感化，明白了改革的重要，而願意積極投入其中，為理想社會貢獻自己的心力。作者描寫他，不是以一個完全清高，不染惡習的老好人為典型，也寫了他世俗的一面，他可說是傳統社會中略具知識人民的代表，他們需要被教育、被感化，時間一久，便可培養成為新國民，成為改革的新力量。

　　黃禍和豬大腸是本書中的反派人物，兩人可說都是傳統社會中的敗類，只謀私利，不顧大局的小人。

　　如黃通理所言，黃禍是一「有利就無厭，無利就懷恨」（第八回）的小人。黃繡球的訟事，被他從中撥弄，大做文章，就是想「劖完黃通理的家，至少也得數千金」（第五回）。

　　他不但貪得無厭，而且以為別人都像他一樣，做什麼事情都只為發財，沒半點真心。辦學堂的事，他認為黃通理是要「勾結了張開化，借著學堂，裡應外合的，把持起來，好發大財」（第十一回），事實上，這正是他自己的居心。既然在辦學堂的事上弄不到好處，他便遷怒張開化，硬將一件姦情案子，套在張開化身上，把白的說成黑的，意圖離間黃通理與張開化。

> 不是我說，張開化雖則似乎還好，卻也狡獪得很。即如你辦學堂不
> 辦學堂，他要插在裡面鬼混，無非想鬼混你兩個錢。他一個當書辦
> 的，就配同我們書香世家講話做事嗎？以後少抬舉他為是。
> （第十二回）

他也不放過黃通理，弄了一封假信到學老師那裡，數落黃通理的不是，希望黃通理受點懲處，吃點苦頭。

> 黃通理接來看時，分明就是黃禍的筆跡，內言張開化欺他本家黃通
> 理懦弱無知，串通外來教民之妻，借著學堂斂錢入私。學堂為新政
> 發端，豈容蠹吏嫁名行騙，要請老師查明，詳稟重辦。（第十五回）

幸虧黃通理揭穿了他的詭計，學老師才沒有上他的當。

　　黃禍是個非常以自我為中心的人，凡事只求自己的益處，對別人根本不屑一顧。他總以為自己是書香世家，在地方上有名有望，在他的眼中，黃通理只是一個「不上場面的土財主」（第十一回），他更瞧不起張開化書辦的身份，他努力地與達官貴人攀親帶故，來顯示自己高高在上，有權勢、有辦法。他喜歡算計別人，佔人家的便宜，作者寫他在心中打如意算盤時，臉上的表情是「笑一回，又咂嘴咂嘴的想了一回」（第十一回），把一個小人的嘴臉，形容得十分傳神。

　　黃禍與豬大腸氣味相投，兩人還是換帖兄弟，因爲「黃禍本來喜歡交結官場，豬大腸又是旗派，喜歡鬧闊勁兒，吃酒鬥牌，天天聚會，都有黃禍跟在裡面，因此上兩人換了帖子，氣味相投，豬大腸著實得黃禍的用處」（第二十九回）。黃禍是無惡不作的市井小民，豬大腸則是官場上腐吏貪官的代表。

　　這個豬大腸不但愛錢，人品低下，而且生得一付死腦筋。他一到自由村，當然看不慣村上自由開通的風氣，便處處擺出官架子來壓制人民。他做官的目的，純粹只是要弄錢的，可惜到了風氣翻新的自由村上，「只嫌尋不出貪贓枉法的錢，刮不出什麼地皮」（第二十八回）。

　　豬大腸氣度狹窄，他嫉妒施有功在自由村任上的口碑，而且施有功離任之後，常常來信，關心自由村的事，他不懂得仿效其功，虛心學習，反而賭氣要事事都反其道而行。在他這種迂腐冥頑的心態之下，自由村裡又是一番變化：

> 凡施有功所定所創的事，所信所用的人，能裁的一概裁了，不能裁的，也硬出主意改了。最可惡的，他把中小學堂，到省裡去另請了幾個京官紳士、翰林進士來充當教習，明是抬高學堂，暗是力就腐敗。堂中又請派了監督提調名目，層層節制。那些舊有的學生，早就通班解散，招的新生，定課策論講義，不准閱看報章。女學堂也說是有傷風化，禁去幾處。還胡亂謅些男女苟且的事，扯在訟案當中，詳報上司，說總是沾染女學堂的習氣而來。喪心病狂，鬧得昏天黑地，頓時一座自由村，雞犬不安。（第二十八回）

豬大腸的眼光短小，不識時務，處處以官威來壓人，以爲自己是捧著皇上的恩典來的，自由村上的人都是刁民、惡民。他不知道他的所作所爲已激起民憤，儘管學生村民鬧上公堂，「從大堂望到川堂以內，都是人頭簇簇」，他仍是「穿了公服，立在川堂的屏門背後，向著眾人指手劃腳，還是撇了京腔胡說官話」（第二十九回）。他只知道要嚴懲、要重辦，卻不知時勢已對他大不利，還是要拿出專制政府的那一套來嚇人。

　　其實豬大腸只是專制體制下一個可憐的寄生蟲，他用體制來壓制人民、剝削人民，一旦失去了他所依恃的舊勢力，他只有縮頭不出，任憑他人擺佈。

　　以豬大腸和施有功對比，更突顯出惡官與好官的天壤之別。一個全然破壞，一個積極建設；一個爲己，一個爲眾人。藉由對豬大腸的描寫，作者表現出對官場中貪官污吏劣跡敗行的不滿，而且指出這一類的人，都是文明的大敵。

另外在女性方面，王老娘和曹新姑二人原是覺迷庵中兩個尼姑，粗通知識，卻受了迷信之害，成了社會上「無用之人」。黃繡球花了許多心思，連哄帶騙地讓她們離開庵中，隔絕她們的偶像崇拜，讓她們住到家中，早晚與她們談論新知，讓她們腦筋開通之後，再根據她們的程度，用了「彈唱」的方式四處去傳播女權思想。

勸化女性，作者由破除婦女迷信惡習入手，直接選擇了尼姑作為對象，因為她們最能代表婦女無知和軟弱的一面。作者寫黃繡球騙她們觀音娘娘以她們罪孽太重，決定離她們而去的一段，對於這種性格表現得十分精彩：

> 當時，一老一少兩個尼姑聽得面面相覷，那老的更聽得傷心，兩隻眼睛看看龕子裡的觀音菩薩，又看看黃繡球的神色，半晌不語，嗚嗚咽咽哭得出來，忽然望後一側，幾乎倒栽一根蔥。忙即扶到他禪房內，向床上安睡，一口痰在喉嚨頭唏哩哈拉的響了一陣，又咽下去，歎了一口氣，這就閉著眼不聞聲息。嚇得那中年尼姑渾身發抖，也大哭起來。（第十三回）

王老娘是絕望地低泣，因為她連來生都沒有指望了；曹新姑則被王老娘幾乎昏死過去嚇哭的，對她而言，王老娘是她更真實的倚靠，一旦王老娘死了，比觀音娘娘要走更令她不知所措，事態更嚴重。作者描寫王老娘臉部表情的變化，反映出她內心世界由不安到絕望的歷程。

其他的人物，作者給予他們適切的語言、表情，以符合他們的身份。如畢強是位女醫師，在她的言語中，就常常會以醫學辭彙來比喻。陳膏芝的太太，一個嬌生慣養的闊家少奶奶，在家中無事可做，拼命攢私房錢，又愛與婆婆鬥氣，對丈夫頤指氣使，丟了錢就氣得滾在地上哭，尋死尋活（第二十一回），作者透過這個人物，表現出另一種女性——潑婦的形象。還有說話尖酸刻薄的官媒婆，配上「胖胖的身軀，努睛露齒，臉上拍著些粉，通紅的兩個顴骨」（第四回），活生生的一副媒婆嘴臉。這當中，有些只是刻板印象的人物，但作者往往能透過語言、動作的描寫，使得人物的形象豐富起來。

由以上作者對人物的安排及性格塑造來看，黃繡球的「勇猛進取」、黃通理的「審慎周詳」，是作者理想人物的兩面。以爭取女權運動的立場來看，是需要黃繡球這樣的人，才能勇敢地衝破傳統禮教對婦女的壓制，她的積極，才能使女權運動落實。然而，我們從小說中看到，作者非常小心地去排除改良可能造成的弊病，因此他安排了黃通理來運籌帷幄。黃繡球代表了「行動」，

黃通理代表了「思想」，兩者相輔相成，才是作者心目中從事改良社會的理想人選。

　　對於人物的刻畫，作者不是呆板地只用直接描寫的方式來介紹人物的背景和性格特徵，而是加上了人物的對話、動作和心理活動，或是其他相關人物的口作間接的描述，給予讀者的印象不是刻板的、靜止的，而是多變的、進行的。在人物的選擇方面，也清楚地反應了作者的理念，這些都是值得我們肯定的。

第四章　寫作技巧

　　晚清小說是中國古典小說與西方小說首度接觸後的產品。在《黃繡球》中，我們除了看到原有古典小說的形貌，還有西方小說的技巧。因此，討論《黃繡球》的寫作技巧，不能純粹從古典小說的傳統來看，而必須參考西方的小說理論，才能較客觀地看到作者處於中西交流的過渡時期，在小說創作上是否墨守成規？或是有一些的突破？以及在傳統的形式下，他如何去表達新的內容、新的思想？這是在討論晚清小說時必須特別留意的。

第一節　情節結構

　　小說的結構特徵是人物描寫的方法。在長篇小說中，作者要處理的，往往不是單純的一人一事，對於人物的特點、人物與人物之間的關係、人物與事件的關係、人物所表現的行為、人物與社會的關係……作者必須妥善地加以安排、組織，以成為一有秩序而合理的整體，因而明確地表現出小說的主題思想。這種組織安排的工作就是結構。

　　結構（plot），有些學者直接譯為「情節」，這很容易造成我們觀念上的混淆〔註1〕。事實上，"plot"在英文中無論作名詞或作動詞用，都有計畫、安排的意思。「情節」則應指一個一個的事件，結構意味著將這些事件依「因果

〔註1〕 "plot"早期翻譯成「佈局」，從字面上的意義來看，比較不容易弄混。中文的「結構」一詞除了指"plot"之外，還有可能指的是"structure"，如果是後者，就不只是情節結構而已，還可能包括宗教結構、思想結構……等，範圍更廣。本研究所用「結構」一詞，指的是前者，即"plot"，或稱「佈局」、或說是「情節的結構」、「情節的安排」。

關係」（causality）的需要排列〔註2〕，而不是純粹按照時間的順序。我國古典小說的結構通常是情節結構，結構基本上是用來組織情節的。因此，結構大於情節。

晚清由於西方翻譯小說大量引進，許多從事小說創作的作家或自覺、或不自覺地受到了西方小說寫作技巧的影響，使中國傳統小說「聯綴短篇」、無中心人物或事件作線索的結構逐漸解體。

胡適論晚清小說，認爲「都是學《儒林外史》」，「《儒林外史》沒有布局，全是一段一段的短篇小品連綴起來的；拆開來，每段自成一篇；鬥攏來，可長至無窮。這個體裁最容易學，又最方便。因此，這種一段一段沒有總結構的小說體就成了近代諷刺小說的普通法式」〔註3〕。然而，晚清小說中結構類似《儒林外史》的比例並不高，我們不能以偏蓋全。《黃繡球》的結構類型就不同於《儒林外史》，反而較接近《紅樓夢》的傳統〔註4〕。

不管是《儒林外史》或更早期的中國傳統小說，在結構上因爲較不具因果關係而顯得鬆散，情節只是因爲相近的關係而並列。因此，焦點不容易集中在中心人物的身上，而是將眾多人物和事件放在一複雜的環境中來處理。《紅樓夢》同樣是描寫一個複雜龐大的家族，但是它以賈寶玉的愛情婚姻故事爲主線，賈寶玉、林黛玉、薛寶釵三個人爲中心人物，向外延伸，與賈府中人物產生互動與衝突的關係。在這個基本架構上，作者企圖透過賈府的興衰，來展現出時代的面貌。

《黃繡球》以黃繡球、黃通理爲主要描寫對象，作者也企圖多方面地展現時代的影子，但不同於《紅樓夢》的，它以黃繡球從事女權運動這個事件爲貫穿全書的線索，經歷了黃繡球自我覺醒、勸化尼姑、倡辦女學、要求地方自治這一連串的事件，較集中地表現了黃繡球這麼一個敢做敢當的女英雄。情節之間的串連具有因果關係，且更接近西方小說以中心人物爲結構的技巧。

〔註2〕 李文彬譯，佛斯特（E. M. Forster）著，《小說面面觀》（Aspects of the Novel）。台北：志文出版社，民國75年（1986）再版。第五章「情節」，頁75。

〔註3〕 胡適，《五十年來中國之文學》。台北：遠流出版事業股份有限公司，1986年遠流2版。頁122、123。

〔註4〕 陳平原先生認爲：晚清的「新小說」家幾乎沒有創作出一部結構完整的長篇小說，這些小說家怎麼也跳不出《紅樓夢》、《儒林外史》的框架。見陳平原，《中國小說敘事模式的轉變》。台北：久大文化公司，1990年5月初版。第六章「傳統文體之滲入小說」，頁185。

　　通常長篇小說的結構可分成開頭、發展、變化、高潮、結局等五個段落來討論。在開頭部分，需介紹人物出場，以及交代故事的時空背景（setting），點明故事的基調。《黃繡球》一開始，以「自由村」作爲故事發展的空間背景。

> 話說亞細亞洲東半部溫帶之中，有一處地方，叫做自由村，那村中聚族而居，人口比別的村莊多上幾倍，卻推姓黃的族分最大。村前村後，分枝布葉，大都是黃氏子孫。合村之中，物產豐盈，田地廣闊。所出的人，不論男女，也都文文秀秀，因此享慣現成的福，極怕多事，一向與外村人不通往來。外村人羨慕他村上富饒，妒忌他村上安逸，曉得他一村人的脾氣，就漸漸想出法子來聯絡，又漸漸拿起手段來欺侮，弄得自由村全無一點自由樂趣。（第一回）

很顯然地，這是影射當時的中國社會。作者指出「自由村」名實不符，全無一點自由樂趣，這是一個不穩定因子，隱含著下文爭取自由之權的線索。透過這樣一個特定的環境，人物才能進行特定的活動，作者亦在當中寄寓故事的題旨。這種「以景物繪摹作爲小說的開端，迅速引導讀者進入小說世界，是晚清小說景物描寫的特點之一」[註5]，這種特點，可以說是學習了西方小說描繪景物的寫實技巧。

　　作者安排黃通理首先出場，因爲他是一個知識分子，而且遊歷過四方，知道外面的世界是個什麼樣子。以他這樣的背景來比較自由村與村外的情形，是合理的。他提出了心中的疑惑：「自家村上各種風物，無一不比外面強，卻無一能及外面光彩」（第一回），他認爲即使是「天數」，也應該用些人力來挽回。女主人公黃繡球先以一個模糊的影像出現，以「房屋壞了需要修理」這個事實，點醒了黃通理的迷惑，「我想要成個樣兒，索性一齊破壞了他，不是修飾修飾可以保得長住的」（第一回），點明了以下故事發展的基調。

　　黃繡球的影像由模糊到清晰，是由於她的覺醒，這也是故事的開進點。在本小說中，黃繡球是首先覺醒，首先突破舊習的人，她決心放足的行動，使平靜的自由村開始有了變化，使安於現狀的自由村民受到極大的衝擊，這是改革的第一步，從此故事的衝突逐漸增加。黃繡球所說的「我將來把個村子，做得同錦繡一般，叫那光彩激射出去，照到地球上，……日後地球上各

〔註5〕方正耀，《晚清小說研究》。上海：華東師範大學出版社，1991年第1版第1刷。「晚清小說的歷史評價」，頁347。

處的地方，都要來學我的錦繡花樣，我就把各式花樣給與他們，繡成一個全地球」（第二回），說明了故事的主題。

由「發展」到「高潮」，可歸爲故事的中段，在這一段落中，事件不斷增加，衝突也逐漸加強。

衝突的開始是黃繡球因放足引起村民的不安，謠言紛起，甚至被抓進官府。因爲這一事件，黃通理認識了衙門中很有勢力的書辦張開化。張開化當然也是一個因受教而覺醒的人物，但更重要的，在以後的故事發展中，他提供了官方的消息，建議黃通理與黃繡球改革的方向（辦學堂），可以說是官方與民間的溝通橋樑。在以後的改革行動中，官員的支持是一股快速而強大的力量。黃氏夫婦也因張開化而認識了畢強，一位留學歸國的女醫師，使得黃繡球的眼界更爲擴大，也使作者「中學爲體，西學爲用」的理念得到發展。

此後黃繡球感化尼姑，教她們說書勸學，實踐作者的抱負——社會上原本「無用」之人，也可以一同參與改革的運動。她也積極地聯絡志同道合者，使得女學逐漸有了規模。作者又安排了官府千金與女學生的衝突，因而聯絡上地方官施有功，藉由官府的力量，使地方上的教育更加普及，地方上的百姓一開始覺得是「奇聞」的，也因爲「聽慣」了，逐漸視爲常理。到此，作者建構的一個理想世界已然形成，小說似乎可以結束了，但是，這些事件的張力畢竟不夠，作者需要加強其衝突，以進入小說的高潮（climax）。

作者的烏托邦並不只限於區區自由村一地，否則就不符合黃繡球要「繡成一個全地球」的宏願。因此，作者安排黃繡球與張開化夫婦到鄰村，積極地把自己的理想投注到另一塊荒地上。然而在這個村落，由於風氣更加閉塞，使得黃繡球縱有滿腔熱情及豐富的經驗，卻毫無下手之處，作者只有再一次加強施有功的力量，安排了兩地地方官對調的情節，使施有功夫婦可以順理成章地到鄰村協助黃繡球的工作；另一方面，安排了一個旗籍的官員豬大腸暫代其缺，卻把自由村搞得天翻地覆，全然破壞黃氏夫婦好不容易成立的一個局面。

在最後的三回，作者很集中地寫豬大腸的迂腐顢頇，寫他怎麼樣想盡辦法搜索弄錢，怎麼樣破壞了自由村的學堂規模……，弄得整個自由村昏天黑地、雞犬不安。由於他激烈的做法，終於使得眾人義憤填膺，忍無可忍。黃通理夫婦便商量聯合有識之士，並同鄉京官，具了一張公呈，反復申辯，懇請豬大腸恢復舊有的規模，豬大腸絲毫不理會。黃通理又要入公署求見，豬

大腸就擺官威，想嚇退他們。即使後來因為黃禍的緣故，豬大腸約了黃通理面談，依舊是擺他的官架子，依舊是威脅恐嚇，結果雙方鬧得不歡而散。此時堂外已聚滿了群眾，喧喧嚷嚷地說要豬大腸出來問話，百姓與官府對立的情勢已愈升愈高，群眾甚至衝進衙門「把豬大腸拉出，翎枝折斷了大半根，朝珠也散了一地」（第二十九回）。人民闖下如此大禍，官與民的衝突已升到頂點，黃通理雖然暫時按捺住了黃繡球激烈的性子，解散了家塾及女學堂，但客觀的局勢已容不得他們退縮。第二天，黃通理同大家飛遞了公稟進省；第三天，在鄰村的張開化、復華、畢強等人也趕回來聲援；黃通理更決定自己一個人承當罪名，到省裡去，決心要把豬大腸攆走，寧死無悔。

官與民的對立情勢仍是高張的。省裡雖然派下了委員來查辦，但這位委員只是希望請黃通理帶幾個人到豬大腸衙門裡賠個不是，大事化小，小事化無，就把這件事情了結。但是眾怒已難就此平息，村中哄動的風潮已是日甚一日，官方飛稟請兵彈壓，地方上也不甘示弱，更加鬧得利害，甚至連鄰村的紳耆百姓都跑來自由村助陣。百姓第二次鬧堂，聲勢又更壯大，個個都抱了寧死不退的決心，民眾是愈聚愈多，如潮水一般地湧進了豬大腸的上房。此時「委員們不住的打恭作揖，上房裡的人也不住的大聲小哭，（民眾）到底抓著豬大腸，橫拖倒拽，分出一條路，抓了出來」（第三十回）。事情到了這個地步，官方也只有讓步，讓豬大腸帶印進省，另派好官，也答應讓民眾放手辦事。

這一場官民的衝突與對立，把整個小說帶入了高潮，節奏緊湊，有一種箭在弦上，不得不發的情勢。

豬大腸的離開，衝突已散弛，事件發展的方向也大致確定，小說因此邁入了結尾的階段。

黃通理因怕仍有風波，就把村民編成了義勇軍，黃繡球也把女學堂裡的女孩子編成了女軍，大家決定要同心爭那自由的權柄，讓自由村能夠獨立自治，才能真正地達到保家保國的目的。

本小說以夢境結束全書：

> 黃繡球疲倦極了，躺在床上出神細想，忽聽得耳朵裡鑼鼓喧天，像就在門前的樣子，心上想道：「莫非又出什麼會了？待我領著兩個孩子去看。」便覺那雙新放小腳撐了出去，一看並非出會，是對面搭臺唱戲，……又見臺上出了一位白衣旦腳……，頭一句說白好像是

「吾乃羅蘭夫人是也。」黃繡球……陡然驚醒。（第三十回）

作者利用這個夢境，再一次概括了黃繡球的一生。他把黃繡球的故事比做一臺戲，戲臺旁的對聯頗有寓意：「男豪女傑，上了這座大舞臺，都要有聲有色」、「古往今來，演出幾場活慘劇，無非可泣可歌」（第三十回）。因此，黃繡球說：

我黃繡球如今是已經上了舞臺，腳色又極其齊備，一定打一齣好戲，請羅蘭夫人看呢，將來好把羅蘭夫人給我的那本英雄傳上，附上一筆，叫二十世紀的女豪傑黃繡球在某年某日出現了。（第三十回）

這種以夢境或幻化之境結束全書的結局模式，在中國古典長篇小說當中是極常見的。如《水滸傳》七十回本的「梁山泊英雄驚惡夢」，或一百二十回本的「徽宗帝夢遊梁山泊」、《金瓶梅》第一百回「普靜師幻度孝哥兒」，以及後來的《官場現形記》第六十回，以甄閣學兄長病中所做的夢做故事的總結……等。嚴格地說，這種結尾方式很容易讓讀者產生一種虛幻的感覺，甚至對前面所讀到的一切產生懷疑，它直接地質疑了結構是否需要逼真的法則，否定了小說反映人生、反映社會的目的。

結構的法則首先是逼真。所謂逼真就是要合乎真實世界。小說情節不能脫離實際的生活，必須在日常情理中。不合事理真實的結構有兩種，一種是「超人」的行動，超越人的自然性或社會性。另一種不合事理的結構，是人物的行動與其性格相左，與其所處的具體環境相矛盾〔註6〕。我們審視《黃繡球》全篇結構，可以發覺除了上述結尾部分之外，還有一些事件，作者也違背了「逼真」的結構法則。

比較明顯的是黃繡球知識的突飛猛進，這一點在第三章第一節已經提到。作者很清楚地說明，黃繡球原只是「連三個大字都識不完」（第三回）的婦女，因為一場奇夢，「頓然腦識大開」（第三回），成為具備新思想、新知識的女子，作者說她是「真如經過仙佛點化似的，豁然貫通」（第三回）。我們很容易就明白，這種安排根本無法立足於真實世界，因為《黃繡球》不是一本神幻小說，讀者無法接受一個夢中的幻影突然介入真實世界，來改變真實人物的教育程度！這根本超越了人的自然性！然而，黃繡球是作者刻意創造的一個自覺要爭取女權的傳統婦女，以當時社會現象來看，這種傳統婦女幾

〔註6〕 馬振方，《小說藝術論稿》。北京：北京大學出版社，1991年第1版第1刷。第二章「小說的人物形態」，頁115～116。

乎是沒有受過任何教育的，更遑論去教育別人、感化別人了。作者創造了這樣的人物，卻又無力解決知識傳遞的問題，他只好借助神鬼的力量。其實，前面提到，中國古典小說結構不夠緊湊的原因，是因為不具因果關係，因此，情節發展到一個程度而無法繼續進行時，作者通常借用神力來解決。在中國古典小說中，我們常常看到這種人和鬼神世界不分的現象，即使偉大如《紅樓夢》，也無法避免這種情形。我們知道，中國小說一向著重在故事性，也就是情節的密度很大，但這種情節結構的主導性太強時，很容易「使人物的發展處處受到壓抑，不然就是在巨大的命運軌跡下，人物變得渺小卑微，使我們懷疑他的真實性」〔註7〕。這雖然是中國古典小說的常態，我們也不能諱言這是中國古典小說的一大缺點。

除此之外，結構必須配合主題、人物，而成為一個完整、統一、和諧的整體。《黃繡球》是以黃繡球從事婦女運動的故事為主線，因此其餘的人物必須直接或間接與黃繡球產生關係，能夠彼此呼應，情節的發展也不能離開主人翁。不過，我們發現，在《黃繡球》故事中，除了從事改革的主要結構之外，從第十七回「景福堂內四人聚談、陳鄉紳家二次做壽」起，作者又拉了一條線，描述陳膏芝一家人的奇聞怪事。在一部小說中存在著次要結構並不是絕對不好，但是，William Kenney 在《小說的分析》文中強調：「只要有次情節的存在，下述二事中之一必為真。一為次情節可能與主情節密切關聯，例如與主情節相似。……第二個可能性是，作品的統一原則並不存在於情節，而是其他因素中——例如主題」〔註8〕。陳膏芝的故事，作者主要在闡述吸鴉片煙害人誤己，還觸及了社會上、官場上利益輸送的問題，與主要結構並不相似。那麼，這個次要結構是否符合整個作品的統一原則呢？

我們知道，晚清社會是一個複雜多變的社會，小說之所以被提倡，正是因為它被用來作為一種反映時代、反映社會、鼓吹政治社會理想的工具，晚清小說家可能針對社會的某一現象來從事小說的創作，但絕大多數的作家並不放棄對整個社會、政治、思想、風氣的關注，他們企圖透過一部小說，盡量地蒐集、容納更多的社會現象，晚清四大譴責小說如此，《黃繡球》也是如

〔註7〕同註2。頁81～82。
〔註8〕陳迺臣譯，William Kenney 著，《小說的分析》（How To Analyze Fiction）。台北：成文出版社，民國66年（1977）初版。第一章「情節」，頁20。本章引用文字中，「主情節」、「次情節」的「情節」當指「結構」（plot）而言。

此。因此，我們再回過頭來看陳膏芝這個次要結構，如果我們以西方小說批評的觀點來看，這個結構並不符合任何一個次要結構存在的因素，它破壞了整個故事的統一性。但是，我們如果站在晚清社會的角度，就會發現，這不過是晚清小說的一般現象。而且，在古典小說中，次要結構的存在是很普遍的，這可能與中國歷史小說的傳統有關，因為歷史小說就是連綴一個一個的小事件，事件之間談不上因果的關聯，每一個小事件可以獨立成為一個單獨的故事。《黃繡球》的作者在處理陳膏芝這個人物時，不但交代了他個人的背景，事件的經過，最後還透過別人的口，交代了他的結局，他的故事幾乎是可以獨立於《黃繡球》故事結構之外的。這與歷史小說的傳統很相近。

由以上結構的分析，我們可以很明顯地看出，《黃繡球》雖然表現出某些學習西方小說結構的手法，但在許多方面，其實仍未擺脫古典小說的傳統模式。

第二節　章回形式與敘事觀點

一般討論中國古典小說的結構時，都會提到非情節因素的問題。古典小說是由講唱文學發展而來的，由口頭文學到書面文學的過程中，一些口述傳統並沒有因為作品書面化而消失，這些仍保留在古典小說中的口述傳統，就是小說中的非情節因素。

我國長篇白話小說用的都是章回體，章回體保存了說書人的習慣如回目、入話、旁白、收場詩詞等，這些也是小說的有機組成，是屬於非情節因素。

古典小說的章回體制，到了晚清逐漸有些鬆動﹝註9﹞，因為有些小說家接觸了西方翻譯小說，也嘗試運用一些西方小說的寫作技巧在自己的作品中。由於只是嘗試階段，這些晚清小說家也不願完全放棄中國小說的舊傳統。因此，我們只能說這一時期的章回體制受到了考驗，尚未到全面崩解的地步。

以下我們將分章回形式與敘事觀點兩方面來討論。

1. 章回形式

在《中國古典小說藝術欣賞》一書中，賈、徐兩位學者將古典小說的非

─────────────

﹝註9﹞事實上，古典小說中的口述傳統，在《儒林外史》中已消失，在《紅樓夢》中則仍保留一些。

情節因素分爲三部分，即：一、入話、楔子或序言，二、議論和旁白，三、結語〔註10〕。

　　第一部分的「入話」，指的是短篇話本小說中進入故事前的一段開場白，它可能是詩詞，也可能是與故事主題相關或相反的一段故事。到了章回小說中，「入話」發展成爲「楔子」。楔子的作用是「強化主題、概括或照應全書」〔註11〕。在《黃繡球》中，我們幾乎可以把第一回當作是「楔子」。在第一回中，作者介紹了故事的背景，並以房子傾倒的比喻，說明書中人物未來行動的思想基礎及其目標：

> 房子世世代代要住的，總得圖個結實堅固；倘然後邊一倒，保不住牽連正房也要搖動。就說正房無礙，到底坍了一邊，把一座整整齊齊的屋子變了破壞，成個什麼樣兒？
>
> 我想要成個樣兒，索性一齊破壞了他，不是修飾修飾可以保得長住的。（第一回）〔註12〕

作者雖以黃繡球出場說明房子將傾頹的事實，卻尚未予以正名，一直到第二回，作者才完整地介紹黃繡球的身世背景，以及其名爲「黃繡球」的寓意。因此，在第一回，主要人物等於尚未正式出場，作者還在爲主題及背景作鋪敘，算得上是「楔子」的作用。在《黃繡球》中，「楔子」已融入了故事的本文之中。

　　由於保留了相當多說書的傳統，章回小說雖然不再是以聲音爲媒介，但小說作者仍假想自己是對一群聽眾說故事，仍以一副說書人的口吻來講述以情節爲中心的故事，作者完全忽略聲音與文字表達的差距，因此，在小說文字當中，我們仍可發現「話說」、「且說」、「且聽下回分解」……這些與文字敘述不搭調的詞語。除此之外，作者還自由地穿梭在小說當中，或是對情節不清楚之處的補白，或是對當中的某一事件或人物發出議論，這些議論也有的是用詩詞韻語的形式來表達。對晚清小說家而言，存在於古典小說中的「議論」，剛好可以作爲他們評論時事，抒發他們政治理念的工具，因此，有不少

〔註10〕　賈文昭、徐召勛，《中國古典小說藝術欣賞》。台北：里仁書局，民國73年（1984）出版。「古典小說的結構」，頁29～32。

〔註11〕　同註10。頁30。

〔註12〕　前段引文，二我評爲：「此一段說話爲《黃繡球》全書發脈，即爲黃繡球一生立影」。後段引文之評爲：「此一語亦爲黃繡球立案」。

作家以「議論」爲其構思的中心，小說中夾雜著大篇幅的議論，使得這些原屬於小說中的非情節因素，反而成爲小說的重心，情節變得十分單薄。

Milena Dolezelova-Velingerova 指出，這些「敘事者的言論常常綴以價值判斷的形容詞，含蘊深意的修辭，洋洋大觀的闡釋和評論，以及直接對讀者說話和質問。這些方式中最爲突出的是敘事者的批評按語；敘事者打斷故事流暢的進度、插入對小說所描述的事件或社會現象的看法」〔註13〕。這種批評按語既已打斷了故事的連貫性，就成爲破壞作品藝術性的殺手。

不過，晚清小說中的這些議論，也有的在表達方式上採取了不同於以往古典小說中，統由「說書人」的口講述的方式。晚清小說家安排這些議論由故事中人物的言談（或是演說，或在人物對答之間）來發抒，意圖將這些議論合理地融入情節之中，成爲情節的一部分。

《黃繡球》當中，則是作者以說書人口吻批評的，或借人物之口議論的，兼而有之。當然，以說書人口吻在小說中評論人物及其行徑，在古典小說中是慣見的，是非好壞，我們不再重新評價，然而，在晚清小說中，這類的評論，往往牽涉太遠，到了離題的地步，這就成了小說中的毒瘤。這種情形，在《黃繡球》中並不多見，但有幾處，是明顯地離譜了。第十五回，作者在「造假信不害眞事業」與「出新法教作女先兒」，同一回中的兩段故事當中，交代了時間和背景的改變：

> 光陰迅速。黃通理家的房子業已修理完工，覺迷庵捐辦女學堂，也經新任官批准，而且新任官將書院改併學堂，以及清查寺產，開辦警察諸事，一切都有了眉目，迥與那舊任官不同。但是這地方上久已閉塞，人心風俗鄙陋不堪。一旦風氣初開，多還有頑固社會，百般阻撓，所以各事草創起來，不但全無精神，連形式也是雜亂無章。

從此文以下，作者大肆批評一些所謂「維新」人士的腐敗，在言論行爲上的猖狂，與保守人士的衝突，甚至數典忘祖、敗壞三綱、訴諸暴力等這些社會上的亂象。這一段三百多字的評論，「二我」替作者解釋是：「以下一段雖是插議，實亦籠罩下文」。把它解釋爲作品中的「伏筆」是不合理的，「伏筆」

〔註13〕謝碧霞譯，Milena Dolezelova-Velingerova 撰，「晚清小說中的敘事模式」。收在林明德編，《晚清小說研究》。台北：聯經出版事業公司，民國 77 年（1988）3 月初版，頁 552。

應是不露痕跡地潛藏在文字情節之中，而不是在不相關處，突然跳出來作「伏筆」，這反倒是「顯筆」了。

至於借人物之口來議論，在《黃繡球》中是普遍使用的。作者當然會安排黃繡球本人對一些女性問題提出見解，如：女性在家庭中的地位、女權低落的原因（第二十二回），以及女子在婚姻上的不平等、寡婦再嫁的主張（第二十三回）等。她與黃通理在故事中不斷地表達其思想、理念，以說明自己行動的方針，或說服他人信服自己的意念。除此之外，作者也不斷地用其他人物的口，來議論這些人物周圍可能遇到的人事。譬如畢強，因爲她往來的行程路過上海，因此她可看到上海一些新式學堂的情形，作者便讓她針對她親眼所見的學堂在經濟、規模、管理，以及教導出來的女學生等各方面，與教會辦的女學堂做一比較，並批評前者所教導出來的女學生，仍不改疏賴的本性，又沾染了中國名士派不修邊幅、落拓不羈的習氣，不注重衛生，弄出一副怪模樣來，完全失去了教育的本意（第十七回）。又如第三十回描述官民對立的緊張情勢之餘，作者借一人物的口，批判專制政府對人民的壓迫、指出國家當前的危難、鼓勵人民勇敢地站出來爭取自己的權利。這一千餘字的議論，正足以說明晚清小說以議論衝擊古典小說以情節爲結構中心的特點。

雖然，古典小說中「有詩爲證」的形式在《黃繡球》中已經消失了，但它的內涵仍存留其中。作者仍會現形於故事中解釋題旨，幫助讀者理解作品的思想內容、說明作品的結構、暗示作品的發展方向，提出道德評斷，甚至教育讀者、訓誨讀者……，只不過作者改用了大段議論的方式。除此之外，作者仍嫌夾雜在情節中的議論不能充份發揮其功能，又同時扮演了小說評論者的角色，以一局外人的觀點來說明、強調作者無法直接在作品中解釋的細節，這就是「二我」的評。

二我的評語與作者在情節中議論的功用是相似的，但二我「局外人」的身份還多了一樣好處，就是引證事實，幫助作者強調引述事件的可信性。「晚清作家喜歡借小說評語告訴讀者哪些故事或者哪些報告是『實而有徵』」、「直錄實事不但不會降低作家的藝術聲譽，反而因其『言之有據』而提高小說的價值」〔註 14〕。因爲晚清小說家寫作的目的，不單是爲了娛樂大眾，而是希望能夠透過虛構的故事，集中反映出時代的影子，刻劃歷史的足跡。第十六

〔註14〕陳平原，《中國小說敘事模式的轉變》。台北：久大文化公司，1990 年 5 月初版。第七章「史傳傳統與詩騷傳統」，頁 230、231。

回，作者藉黃通理的口提到有一類人，「愛皮西提（ABCD）二十六個字母不曾拼會，只學了廣東、香港、上海洋涇濱的幾句外國話，就眼睛突出到額角上，說精通洋文洋話，能夠講究新學了」，二我便補充：「不是說得過分，在下實親見此等人不少」。第十一回，黃通理提到某些官辦學堂的可笑局面，而且「那捐班的又只當學堂受他管轄，把教習看作屬員，把學生看作僕隸」，二我便指出：「卻有多少甘認屬員之教習，甘充僕隸之學生，可歎也。此事近已見日報者。」更將上述評語的特點表現無遺。

在結語部分，古典小說通常用的是收場詩詞，它可以概括全文，歸納主題，表現作者的思想，或者是作者對整個事件的總評。這一特點，《黃繡球》仍然保存了。它的收場詩是：「惟有英雄造時勢，直教巾幗愧鬚眉」，符合了《黃繡球》反應婦女問題，造二十世紀女豪傑的主題。

2. 敘事觀點

形式決定了敘事的觀點。由上述的討論，《黃繡球》並沒有擺脫古典小說中說書人的包袱，作者仍採用說書人的腔調來寫作這本小說。因此，他用的是全知的觀點。

全知敘述的技巧是最自然的方式。好比創造萬物的上帝，祂與萬物保持親密的關係，而且知悉萬物一切心理動態，作者也以全知的角度創造小說中的人物，而且洞悉人物的心理，對人物的行為瞭若指掌。全知的觀點，在創造眾多人物時，更顯其技巧上的優越性。這種敘述技巧對作者是沒有什麼限制性的，作者雖然不是一個行動角色，但他不斷地出現在故事當中，表達他的判斷和意見，叫讀者無法忽略他的存在，作者同時擔任了敘述者和詮釋者的角色。不過，全知敘述有它一定的缺點，若作者不能完全掌握這種敘述方式，很可能會因為作者的主觀意念太強，而使得筆下的人物顯得呆板、概念化；又因為不具限制性，作者在小說中的角度可以隨時變換，他可以以作者的身份鳥瞰全局，也可以與小說中的某一人物取同一角度觀看，或者取另一人物的角度觀看。一方面給予作者在描寫上很大的彈性和自由，另一方面也可能造成敘述的凌亂和結構的鬆散。

《黃繡球》在整體而言，是採用全知觀點的敘述方式。前文曾提到，本書作者仍以說書人的口吻來寫作此書，因此我們可以在字裡行間看到作者擬想與讀者對話的情形。第二回末，作者寫黃繡球得了病，渾身發熱，昏昏沈沈的不醒人事，作者便跳出來說：「好奇呀！此病從何而來？看官胡亂的猜上

一猜，猜不著的，等做書的下回再說」。又如第十二回一開始，作者便寫：「話說上回書講到黃禍所說的話，怎樣辦法，在此回交代。看官，要知那辦法已在所說之中，自可不必急急」，作者像是對著一群觀眾演說一段故事，這些話是用來安撫觀眾情緒的。在這裡，作者還是採全知的觀點來說的。但是在某些地方作者與讀者的對話，作者又試圖以限制的觀點〔註15〕來表達。第一回，黃繡球急急關了房門是想要放腳，她的大兒子卻以為她是和黃通理嘔氣，在門外喊叫了起來，作者便說：「畢竟他兩口子不嘗鬥嘴，那裡有什麼氣鬥？卻是房門關得蹊蹺，做書的人也不覺替他小孩子著急，待我慢慢的弄個明白，下回交代。看官不要一同著急罷了」。以及第十二回，黃繡球要黃通理依她兩件事，作者又說：「黃繡球當時卻不說出，做書的寫不下去⋯⋯」，作者刻意隱藏自己全知的權利，企圖與讀者站在同等的地位，等待故事的發展。

最特別的一點，是作者假意被小說中人物愚弄，而致無法對讀者交代的情形。前面所舉第十二回的例子，黃繡球要黃通理依她兩件事，卻不直接說出，故事在此打住，造成一小小的懸疑，作者賣了個關子，要讀者「且聽下回分解」，然而到了第十三回，作者卻又說：「誰知是一句隨口支吾的話，莫說兩件事，連一件事都沒有。當時做書的被他誑住，如今看官們也只算受了做書的一個誑，一笑而已」，交代過了，就轉而敘述其他事件。就作者的說法，是黃繡球騙了作者，作者照本宣科，故而讀者也上了黃繡球的當。這其實是作品結構上一個極大的漏洞，作者無法對前面的敘述作完整的交代，卻用了這種馬虎的方式，造成讀者與小說人物之間對立的緊張關係。到了第十四回中間，黃繡球才向黃通理說明這兩件事：

> 我說依我兩件事，一件就是要多養兩個尼姑，在家裡吃飯；一件就是要用著他們的處。現在兩件已有一件做到了，還有一件，你且看著。（第十四回）

此時作者也急於向讀者解釋到底怎麼回事：

> 看官，若問這句話是黃繡球事後現成的話呢，還是起先就有這話的意思，做書的假說他支吾說誰，如今補出來的呢？也不必深求。
> （第十四回）

作者向讀者提出兩種可能：一是作者起先真的不知道黃繡球的打算，一是作

〔註15〕限制敘述的觀點，是限制敘述者只能擔任陳述故事的任務，不提供主觀的態度或價值判斷。

者事先知道，但是他幫黃繡球向讀者賣關子。不論是黃繡球一人所為，或是她與作者聯合，讀者才是真正被愚弄的對象。

小說人物可以說謊，但黃繡球從未否定她的話，她只是暫時「不說」，是作者否定了他自己。

其實，作者應該是有意在第十二回的結尾造成一個懸疑，暗示黃繡球將在這兩個尼姑身上有一番作為。但是作者被限制在章回體回末的慣用語「欲知後事如何，且聽下回分解」之中，不能自由地安排解開懸疑的時機，作者沒有勇氣突破形式上的限制，又不願也不能在下回故事的開始就解開懸疑，因此造成了這個尷尬的局面，儘管作者自圓其說，但是當他對讀者提出「不必深求」的要求，就顯示了作者本身無力解決問題的矛盾。這對讀者而言，乃是一種藐視。

晚清時書籍與報刊已是大量印行，作家的創作不必再被隱藏，而能直接且迅速地呈現在讀者面前，然而一般的晚清小說家（包括《黃繡球》的作者頤瑣）並未意識到文學已書面化，以及它帶給小說在敘述方式上有更寬廣的空間，他們仍將自己的作品侷限在說書人的外衣之下，讓這些傳統的外在形式，割斷了作品的思想內容與結構的完整性。在敘述觀點上，頤瑣雖然嘗試著同時運用全知與限制敘述的觀點，但畢竟不是很成功的。

第三節　其他寫作技巧

小說中寫作技巧的運用，通常是為了加強人物性格的描寫，或是用來表現主題。對話和心理描寫技巧，在古典小說中雖然有，畢竟用得不多，大量運用對話和心理描寫來摹寫人物，是受到西方小說的影響，可說是晚清小說的特徵。至於對比和譬喻，是屬於修辭上的技巧，在古典小說中本來就很普遍。對比往往造成反諷（irony）的效果〔註16〕，對於表現晚清小說中普遍存在的諷刺性，是一種很好的方式。譬喻運用在晚清小說中，則使得作者能淺顯地解釋一些新事物或新理念，使晚清小說的宣傳作用更突出。從這些寫作技巧的運用，我們看見頤瑣已經從古典小說的傳統中向外跨了一步，使他在塑造人物的技巧上更富於變化，在小說中能夠很清楚地向讀者傳達他的改革思想與主張。以下我們將一一討論。

〔註16〕姚一葦，《藝術的奧祕》。台北：台灣開明書店，民國68年（1979）11月第8版。第七章「論對比」，頁199。

1. 對話

　　小說中的語言，可分爲敘述人的語言及人物的語言兩種，敘述人的語言是直接的描述，包括了場景的描寫及夾在文字中的議論等；人物的語言包括對話及獨白，對話間接地刻劃了人物，以人物口中的言語，生動地展露出人物的性格。對話的運用，是表現人物的方法之一，它可以迅速而有效地顯露出人物的風貌。就寫作技巧而言，對話有一些原則是作者必須掌握的。

　　對話展現了人物的風貌，但是，對話也必須符合人物的性格及身份。什麼樣的人說什麼樣的話，一個急躁的人，言語中可能少有修飾，而且較不會長篇大論，滔滔不絕；對話也表現出人物的教育程度，一個教育程度低的人，在他言談中可能有較多的俚語，他的辭彙較不豐富，是比較粗鄙的；對話顯示人物年齡，孩童的口中不可能出現艱深的字眼；「口語化是對作品人物語言的起碼要求」〔註17〕。如果作品中出現了與人物背景、身份、性格歧異的言談，即暴露了作者對眞實人生的觀察不夠深刻，小說人物因爲這些矛盾與不統一，而變得不眞實，作者所創造的人物、結構，以及所欲展現的主題思想，便失去了說服力。

　　頤瑣頗能運用對話將黃繡球急進憤激的性情、快人快語的模樣刻劃得入木三分。第九回描寫黃繡球聽到黃通理與張開化談論僧道寺產問題時，「插嘴說道：『要這些和尚道士何用？還不一齊驅逐了了，勒令還俗，……爲什麼仍要……養這些無恥游民？』」她認爲和尚道士不事生產，無所事事，如同游民一般，又仰賴別人的供應，浪費社會資源，更是無恥。另外，作者也利用對話刻劃出黃繡球的智慧：

> 你旣奉法行法，我也犯法知法，何敢多言。但方纔你說的那位黃禍，
> 正是我家族人，我向來最敬重他。前日我當家的還對我講，曉得他
> 同你處相識，可惜他出門未回，若是回來，早就託他到你處多多孝
> 敬，……（第五回）

這一段話，是黃繡球對看守她的官媒婆說的。她不但接續媒婆先前自以爲奉公守法的話，對其奉承一番，又刻意降低自己的姿態，讓媒婆自覺高高在上，繼而抬高黃禍的家族聲望，使媒婆與有榮焉，再進一步暗示媒婆在黃禍眼中是相當重要的，因此黃氏夫婦也聽說黃禍與媒婆相熟，最後解釋最重要的一

〔註17〕同註6。第五章「小說的語言藝術」，頁178。

點：為何沒有「多多孝敬」？乃是因為黃禍不在家鄉，不便拉攏關係。幾句話，把媒婆捧上了天，又把沒有多孝敬的責任推在黃禍身上，表現出黃繡球善於心理戰術和在言語上的機智。

這位官媒婆，也有一番精彩的對話。當黃繡球向她打聽自己的事時，她火氣就大了：

> 我成日不出我的門，各管各事，就有些風聲，好說給你聽的嗎？吃飽了飯都來替你們放風聲、傳消息，我當官媒婆的還要犯個偌大罪名，坐起女牢來呢！你只管聽我吩咐，快走到小屋子裡去，好好的給你銬了，總銬不死的。誰又叫你女扮男裝，做出妖異之事？那張先生糊糊塗塗替你擔代，今日若不是黃禍講起，我還只道是件不關緊要的案情。如今只怕張先生也吃消不起，你那黃銅泥不黃銅泥的，還想置身事外嗎？（第五回）

這段話把媒婆的不耐煩、滿腹牢騷、刻薄、盛氣凌人……活活地刻劃出來了。

其他如曹新姑滿心以為黃繡球是個大施主，脫口而出「阿彌陀佛！阿彌陀佛！你這有福有壽的奶奶……」（第十二回），以及當丫鬟的櫻兒問：「這學堂幾時開工？」（第二十一回），不說「開學」而說「開工」，都能符合人物的身份及知識程度。

除了協助刻劃人物性格之外，對話提供讀者一些重要的資料或消息。在《黃繡球》中，作者往往利用人物的對話，來介紹某個特定人物。例如第五回，作者藉黃通理向茶博士打聽前面出現的張先生時，在兩人交談之中透露出張先生原來叫張開化，在刑房裡辦公，「向來沒有什麼公事，總須下午五六點鐘纔進房科」，他「吃長旱煙袋，帶老花眼鏡，年紀約莫不上五十歲光景」，「他家住在東面後街上」。這些張開化的基本資料，作者可以直接用敘述的語言來介紹，但作者選擇用瑣屑的對話來表現，一方面可藉此表現先前黃通理心中的憂急，不曾細問對方來歷，一方面可藉茶博士的口，顯示張開化在地方上的聲望和親和力。比起直接敘述，對話所傳遞的訊息更多、更複雜，而且更生動。

作者也用較簡短的對話來介紹人物。第五回，透過張先生家人的口介紹畢太太：「他姓畢，單名一個強字，外號叫做去柔，也是我們江南人氏，年紀不過三十多、不上四十。卻是一雙大腳，像廣東婆娘，走起路來直挺挺的，兩步跨作一步，倒著實爽快」。第二十六回，由見過施有功的黃通理向其他人介紹他：「他姓施，官名叫有功，是江蘇籍貫，捐班出身。捐班裡有這樣人才，

可想不到的」。畢強和施有功都是本書中的次要人物，作者只給他們臉譜化的
形象，但透過人物語言來表達，就多了一層口述者對他們的觀察，是比作者
直接敘述更有說服力的。

　　作者還利用對話使次結構具完整性。第二十六回，黃繡球向施太太提及
先前陳老太太（陳膏芝之母）對女學堂的貢獻，間接轉到次結構線上，又因
為施太太官夫人的身份，才能說出陳膏芝一家人最後的結局：「聞得陳膏芝家
自從他老太太故後，先被賊偷，後被拐騙，好端端一個人家，已拖得乾乾淨
淨。至今他那竊案移到上海縣去，沒有了結，他夫婦二人也病死在上海了。
剩得一個兒子，不知去向」，使次結構不致於無疾而終。

　　對話也顯示了人物的情緒。第四回，作者描述地方官審教案的情形，不
但暴露出黑暗腐敗的官場，那地方官的一番說辭，也展現了一般官吏在面對
教案時的複雜心情：

> 你們這種可惡，可曉得教堂裡的神甫老爺們在地方上，皇上家叫督
> 撫大人保護，督撫大人們責成我地方官保護，你們做百姓的，要怎
> 樣客禮相待，纔算安分。本官到任以來，就幾次三番的傳諭董事，
> 出過告示，有一點點小事情，本官就派差彈壓，生怕你們百姓吃虧，
> 也算在你們百姓身上盡心的了，你們動不動同那教民尋仇。無非是
> 為了一只雞、一只狗的事。……鬧事之後，一哄而散，叫神甫老爺
> 全把過處推在本官身上，說是失於防範，不善調和。一封信告訴了
> 上司，上司一道札子就吃住本官，要記過撤任，末了參了官，還要
> 賠錢，身家都害在你們手裡，可恨不可恨？（第四回）

這是地方官在盛怒之下所說的話。他是奉皇上的命令必須保護這些神父們
的，他要保住官位，就不得不多讓神父們幾分，偏偏百姓們不知好歹，常常
為了一點小事就和教民發生衝突，鬧事之後，一哄而散，反叫地方官背了全
部的責任。雖然他口口聲聲說派兵鎮壓是為百姓盡力，但實際上他是怕被記
過撤任，怕被參官賠錢，怕身家都栽在這群「無知」、「忘恩負義」的百姓手
裡。這絮絮叨叨的一番話，表露出地方官對神父的特權、對愛鬧事百姓兩方
面的憤懣，還有為自己深受無妄之災的委屈發出不平之鳴。

　　最後，對話還可推進情節。在第二十五回末，黃通理與施有功初次晤談，
從對話當中，施有功的誠懇和用心，一次又一次打動黃通理的心，使得黃通
理願意全然相信他。在施有功提到要妻子也聽聽學問、開發點知識時，暗示

了下文施太太的作用；他再請黃通理推薦經理學堂的人才，顯示他瞭解辦學堂不是靠情面、靠聲望，而是要有專門的人才。這些點讓我們看出，他是用心瞭解學務，而且願意以身作則，讓家人都受教育的。這番對話促成了他與黃通理的合作，推進了以下情節的發展。

小說人物的語言可以根據實際需要，讓人物滔滔不絕、喋喋不休地一口氣說完（特別在中、長篇小說中），因為這在實際生活中是有可能的。但是，前面也提到，晚清小說中常借人物的口作長篇的議論，讀者在讀長篇議論時，很容易就忘記了人物的存在，忽略了人物的心理及場景，這使得結構鬆懈，呈現短暫的停頓，是病態的。在《黃繡球》中也有一些地方犯了這種毛病。不過比起一些幾乎用對話（長篇議論）來敘事、表現主題的晚清小說，《黃繡球》的作者對於對話靈活、自由的特性，以及在藝術手法上的功能，是掌握得比較好的。

2. 心理描寫

受到翻譯小說的影響，晚清小說中對於人物心理的描寫有大量增加的趨勢。心理描寫也是刻劃人物的方法之一，它是以人物的角度去看其他人物或事件，因此它是限制觀點的，通常以第一人稱的方式進行。《黃繡球》中作者讓人物有自我思考的地方相當的多，這些心理的描寫更容易看出人物面對現實時，內心的矛盾和衝擊。

試舉黃繡球的例子。黃繡球剛剛放腳時，情緒仍處於高亢的階段，想到外頭走一走，剛好聽說外頭有廟會，她就想帶著兒子一起去看看，卻沒想到被黃通理責罵了一頓，認為那些是迷信鬼神、傷風敗俗的事。因此引起了黃繡球自我的省思：

> （黃繡球）想道：腳是放掉了，究竟放掉了腳之後做點什麼事情，自己也沒有捉摸。一來雖是粗粗的識幾個字，總是不曾讀書；二來實實在在自從進了黃家大門，守著婦女不出閨門之訓，一步不敢胡行亂走，大門外東西南北的方向還辨不清楚。起先原想借看會，到外面遊覽一周，拼著兩天功夫，到底看看我們村上是那樣風景，有多少山，有多少水，有多少田畝，大略有多少人家，望那一條路去通著那裡，見那一邊要道接著這邊，再問問一年四季出的是那些物產。轉念一想：出得門去，一個人不認識，認識的又無從講到這些，

並且自己不會寫字，就耳有所聞，目有所見，也記不清許多；兩個
孩子又小，不能幫忙。難道出去兩天，當真去白白的看會，惹人笑
話？再說這事也不是兩天弄得清的。這般那般，嘴裡不說，心裡是
翻來覆去……。（第三回）

這段心理描寫，把一個面對新舊交際的婦女心態寫得相當生動。雖然興高采
烈地放掉了腳，可是下一步呢？她急切地想要去見見世面，畢竟她被舊傳統
束縛太久了。她想像著外面的世界，計畫著想看的東西，充滿著期待和興奮，
然而，「轉念一想」，她開始考慮現實的因素，考慮她本身的限制，對外界可
能產生的反應也開始感到憂慮和不安。剛放出鳥籠的鳥是很容易迷失方向
的，也很可能因為不適應外面的世界，而凍死、餓死，而且黃繡球的個性是
急躁的，有時候思慮比較不周到，因此黃通理的責備，給了她很好的反思機
會，讓她在理想世界與現實社會當中，去思考一個平衡點。

3. 對比

　　對比的運用在中國古典小說中是相當普遍的，包括人物的對比、事件的
對比、情境的對比……等。對比可以造成諷刺的效果，使作品生動活潑。

　　在《黃繡球》中，人物的對比很多。如前一章提過的施有功與豬大腸的
對比，他們對自由村的貢獻和破壞，在本書中是相當強烈的對比。另外，還
有黃禍，他的兒子名叫「黃福」，禍福相對，在這當中作者寓有下一代子孫可
以因禍得福的期望。黃福在黃通理的家塾學成之後，因為表現優異被選到中
學堂繼續學習，同時也在學堂中幫忙，與他父親黃禍事事鑽營，處處破壞相
比，簡直是天壤之別。

　　黃通理的兩個兒子黃鐘和黃權也形成了對比。大兒子黃鐘生得「乖角文
弱」，小兒子黃權生得「英銳剛強」。他們的個性截然不同，黃權好學不倦，
有主見，懂得思考；黃鐘則「沒有悟心，知識平平」（第十一回）。作者描寫
黃通理夫婦在書房裡討論王安石變法的利弊，一直談到深夜，才猛然發現在
一旁的兩個兒子，「大的是已經伏在桌上打盹；小的卻坐著不動的靜聽」（第
九回）。作者透過行為的對比，更突顯出這兩兄弟在性格上的差異。

　　除了有塑造人物的作用之外，對比的技巧用在事件上，可以形成諷刺的
效果。

　　作者描寫陳膏芝喪母之時，對他的心情沒有任何的描述，只說是「一刻

離不得鴉片煙，就叫在靈柩後面另設一張煙榻，從房裡搬出枕褥煙具來」（第二十回），看起來他並沒有特別悲傷，生活也沒有什麼改變，只不過煙榻換了個地方而已。可是，在吵吵嚷嚷中，突然有人喊說房裡遭了小偷，「一支頂貴重的煙槍也不見了」（第二十回），作者才寫陳膏芝的反應：「陳膏芝夫婦此番死了他老娘，並沒有什麼聲息；此刻卻喊得急，急得喊，夫婦兩口子跳腳舞手，就比做孝子送入殮時，那哀號擗踴，椎胸撞頭的情形，格外眞切」（第二十回）。表面上，家中有喪事，又是喪母，理應是「哀號擗踴，椎胸撞頭」地哀痛，陳氏夫婦也有這般舉動，卻不是爲喪母，而是爲喪失了東西，喪失了煙具。事實和表象形成了對比，對人物、對事件都造成了極大的諷刺。

4. 譬喻

在中國古典小說中，譬喻的用法通常是表現在人物的名字上，以此來顯示人物的特徵，這當然是比較粗淺的。在晚清小說中，對人物名字賦予特別意義的譬喻是相當普遍的。《黃繡球》中的幾個人物名字所代表的意義，是顯而易見的：「黃通理」代表他通情達理；「黃繡球」立志做大事業，要把整個地球繡得像錦繡一般；黃氏夫婦的大兒子黃鐘，因爲他「沒有悟心，知識平平」，「同那鐘一樣，要時常敲著些，警覺他」（第十一回）。至於黃禍與豬大腸，更是一眼看出他們在故事中所扮演的角色了。「豬大腸」還好，它只是人物的綽號，作者明顯地表露出他對這個人物的嫌惡，說他「裝的一腸子豬屎，又腥又臭」（第二十八回），在作品中並不給他一個正式的名字，而直呼其綽號；也就是說，「豬大腸」這個綽號是作者直接給他的，而不是透過小說中其他人物替他取的，在此作者省略掉一些情節，其合理性稍嫌勉強。但「黃禍」一名就明顯有違常理了。以中國人命名的習慣而言，不太可能有人直接爲其子命名爲「禍」的，雖然作者的解釋是黃禍他「惟利是圖，無惡不作」，「凡事一到他手，無不闖禍遭殃，所以他的老子代改他題一個禍字爲名」（第五回）。如此說來，這應該也是一個綽號，但是書中黃禍的表現，是他頗接受這個名字，而且在正式的拜帖上，也題「黃禍」一名。這樣的譬喻反而失去了眞實感。

其他幾個人物的名字，作者亦賦予其明顯的意義，代表著人物的性格或其特徵，使讀者可以一眼望穿此一人物所代表的特殊意義。（表一）

此外，作者在故事中很喜歡用日常生活中具體的事物，來比喻較深入的

思想或道理。譬如一開始，黃繡球提起修房子的事，觸動了黃通理對時局的看法，他認爲自由村上風土人情頹敗不堪，「竟像我家房屋要倒的光景」（第一回），而且房子倒了一邊，保不住正房也要牽連搖動，以此來看時局，「豈不是村上的風俗壞了一件，也牽連十件百件……一而十，十而百，那就一齊敗壞，不可收拾」（第一回）。而這「修房子」的事就不斷在故事之中被提起，黃通理沒忘記修房子改建成學堂的事，更沒忘記修房子的比喻：「我前頭只把自由村比做破房子，好容易房子拆造得簇嶄新鮮……」（第三十回），與第一回相呼應。

第十回中，作者藉畢強的口，以「頑痰」來比喻未開化的危機：「內地未曾開通，其弊猶如頑痰一般，結成痞塊，橫在喉嚨裡，或是頂在胸口，久之飲食難進，氣脈不舒，不把那痰化開來，一霎時痰涎湧塞，死了還無人得知……」，因爲畢強是醫師，說這個比喻就很自然，而且符合她的身份。此外，以含電質之物比喻黃繡球潛伏的男女平等思想：「他這思想，譬如一件東西，含有電質在內……碰著了引電之物，將那電氣一觸，不由的便有電光閃出，……其勢猛不可遏……」（第二回）。又以裁衣、建屋來比喻「中體西用」的精神（第七回），以未婚、已婚女子的打扮不同來說明凡事要順著時勢而行（第九回），以種田來比喻學堂教育（第二十六回）……等。這些用的都是「明喻」的方法，使得作者所要表達的理念，非常淺顯易懂。這些新鮮的比喻，很有作者獨特的風格，另一方面，也使作者的思想，易於向當時的讀者傳播。

晚清小說處於古典小說與五四小說之間，它的地位是尷尬的，它是一個過渡時期的文學，呈現了過渡時期的風貌。晚清小說家除了在作品中探索理想的政治和理想的社會之外，他們也在作品外圍的寫作技巧上，探尋理想的形式。《黃繡球》在結構、形式、觀點、對話……技巧上，都深受傳統小說的影響，作者也不願輕易放棄舊有的模式，但是他所要表達的思想究竟與舊有固定的模式有些格格不入，我們看到作者在一些方面，嘗試跨出一小步，卻又立即退縮，在嘗試的過程中，作者是猶豫的、不安的，在此心態下，他嘗試的結果不是很成功的，甚至造成了一些不必要的矛盾，影響了小說的藝術成就。

表一：

人　名	喻　　意
黃繡球	「繡成一全地球」，以女子熟悉的織繡比喻一立志做大事的女性
黃通理	是一通情達理之人
黃鐘	「同那鐘一樣，要時常敲著些，警覺他」，個性是消極而被動的
黃權	有講求民權之意，個性是積極而主動的
黃禍	「惟利是圖，無惡不作」，「凡事一到他手，無不闖禍遭殃」
黃福	黃禍之子，是可造之才，暗喻「禍者福所倚」，寄託未來在子孫身上
張開化	「性情瞭亮容易打夥」，受到黃通理夫婦的點化而開通了文明知識
畢強（去柔）	暗喻「女中扁鵲」，也有去其女子柔弱之意
豬大腸	「裝得一腸子豬屎，又臊又臭」，是迂腐不堪的滿清官吏
復華	復興中華民族
王老娘	老婦
曹新姑	仍可有為的新女性
施有功	在地方上施政有功蹟
徐進明	漸進文明（以下六人，皆為黃繡球興女學的幫手
文毓賢	以文明養賢才
吳淑英、吳淑美	學習英美國家的長處
胡進歐	跟進歐洲文明
李振中	振興中國

結　語

　　「欲新一國之民，不可不先新一國之小說。故欲新道德，必新小說；欲新宗教，必新小說；欲新政治，必新小說；欲新風俗，必新小說；欲新學藝，必新小說；乃至欲新人心、欲新人格，必新小說。何以故？小說有不可思議之力支配人道故」〔註1〕，從這樣的理念出發，晚清的知識份子透過小說表現了他們憂國憂民的情懷，他們以小說來呈現國家社會的各種面貌，在小說中為道德、宗教、政治、風俗……探索一條新的出路，在晚清動盪不安的局勢中，熱切地想要實踐他們救國救民的願望。

　　《黃繡球》表現了晚清知識份子對婦女問題的重視。作者頤瑣站在一個全知的觀點上，不但反映了當時婦女運動的部分實況，也試圖在書中建築一個烏托邦──男女平等、民權發達、社會文明的新世界。

　　《黃繡球》在婦女小說史上，並不是居於開創性的地位，最早將婦女問題反映在小說中的，當推李汝珍的《鏡花緣》〔註2〕。這本書在《黃繡球》中也被提及。李汝珍提出的女權主張是反對雙重道德標準、纏足、塗脂抹粉、算命合婚、以及提倡女子教育〔註3〕。雖然不能確定地指出《鏡花緣》對晚清婦女運動的影響有多深，但是李汝珍是以一個自覺男女不不等、同情婦女

〔註1〕 梁啟超，《論小說與群治之關係》。原載於《新小說》第一號，1902 年。收在陳平原、夏曉虹編，《二十世紀中國小說理論資料》第一卷（1897～1916）。北京：北京大學出版社，1989 年 3 月第 1 版第 1 刷，頁 33。

〔註2〕 胡適，《胡適文存》第二集。台北：遠東圖書公司，民國 42 年（1953）11 月初版。卷二「鏡花緣的引論」，頁 413。

〔註3〕 鮑家麟，《李汝珍的男女平等思想》。收在鮑家麟編，《中國婦女史論集》。台北：牧童出版社，民國 68 年（1979）10 月初版，頁 221～222。

不幸生活的立場來寫這本書的，並非受到西方女權思想的啟發〔註4〕。這本書流傳得很廣，晚清的知識份子可能受到一些影響。1903年出版，署名「愛自由者金一」著的《女界鐘》，是一本積極倡導女權的書，作者也列舉了四種中國女子的絕大障害：纏足、裝飾、迷信、拘束〔註5〕，這與李汝珍的女權主張相當接近。當然，晚清小說中的男女平等思想，主要還是受到西方思潮的啟迪，至少在反纏足運動上，林樂知（Young John Allen, 1836～1907）所著《全球五大洲女俗通考》（Women in All Lands）〔註6〕，給予當時社會很大的影響，因為書中指出婦女纏足為中國特有的一種野蠻風俗〔註7〕，這對晚清知識份子而言，無疑是當頭棒喝。為了擺脫這種「野蠻」行為對國家形象的損害，革除這種落後不文明的風氣，知識份子開始熱心從事於反纏足運動。《黃繡球》一書也指出，放足運動，是「女子們開風氣的第一著」（第二回）。

　　《黃繡球》寫作於中國婦女運動的初期，雖然在藝術成就上不高，但卻反映出婦女運動處於新舊潮流中，一股混亂、不安定的現象，作者在理論上對婦女運動表示支持和鼓勵，一旦落在實際行動上，卻又有所懷疑；對於未受教育的傳統婦女如何一躍而為婦女運動的領導者，作者也無法以實際的情況來考量，雖然反對迷信，又不得不以迷信的方式來解決上述的問題。我們看到的是作者處於新舊潮流中，本身價值觀的搖擺，對於女子參政、就業……等方面，也只能提出一個模糊的概念，這些都要等到民國以後、五四時期，一些關懷女性問題的小說中，才有更多深入的探討。但是我們必須肯定《黃繡球》在當時肩負啟蒙婦女思想，引導婦女走出狹隘生活空間的具體貢獻，它為後世婦女小說的主題——反映時代婦女生活、提倡男女平等思想，提供

〔註4〕　《鏡花緣》成書後約二十年，英國的傳教士始在寧波開辦第一所女子學堂（1884年）。所以李汝珍的思想，應該是來自於本身對社會現象的深刻的觀察和理解。見賴芳伶，《晚清女權小說的淵源及其影響》。國立中興大學文史學報，第19期，民國78年（1989）3月，頁57。

〔註5〕　陳東原，《中國婦女生活史》。台北：台灣商務印書館，民國54年（1965）11月台1版。第九章「維新時代的婦女生活」，頁329～341。

〔註6〕　本書共21冊，於1903年開始陸續出版。廣學會成立四十周年時（1927），統計其最暢銷的書籍，此書高居第二位。引自魏外揚，《宣教事業與近代中國》。台北：宇宙光出版社，1981年7月再版。第二輯「創辦萬國公報的宣教士——林樂知」，頁98。

〔註7〕　楊世驥，《文苑談往》。台北：華世出版社，民國67年（1978）2月台1版。「英美三教士」，頁9。

了一個方向。以這個角度來說，作爲晚清婦女小說的代表作，《黃繡球》在社
會、歷史、以及文學上，都具有承先啓後的意義。

參考書籍及論文目錄

壹、工具書

1. 王繼權主編，《中國歷代小說辭典第四卷——近代》。昆明：雲南人民出版社，1993 年 3 月第 1 版第 1 刷。

2. 江蘇省社會科學院明清小說研究中心文學研究所編，《中國通俗小說總目提要》。北京：中國文聯出版公司。1991 年 9 月天津第 1 版第 2 刷。

3. 何滿子、李時人主編，《明清小說鑑賞詞典》。杭州：浙江古籍出版社，1992 年 9 月第 1 版第 1 刷。

4. 苗壯主編，《中國古代小說人物辭典》。濟南：齊魯書社，1991 年 5 月第 1 版第 1 刷。

5. 段啓明主編，《中國古典小說藝術鑒賞辭典》。北京：北京師範大學出版社，1991 年 4 月第 1 版第 1 刷。

貳、資料

1. 多賀秋五郎，《近代中國教育史資料——清末編》。台北：文海出版社，民國 65 年（1976）4 月。

2. 李又寧、張玉法主編，《近代中國女權運動史料》。台北：傳記文學出版社，民國 64 年（1975）12 月初版。

3. 阿英，《晚清文學叢鈔·小說一卷》。北京：中華書局，1980 年 6 月北京第 1 版第 2 刷。

4. 陳平原、夏曉虹編，《二十世紀中國小說理論資料》第一卷（1897～1916）。北京：北京大學出版社，1989 年 3 月第 1 版第 1 刷。

5. 張靜廬輯註，《中國近代出版史料初編》。北京：中華書局，1957 年 12 月上海第 1 版第 1 刷。

參、專書與通論

黃繡球版本

1. 頤瑣，《黃繡球》。收在王孝廉等編，《晚清小說大系》。台北：廣雅出版有限公司，民國 73 年（1984）3 月初版。

2. 頤瑣，《黃繡球》。收在王孝廉等編，《中國近代小說全集》第一輯，《晚清小說全集》。台北：博遠出版有限公司，民國 76 年（1987）10 月再版。

3. 頤瑣，《黃繡球》。收在章培恆等主編，《中國近代小說大系》。南昌：江西人民出版社，1988 年 10 月第 1 版第 1 刷。

小說類

1. 方正耀，《晚清小說研究》。上海：華東師範大學出版社，1991 年 6 月第 1 版第 1 刷。

2. 王德威，《從劉鶚到王禎和》。台北：時報文化出版企業有限公司，民國 75 年（1986）6 月初版。

3. 伍曉明譯，米列娜（Milena Dolezelova-Velingerova）編，《從傳統到現代～19 世紀轉折時期的中國小說》（The Chinese Novel at the Turn of the Century）。北京：北京大學出版社，1991 年 10 月第 1 版第 1 刷。

4. 李文彬譯，佛斯特（E. M. Forster）著，《小說面面觀》（Aspects of the Novel）。台北：志文出版社，民國 75 年（1986）2 月再版。

5. 李喬，《小說入門》。台北：時報文化出版企業有限公司，民國 75 年（1986）3 月初版。

6. 李銀珠等編，《中國小說史十五講》。台北：木鐸出版社，民國 76 年（1987）8 月初版。

7. 吳雙翼，《明清小說講話》。台北：木鐸出版社，民國 72 年（1983）9 月初版。

8. 林明德編，《晚清小說研究》。台北：聯經出版事業公司，民國 77 年（1988）3 月初版。

9. 林瑞明，《晚清小說的歷史意義》。台北：國立台灣大學出版委員會，民國 69 年（1980）6 月初版。

10. 阿英，《晚清小說史》。香港：太平書局，1966 年 1 月。

11. 孟瑤，《中國小說史》。台北：傳記文學出版社，民國 69 年（1980）10 月再版。

12. 馬振方，《小說藝術論稿》。北京：北京大學出版社，1991 年 2 月第 1 版第 1 刷。

13. 袁健、鄭榮編，《晚清小說研究概況》。天津：天津教育出版社，1989 年 7 月第 1 版第 1 刷。

14. 時萌,《晚清小說》。上海:上海古籍出版社,1989 年 6 月第 1 版第 1 刷。

15. 國立政治大學中文系、中研所主編,《漢學論文集第三集——晚清小說討論會專號》。台北:文史哲出版社,民國 73 年(1984)12 月初版。

16. 陳平原,《中國小說敘事模式的轉變》。台北:久大文化公司,1990 年 5 月初版。

17. 梁玉明,《中國小說的傳播觀》。台北:中國文化學院出版部,民國 68 年(1979)12 月。

18. 陳迺臣譯,William Kenney 著,《小說的分析》(How To Analyze Fiction)。台北:成文出版社,民國 66 年(1977)6 月初版。

19. 康來新,《晚清小說理論研究》。台北:大安出版社,民國 79 年(1990)8 月第 2 版第 1 刷。

20. 賈文昭、徐召勛,《中國古典小說藝術欣賞》。台北:里仁書局,民國 73 年(1984)8 月。

21. 楊義,《二十世紀中國小說與文化》。台北,業強出版社,1993 年 1 月初版。

22. 魯迅,《魯迅小說史論文集》。台北:里仁書局,民國 81 年(1992)9 月初版,第 1 刷。

23. 羅盤,《小說創作論》。台北:東大圖書有限公司,民國 69 年(1980)2 月初版。

婦女問題類

1. 呂美頤、鄭永福,《中國婦女運動(1840～1921)》。鄭州:河南人民出版社,1990 年 7 月第 1 版第 1 刷。

2. 郭立誠,《中國婦女生活史話》。台北:漢光文化事業股份有限公司,民國 72 年(1983)10 月第 2 版。

3. 陳東原,《中國婦女生活史》。台北:台灣商務印書館,民國 75 年(1986)10 月台 8 版。

4. 鮑家麟編,《中國婦女史論集》。台北:牧童出版社,民國 68 年(1979)10 月初版。

5. 盧燕貞,《中國近代女子教育史(1895～1945)》。台北:文史哲出版社,民國 78 年(1989)2 月初版。

通論

1. 中國文學史研究委員會編,《新編中國文學史》。高雄:復文圖書出版社,出版時間不詳。

2. 中國古典文學研究會主編,《二十世紀中國文學》。台北:台灣學生書局,民國 81 年(1992)1 月初版。

3. 古鴻廷，《中國近代史》。台北：三民書局，民國 78 年（1989）10 月初版。

4. 胡適，《五十年來中國之文學》。台北：遠流出版事業股份有限公司，1986 年 10 月遠流 2 版。

5. 傅樂成，《中國通史》下冊。台北：大中國圖書公司，民國 82 年（1993）1 月 21 版。

6. 劉大杰，《中國文學發展史》。台北：華正書局，民國 76 年（1987）7 月。

7. 韓石秋，《清代文學史》。高雄：百成書店，民國 62 年（1973）10 月。

8. 欒梅健，《二十世紀中國文學發生論》。台北：業強出版社，1992 年 4 月初版。

其他

1. 中文聖經啓導本編輯委員會編，《聖經啓導本》。香港：海天書樓，1993 年 5 月普及本初版。

2. 李瑞騰，《晚清文學思想論》。台北：漢光文化事業股份有限公司，民國 81 年（1992）6 月初版。

3. 林治平主編，《基督教入華百七十年紀念集》。台北：宇宙光出版社，民國 76 年（1987）10 月第 5 版。

4. 姚一葦，《藝術的奧祕》。台北：台灣開明書店，民國 68 年（1979）11 月第 8 版。

5. 胡適，《胡適文存》第二集。台北：遠東圖書公司，民國 42 年（1953）11 月初版。

6. 徐松石，《基督教與中國文化》。九龍：浸信會出版社，1984 年 9 月修正第 3 版。

7. 楊世驥，《文苑談往》。台北：華世出版社，民國 67 年（1978）2 月台 1 版。

8. 魏外揚，《宣教事業與近代中國》。台北：宇宙光出版社，1981 年 7 月再版。

肆、單篇論文

1. 化長河，〈論小説的敍述方式在創造人物中的藝術功用〉。北京：《北京師範學院學報（社會科學版）》，第 4 期，1991 年。

2. 王祖獻，〈外國小説與清末民初小説藝術的近代化〉。《安徽大學學報（哲學社會科學版）》，第 4 期，1989 年。

3. 王爾敏，〈中國近代知識普及運動與通俗文學之興起〉。收在中央研究院近代史研究所編，《中華民國初期歷史研討會論文集（1912～1927）》下冊。台北：中央研究院近代史研究所，民國 73 年（1984）4 月出版。

4. 王華昌，《晚清小說與晚清政治運動》。台北：政治大學歷史研究所碩士論文，民國 76 年（1987）。

5. 行龍，〈辛亥革命前夕的婦女運動〉。太原：《山西大學學報》，第 3 期，1988 年。

6. 李成杭，〈晚清婦女問題小說最好的作品──黃繡球〉。《明清小說研究》，第 3 期，1993 年。

7. 何欣，〈晚清西洋文學之譯介〉。收在國立政治大學中文系、中研所主編，《漢學論文集第三集──晚清小說討論會專號》。台北：文史哲出版社，民國 73 年（1984）12 月初版。

8. 杜奕英，《短篇話本小說的文學論》。台中：東海大學中國文學研究所碩士論文，民國 67 年（1978）。

9. 吳淳邦，〈中國諷刺小說的諷刺技巧特點〉。台北：《中外文學》，第 16 卷第 6 期，民國 76 年（1987）10 月。

10. 邱松慶，〈略論五四時期婦女運動蓬勃發展的原因〉。廈門：《廈門大學學報（哲社版）》，第 2 期，1988 年。

11. 林明德，〈台灣地區的晚清小說研究（1968～1991）〉。收在中國古典文學研究會主編，《二十世紀中國文學》。台北：台灣學生書局，民國 81 年（1992）1 月初版。

12. 查時傑，〈林樂知的生平與志事〉。收在林治平主編，《基督教入華百七十年紀念集》。台北：宇宙光出版社，民國 76 年（1987）10 月第 5 版。

13. 唐如晶，〈論小說之意義、起源、變遷及其在藝術上價值〉。基隆：《海洋學院學報》，第 9 期，民國 63 年（1974）6 月。

14. 徐建生，〈戊戌女子解放新探〉。鄭州：《史學月刊》，1989 年 5 月。

15. 高陽，〈晚清小說與知識分子的救國運動〉。收在國立政治大學中文系、中研所主編，《漢學論文集第三集──晚清小說討論會專號》。台北：文史哲出版社，民國 73 年（1984）12 月初版。

16. 尉天驄，〈鴉片戰爭前後中國社會與小說的轉變〉。台北：《中華文化復興月刊》，第 9 卷第 6 期，民國 65 年（1976）6 月。

17. 尉天驄，〈晚清社會與晚清小說〉。收在國立政治大學中文系、所主編，《漢學論文集第三集──晚清小說討論會專號》。台北：文史哲出版社，民國 73 年（1984）12 月初版。

18. 張玉法，〈晚清的歷史動向及其與小說發展的關係〉。收在林明德編，《晚清小說研究》。台北：聯經出版事業公司，民國 77 年（1988）3 月初版。

19. 陳瑞秀，〈清代小說綜論〉。收在中華文化復興運動總會文藝研究促進會等編，《中國古典小說賞析與研究》。台北：中華文化復興運動總會文藝研究促進會，民國 82 年（1993）8 月初版。

20. 楊永占,〈清末女學的興辦〉。北京:《歷史檔案》,第 46 期,1992 年 2 月。

21. 賈伸,〈中華婦女纏足考〉。收在鮑家麟編,《中國婦女史論集》。台北:牧童出版社,民國 68 年(1979)10 月初版。

22. 熊璽,〈小說與時代背景的關係〉。台北:《淡江學報》,第 4 期,民國 54 年(1965)。

23. 賴芳伶,〈晚清女權小說的淵源及其影響〉。台中:《國立中興大學文史學報》,第 19 期,民國 78 年(1989)3 月。

24. 鮑家麟,〈李汝珍的男女平等思想〉。收在鮑家麟編,《中國婦女史論集》。台北:牧童出版社,民國 68 年(1979)10 月初版。

25. 鮑家麟,〈辛亥革命時期的婦女思想〉。收在鮑家麟編,《中國婦女史論集》。台北:牧童出版社,民國 68 年(1979)10 月初版。

26. 鮑家麟,〈秋瑾與清末婦女運動〉。收在鮑家麟編,《中國婦女史論集》。台北:牧童出版社,民國 68 年(1979)10 月初版。

27. 謝碧霞譯,澤田瑞穗,〈晚清小說概觀〉。收在林明德編,《晚清小說研究》。台北:聯經出版事業公司,民國 77 年(1988)3 月初版。

28. 謝碧霞譯,Milena Dolezelova-Velingerova,〈晚清小說中的情節結構類型〉。收在林明德編,《晚清小說研究》。台北:聯經出版事業公司,民國 77 年(1988)3 月初版。

29. 謝碧霞譯,Milena Dolezelova-Velingerova,〈晚清小說中的敘事模式〉。收在林明德編,《晚清小說研究》。台北:聯經出版事業公司,民國 77 年(1988)3 月初版。

《輪迴醒世》之研究

張凱特　著

作者簡介

張凱特，一九六九年生於雲林，現就讀於國立中興大學中文系博士班。研究以古典小說為範疇，兼及詼諧文學與寓言，對於台灣文學亦有偏好，專長為明代公案小說研究。現任為吳鳳科技大學、亞洲大學兼任講師。曾發表〈錢鍾書寓言「上帝的夢」析論〉、〈歷史的再演述──龔鵬程教授解構唐代傳奇的文體演述及史觀運用〉、〈智叟的啟悟《西遊記》中智慧老人對啟悟旅程之意義和作用〉學術論文等五篇。

提　要

　　本書對明代變相公案小說集《輪迴醒世》第一次全面性的研究。《輪迴醒世》為晚明公案小說集，亡佚於中土，後經學者發現，翻印留存，程毅中點校後出版。故事共一百八十三則，故事標明時間最晚至萬曆。小說內容為晚明社會的寫照，具有文獻參考的價值。除此之外，本書具備的公案小說變相文體的特質，與晚明的「箭垛式」清官公案小說集互相輝映，形成了公案小說流行晚明的景況，是故本文特以「輪迴醒世之研究」為題。

　　先就分析小說情節的取材來源與改寫、援引方式，後就人物形塑與特徵辨分，研議小說人物的創作技巧與特點，進而對情節營構法式比對《大明律》，得知公案的斷案法式與現實的律法關係，並小說內容反映的社會文化內容，進行分類，藉以比對故事與時聞、明代筆記等的虛構與真實的差異，從而理解文化的發展趨向及晚明庶民集體意識。

自　序

　　當時選定這個題目並未作深入的思考，在碩班一下的時候，僅是東陽老師（指導教授）的一番話，即《輪迴醒世》這本書尚未有專書研究，就這一句話，在學期初就買了中華書局新出程毅中先生的點校本，先買回看，若到了期末，同學未有人回應，我就向老師要求研究此書。大概是「輪迴醒世」幾個字太具有宗教意味了，對於現代人的大多數未有宗教信仰的人缺乏吸引力，到了碩論完成的三年後的今天，依然乏人問津。

　　晚明是一個較古代其他時候，更相近於現代的社會。它的多元與開放儘與政治的因素脫不開，對其評價亦在史家的推陳出新的成果而有所調整。研究明代的小說擺脫不了的是晚明出版業的發達與弊端所帶來的雙重困難，筆者所以面對的事實，雖然如此，一往初衷，持續在這一塊沃土耕耘。因此在此研究基礎之上，個人博士論文續對明代的公案小說進行開發，算是在此《輪迴醒世》變相公案小集的後繼。因著博士班研究方向不變，對公案小說的持續關注之下，對於碩班的研究成績，有著更開闊的思考，也許不臻理想，就視為研究所的個人里程碑。有待於未來的一天，能對此書《輪迴醒世》再進一步。

　　雖本書出版之前已校改過，然錯誤之處在所難免，尚祈就教方家，給予指正。

目

次

第一章　緒　論

第一節　研究動機

　　明代至萬曆年間小說創作數量勃發，公案小說隨著印刷事業的出版浪潮迅速地興起，並與其他門類小說活躍於明代的出版市場，進而成為大眾閱讀消遣，反映市井細民興趣與社會內容。自《百家公案》〔註1〕起，多數公案小說集中清官判案為公案小說的常態，大體分為書判體與紀傳體二種，若現存明代十二本公案小說集〔註2〕，除了彰顯清官判案智慧，亦張揚公案情節，以及著重判案、審案、偵察、斷案的歷程，它的知識性與律法內容增強了小說的欣賞趣味及購買欲望，反映了晚明萬事興訟的時代特徵。當其時，《輪迴醒世》〔註3〕以冥界判司情節模式，與同時代的公案小說集有著不同的面貌，顯示了公案小說集的發展。其書中僧尼不守清規、賣妻鬻子、商業局騙等社會

〔註1〕〔明〕安遇時編集、〔韓〕朴在淵校注：《百家公案》（韓國春川：江原大學出版部，1994年）。

〔註2〕明末十二本公案依序為《百家公案》、《廉明奇判公案》、《皇明諸司公案》、《新民公案》、《海剛峰先生居官公案》、《詳刑公案》、《律條公案》、《合刻名公案斷法林灼見》、《明鏡公案》、《詳情公案》、《神明公案》、《龍圖公案》，以上大體為其時間依序，其輪序參照程毅中說法，另馬幼垣、阿部泰記亦同，參見程毅中：《程毅中文存》（北京：中華書局，2006年9月），頁415。

〔註3〕程毅中以吳曉鈴藏明刻本之影本，即據「日本名古屋市蓬左文庫藏明聚奎樓刻本加以配補」，刻書年代大致在「萬曆後期或萬曆之後」。請參姜德明：《胡從經書話》（北京：北京出版社，1998年1月），頁281。參見陳大康：《明代小說史》（北京：人民文學出版社，2007年4月），頁529。〔明〕無名氏撰，程毅中點校：《輪迴醒世》，（北京：中華書局，2008年1月）。

流弊多有描繪正反映當時景況，學者多肯定其社會史料的價值。全書十八部，每部一卷，按它的標目分爲〈廉慈貪酷〉、〈嗣息配偶鰥寡孤獨〉、〈慷慨慳吝〉、〈悲歡離合〉、〈俠豪卑污〉、〈貞淫〉、〈貴賤富貧〉、〈公平刻剝成敗勤惰〉、〈救援盜拐〉、〈人倫順逆〉、〈嫡妾繼庶〉、〈施濟吞謀〉、〈智愚壽夭〉、〈忠奸〉、〈矜驕承奉〉、〈屠殺生全〉、〈妖魔〉、〈伢行衙役〉。每部故事不等，少則幾篇，多則十幾篇、全書共一百八十三篇，多寫明代社會現實生活，揭露官場豪強惡行，世風險惡、道德淪喪，廣泛反映明代各階層之眾生相。

翻檢孫楷第《中國通俗小說書目》〔註4〕、大塚秀高《增補中國通俗小說書目》〔註5〕及譚正璧《古本稀見小說匯考》〔註6〕均未見著錄，近年經程毅中點校後出版，始爲流傳，由此點觀察，《輪迴醒世》對公案小說集的定義與範圍，可謂尚未進入先賢的研究關注範疇。《輪迴醒世》情節與主旨異於前述的「箭垛式」的公案集，多以鬼神靈異彰顯清官的智慧和品格，此爲目前多數學者研究的焦點。〔註7〕由於本書編撰者的筆法缺乏顯著特色，文筆兼採詩文間雜的特點，並援引其他小說的故事題材，集合了各類型故事而加以改編，因此，表現了明代社會情況外，亦突顯明代社會的獨特性與庶民的想法，反映社會生活的材料，提供後世能理解明代社會民風的情況。

一、就小說文體而言：此書兼具公案與善書〔註8〕的特點

「公案」一詞原指案牘。吳自牧承《都城紀勝》耐得翁的說法，在《夢粱錄》中，又將小說話本分爲「煙粉、靈怪、傳奇、公案、朴刀、杆棒、發跡、蹤參」八類，公案則爲其一，胡士瑩亦同意其說法〔註9〕。入明代以後，

〔註4〕孫楷第：《中國通俗小說書目》（台北：木鐸出版社，1983年7月）。
〔註5〕大塚秀高：《增補中國通俗小說書目》（東京：汲古書院，1987年5月）。
〔註6〕譚正璧、譚尋：《古本稀見小說匯考》（杭州：浙江文藝出版社，1984年11月）。
〔註7〕明代的小說研究均集中在少數經典幾本著作上，反映於公案小說的情形亦同，在公案小說的研究方面，主要集中於《百家公案》、《龍圖公案》等公案小說集上。
〔註8〕《輪迴醒世》具有勸化傾向外，其中將規範內容的範圍，與善書的「生活公約」，有高度的雷同，此書的性質，並不僅具公案性質，亦具善書特點，「從善書的內容來看，所列善行和惡行，與庶民生活有密切關係，包括官員應遵守的戒規，也有農工商應遵行的規範。」「善書對陰律的重視甚於國法，利用地獄與輪迴制裁來勸人實踐善書的規範。」游子安：《勸化金箴——清代善書研究》（天津：天津人民出版社，1999年4月），頁4、18。
〔註9〕參見胡士瑩：《話本小說概論》（北京：中華書局，1980年5月），頁108。

「說公案」漸發展爲「公案小說」，然公案小說雖經多位學者詮釋及定義，均強調公案小說以「作案」、「斷案」爲內容，並且描述以「摘奸發覆，洗冤雪枉」爲特徵〔註10〕，明代的公案小說集，具備了以清官作爲判司的特點外，亦強化了「箭垛式」的人物特徵，明代公案小說集具備了「三詞」的內容，即告詞、訴詞、判詞的結構。

《輪迴醒世》亦具有上述共同的特徵，編撰者則安排了冥司閻王以斷陽間的冤情，作爲鋪張情節的內容，符合了公案的情節特徵：判司與斷案。程毅中更進一步將此書歸爲變相公案小說之屬。他說：「此外，還有兩種公案小說的變體，一是《杜騙新書》，都是未經清官判斷的公案；一是《輪迴醒世》，雖爲文言小說，實是以閻羅王、城隍神爲判官的公案小說。」〔註11〕是知《輪迴醒世》確實可視爲公案小說的變體，其特殊性在於此種變體的公案小說集，就目前所知的明代公案小說集而言，數量稀少。其二是公案冥官取代了習見陽間判司，清官個人崇拜消失，漸由代表天道神祇所取代，由侷限視角轉向全知敘事設計的情節規畫。亦即對清官崇拜轉向對天道信仰的全面檢視與觀照。此意謂著公案形式依舊，卻發展內容與文體的新變，可謂形似公案的變體。由其人物安排而言，明顯地涉及陰陽兩界。情節環繞於天道檢視的人物中，即接受冥司審判的陽間主角。而以人物與情節演繹天道。此變相公案特徵具備了異於清官斷案的特點，及形式相似，其空間跨越陰陽，刑罰更顯得殘酷，對主角道德檢視更爲嚴格，判司能力加強等。於是，從情節的進行與冥司斷案的內容作一邏輯推演，得到令人信服結果，而此結果與編撰者命意相符。

以神道設教視角而論，《輪迴醒世》成書無疑地象徵著勸善內容的蛻變可能。自漢末佛教東傳中土，中土始有「六道輪迴」的概念。自宋代起，陸續皆有冥官判案的題材流傳〔註12〕，小說既用公案形式又承襲前人小說熟知題材，除了表明公案樣式廣爲接受外，亦反映法律文化在民間的風行。然當時

〔註10〕參見黃岩柏：《中國公案小說史》（瀋陽：遼寧人民出版社，1991 年 5 月），頁 1；孟犁野：《中國公案小說藝術發展史》（北京：警官教育出版社，1996 年 9 月），頁 4；曹亦冰：《俠義公案小說史》（杭州：浙江古籍出版社，1998 年 12 月），頁 4。

〔註11〕程毅中：《程毅中文存》（北京：中華書局，2006 年 9 月），頁 426。

〔註12〕凌郁之：《走向世俗——宋代文言小說的變遷》（北京：中華書局，2007 年 11 月），頁 104。

理學大興，遂萌生將小說作為教化市井細民之想法〔註13〕，官方以至民間對於社會秩序的重建心態一致。小說內容充斥著「六道輪迴」情節，以警惕庶民趨善避惡，其形式又以每一章回的主角命運詮釋因果輪迴之必然，類似勸善書的情節，以主角遭遇驗證善惡有報。二者的目的，趨向一致，藉由小說恢復社會秩序。故晚明刊行冥官斷案公案集，除了反映社會現實的環境因素外，傳統的勸善思維與法律、宗教相互融合亦可作為詮解的命題。〔註14〕

二、就故事內容來說：適能反映明代社會側重法治的思維

　　整體而言，文學能反映生活的內容，但小說歷來不同於正史，視為「出於稗官」，相較雅正文學更能反映世俗文化，貼近市井小民的生活，其品味更具大眾化的傾向，展現了庶民生活的廣闊視野。〔註15〕明代《型世言》、《杜騙新書》及《三言兩拍》中單篇公案小說，則從社會的其他視角突顯公案小說的奇特風貌，若《型世言》從政治面反映明代的情況，尤其是從文人的語言與視角來傳達明代政治的腐敗反映明代末葉的社會景況；《杜騙新書》則從市井小民的視角反映明代社會的經濟犯罪的情況；《三言兩拍》則是從陽間的判官判案的情況反映明代法律的現實。

　　明代初期與中後期的小說，反映題材複雜性有一定的差異，〔註16〕明朝建立之初，歷經戰亂，所以政府採取調養生息的政策，經濟上的寬鬆政策使得民生步上正軌，在明代初葉的神魔故事與歷史演義上，則顯得簡單；明代中後期世情小說與公案小說的題材日趨複雜，也反映出明代世風的轉變。相較之下，公案小說的題材廣度，較其他文體的甚多，使其文獻皆具參考價值。公案文體既決定題材的廣度，使其內容敘寫，吸納了更多的時代色彩，社會

〔註13〕「王陽明主張為愚夫愚婦立教，並且要用愚夫愚婦喜聞樂見的形式宣傳儒教，對於文人參與小說戲曲開了綠燈，以王艮（1483年～1541年）為首的泰州學派努力使心學成為民間信仰，王艮以化俗為己任，隨機指點農工商賈，從遊者千餘。」請參見孟犁野：《中國公案小說藝術發展史》（北京：警官教育出版社，1996年9月），頁68。

〔註14〕請參見黃東陽：〈由唐人小說察考勸善書的思想淵源與要義〉，《興大人文學報》2007年第38期，頁7。

〔註15〕參考《文學論》所言「作家不僅受社會影響，他也影響社會。藝術不僅複製人生也反映人生。」及「當文學被作為社會文件時，它也刻劃出社會歷史的掠影」，參見韋勒克（Rene Wellek）、華倫（Austin Warren）著，王夢鷗、許國衡譯，《文學論》，（臺北：志文出版社，1976年），頁162、164。

〔註16〕程毅中：《程毅中文存》（北京：中華書局，2006年9月），頁419。

實況或多或少地轉錄時聞或改寫，在真實歷史與虛構情節中，小說中有了虛擬歷史的副本，歷史交錯與虛構衍異中，透過編撰者的視野，試圖去理解其中社會小說中的歷史事件之觀感。

　　既然《輪迴醒世》承載豐碩的時代訊息，從中既可解讀出當代景況，亦可由小說成書，考索社會意識趨向與真實歷史存在差異。明代公案小說集在明末大量刊印，卻又迅速地隨著朝代興替而消失幾盡，在這個暫短的時代中，《輪迴醒世》標誌著一個公案小說共同的主題—公義彰顯，直接地觸及到文學習見的普世價值，包括公案小說、武俠小說、諷世小說、甚至是像水滸傳的「綠林豪俠」。小說所觸及公平正義是人類生存的基本價值，其主張的社會規範為共同認定的標準，其秩序的破壞反映了社會崩解的警戒線，一旦越過警戒線，維持表面穩定的一切形式就遭到破壞，社會隱約的動亂一觸即發。其次，變相公案小說《輪迴醒世》載記了明代社會的時代訊息，如三教合流的色彩或俗民題材，此類內容又反映了於神道思維公案小說集，乃排除陽世清官以冥官為主，違逆於公案小說發展的新變〔註17〕，詮解了公案小說中變異歧流正在形成，惟此種變體並未持續而發展成熟，其後至清代則由俠義公案小說踵繼其後，此點表明公案小說的發展模式，其規律與趨向亦有局限性。

第二節　前人研究成果探討

　　小說、戲曲價值乃至近代，梁啟超提出的「小說界革命」、「小說為文學之最上乘」等說法，又「故今日欲改良群治，必自小說界革命始；欲新民，必自新小說始」，其價值方被重新審視。故公案小說《龍圖公案》至清代亦難免於禁毀，多數被認為有妨教化的小說，亦難脫厄運。《輪迴醒世》是否亦遭遇如此，則不得而知，而近世小說孤本多在域外發現，不能不歸諸於政治原因，近世中日學者的交流頻繁，也促使未見著錄早期書目的書籍，出版面世，其中如《輪迴醒世》一書的發現，即在此背景下促成的。直至今日，程氏口中的「珍本」未在學術界引起更大的重視。早期書目如四庫全書或孫目並未著錄，近年出版的《中國古代小說百科全書》〔註18〕、石昌瑜編的《中國古

〔註17〕公案小說的濫觴，陽官帶有神道色彩，到後來反而神道色彩愈來愈淡，到了清代已經由神道色彩改為人道辦案的情況。

〔註18〕劉世德主編：《中國古代小說百科全書》（北京：中國大百科全書出版社，1998年10月），頁328～329。

代小說總目（文言卷）》〔註 19〕及《中國古代小說總目（白話卷）》〔註 20〕、
寧稼雨編的《中國文言小說總目提要》〔註 21〕已著錄此書。雖然如此，書目
介紹簡略，全書相關研究有待更多的後繼者投入。對此書探討著墨最多的，
當屬程毅中的相關研究，但也僅二篇，〈「輪迴醒世」考述〉〔註 22〕及《「輪迴
醒世」校讀後記》〔註 23〕，後一篇為前一篇的精簡版，所談者皆集中於小說
文體，並多涉及詩文或雅俗交流情況，然亦僅略提，前一篇則有較為完整的
研究，主要考訂其故事源流及討論撰者的思想傾向。程氏其他單論《輪迴醒
世》的一、二故事有〈生死永離〉、〈狐媒和婚〉，但不出〈輪迴醒世考述〉所
論及的。〔註24〕另如劉輝的〈明代通俗小說與輪迴醒世〉，僅留篇名。〔註25〕
後繼如胡從經及薛亮〔註26〕其評介性內容討論範圍均不出此。〔註27〕其中，
胡從經〈「輪迴醒世」──從未見諸著錄的明代小說總集〉〔註28〕中，肯定了
《輪迴醒世》的重要價值，提及「《輪迴醒世》必然引起海內外學術界的重視
與關注，它的發現會成為中國小說史學史上的一件不容忽視的事情。」其研
究面向仍需更多研究力量的關注，既然《輪迴醒世》相關研究甚少，其書雖
為具類似公案內容的小說，實不足以稱公案小說，因與公案小說差異甚大，
不能與公案小說集比較，然就其相關研究，不足以條列探討。若與明代公案

〔註19〕 由陳益源所撰寫的評介短文，提到〈法僧投胎〉、〈謀妻報〉、〈富貴司預判〉、
〈五鼠鬧東京〉的故事源流，參見石昌渝主編：《中國古代小說總目（文言卷)》
（太原：山西教育出版社，2004 年 9 月），頁 279。
〔註20〕 由舒穆所撰寫的評介短文，除簡介外增加版式的登錄，參見石氏編的《中國
古代小說總目（白話卷)》（太原：山西教育出版社，2004 年 9 月），頁 226。
〔註21〕 參見寧稼雨編著：《中國文言小說總目提要》（濟南：齊魯書社，1996 年 12
月）。
〔註22〕 程毅中：《程毅中文存》，頁 424～442。
〔註23〕 程毅中：〈「輪迴醒世」校讀後記〉，《書品》2008 年第 2 期，頁 20～25。
〔註24〕 卓參薛洪勳、王汝梅主編《稀見珍本明清傳奇小說集》（長春：吉林文史出版
社，2007 年 12 月），頁 247～250。
〔註25〕 雖有大會宣讀，但並無隨會議論文出版，僅留篇名，參見 1993 中國古代小說
國際研討會學術委員會編：《1993 中國古代小說：國際研討會論文集》（北京：
開明出版社，1996 年 7 月），頁 559～560。
〔註26〕 薛亮亦提到多個故事源流，與陳益源見解同，參見薛氏著《明清稀見小說匯
考》（北京：社會科學文獻出版社，1999 年 9 月），頁 43～46；請參姜德明：
《胡從經書話》，（北京：北京出版社 1998 年）。頁 281。
〔註27〕 參見陳大康：《明代小說史》，頁 529。
〔註28〕 胡從經：〈「輪迴醒世」──從未見諸著錄的明代小說總集〉《明報月刊》，1988
年 8 月號，頁 86。後收入姜德明編《胡從經書話》。

小說民俗文化與律法的研究，則分屬不同，然與本書欲探討內容相近，對研究能提供借鑑者，略述並參考。關於明代公案小說的研究論著，現多集中於兩方面：一爲研究公案小說反映明代的世風，二爲以公案小說爲探針，了解明代的律法。

一、探討民俗文化

就民俗文化而言，至今，尚未有《輪迴醒世》的研究專書，及相關研究論文亦少。若依公案小說的內容而言，有關於明代世風的研究，有黃霖的〈杜騙新書與晚明世風〉〔註29〕，依此書行騙情節與方式映照明代庶民生活景況，得出了《杜騙新書》是「曝露型的世情小說」結論。對此結果而言，說明了該書反映了社會黑暗面之外，其面向亦過於單一。另夏啓發博士論文《明代公案小說研究》〔註30〕，主要探討以《包龍圖判百家公案》爲首的十三本公案小說的清官形象與意涵，釐清明代諸公案小說的承繼與發展，此外夏氏另輔以《三言兩拍》爲主，說明公案小說所反映的明代生活，並以此爲範圍論述，總結其內容與類型，並說明其對後繼清代俠義公案小說與擬話本的影響，討論的內容雖概括了明代公案小說的大部分，對於明代公案小說的繁榮面貌仍有不夠全面的考慮，對於明代公案小說的主要類型討論過於集中於常態，反而除《三言兩拍》以外的作品沒有述及，或於對公案小說之外延的範圍較窄所致。王琰玲《明清公案小說研究》〔註31〕，則由貞節觀與經濟面去考量明清公案小說的類型與內容外，亦著重探討公案小說中的文學技巧。鄭春子的《明代公案小說研究》〔註32〕將明代公案小說十二本公案小說，清理陳述，包括編者、出書年代、卷次、內容分類，明代公案小說之主要部份，多達二、三十類梳理出主要記載之門類，可看出其中明代公案小說的傳承因襲。

〔註29〕參見黃霖：〈「杜騙新書」與晚明世風〉，《文學遺產》1995 年第 1 期。
〔註30〕包括了《百家公案》、《廉明奇判公案》、《皇明諸司公案》、《新民公案》、《詳刑公案》、《詳情公案》，《神明公案》與《海剛峰先生居官公案》、《律條公案》、《合刻名公案斷法林灼見》、《包龍圖公案詞話》及《新刻繡像海公案》，參見夏啓發：《明代公案小說研究》（中國社會科學院研究生院博士論文，2001 年），頁 58。
〔註31〕王琰玲：《明清公案小說研究》（永和：花木蘭文化出版社，2008 年）。
〔註32〕鄭春子：《明代公案小說研究》（中國文化大學中文研究所碩士論文，民國 86 年 6 月）。

二、呈現法律觀感

　　簡齊儒的《明代公案小說法律與文學文本的的融攝》，主要以明代十二本公案小說集爲範圍，〔註33〕討論法律知識流動於公案小說的影響，以及對於女性婚外問題的關注，整理出所謂專家角色的定位。徐忠明致力於明清司法文化和民間法律意識的研究，與文學內容最直接的三本著作中，以《包公故事：一個考察中國法律文化的視角》最爲精采與深入，該書以探討關於包公的三種敘事，主要是利用文學文本澄清對中國古代法律文化的認識，傾向於法律文化爲認識的主體而輕文學本身的探討〔註34〕。至於討論到文學與法律的其他單篇論文甚多〔註35〕，不作敘述。苗懷明的《中國古代公案小說史論》是近年對公案小說有深入論述的專書，針對宋元公案小說至清代的公案俠義小說作一系列的時間序列論述，同時也以析產繼立、私情、商業、官員及市井細民於公案小說呈現作一論述，繼之，作綜合論述，尤其有關於明代的公案小說的雙重個性法律性格與商業性格有精采的探討〔註36〕。楊緒容《百家公案研究》討論更多公案小說中的法律面向，尤其其中的〈百家公案的法律意識〉更爲標顯法律意識於公案小說的影響與地位〔註37〕。魯德才《古代白話小說形態發展史論》探討了古代法律文書、類目、案例、判詞與法家公案集相似，更進一步提出了釐清

〔註33〕　這十二本包括了《百家公案》、《龍圖公案》、《廉明奇判公案》與《皇明諸司公案》，以及以郭子章爲判官的《新民公案》、寧靜子在萬曆年間集錄的《詳刑公案》與天啓崇禎年間出版的《詳情公案》，萬曆出版的《神明公案》與《海剛峰先生居官公案》、萬曆後期選校的《律條公案》；天啓元年（1621 年）出版的《合刻名公案斷法林灼見》、佚名編撰《名公神斷明鏡公案》，參見簡齊儒：《明代公案小說「法律與文學文本」的融攝》（東華大學中國與文學系學系博士論文，2007 年 7 月），頁 6～8。

〔註34〕　徐忠明：《包公故事：一個考察中國法律文化的視角》（北京：中國政法大學出版社，2002 年 7 月）。

〔註35〕　〈從明清小說看中國人的訴訟觀念〉，《中山大學學報》1996 年第 4 期；〈「金瓶梅」公案與明代刑事訴訟制度初探〉，《比較法研究》1996 年第 1 期；〈「金瓶梅」反映的明代經濟法制釋論〉，《南京大學法律評論》1997 年秋季卷；〈法律的歷史敘事與文學敘事（上）〉，《中西法律傳統》第 2 卷（北京：中國政法大學出版社，2002 年）；〈解讀歷史敘事的包公斷獄故事〉，《政法論壇》2002 年第 4 期；〈娛樂與諷刺：明清時期民間法律意識的另類敘事〉，《法制與社會發展》2006 年 5 期。

〔註36〕　詳見苗懷民：《中國古代公案小說史論》（南京：南京大學出版社，2005 年 9 月）。

〔註37〕　楊緒容：《百家公案研究》（上海：上海古籍 2005 年 7 月）。

公案小說集與古代法律的關係。〔註38〕

第三節　研究方法

　　本論文的研究方法，以文本分析爲主要方法。首先就小說故事的取材的可能來源，對照正史、筆記小說、及明代的時聞，加以比較，以釐清故事的改寫手法，進而由其情節與人物的更易，探討改寫目的。並由改寫內容的比例得出，小說故事的題材主要來源。

　　其二，因內容分析出三個層面，就小說而言，人物的型塑爲推展故事的觀察對象，分析人物型塑與意涵，依此作小說人物歸類，並就其人物歸類的情況有：以正反主角人物突顯主題，小說以十八部正反主角的善惡行爲排序，而其人物的包涵遍及社會的各個階層，表明人物的活動情況描寫，反映了小說的廣度。其人物的生活象限集中於陽間，依其陽世的身份作歸類，以對應分判其善惡行爲，因此包含身份的種類甚廣，幾乎包羅民間百態的各色人物。正反兩種人物的活動均在於天道的監控之下，其在陽間所有活動均作爲天道審判的觀察標的，由其自身的行爲報應結果，觀察出天道如何運行與人物行爲的報應關係，得出主角人物於文本的地位與編撰者的賦予的角色意義；除主角之外，配角襯托主題的方式，亦可清楚釐清主角的地位，配角的表現方式集中於天道法式的架構之下，進而推動情節的進行，以致配角的適時出現也是提示的焦點，甚至對於情節具有放大主角行爲意義的效果，由此分析配角於《輪迴醒世》的比重及地位，得出配角如何產生推動情節的作用。另外智慧老人議斷是非的部份，理清智慧老人於小說中扮演的地位，智慧老人出現的時機與地點對於情節產生何種影響與作用，可以得出智慧老人的屬性。由人物的性格的塑造方式、人物的語言的對應內容及安排人物的作用，再出型塑的技巧及小說意旨。

　　除人物分析之外，其三，爲分析情節的建構的方法，先由審案的人事安排的組成獲悉人物的定位與審案人事的建構方法，比對出冥界的審案人事組成與陽間官府的差異與雷同，後由其程序的運作與犯案類型剖析陰陽兩界的共同點，次爲主審官的超然心證釐清冥界判案的審案架構，進而得出小說情節的運作法式，以理解運作的基礎，透過分析審案的人事架構與人事安排，

〔註38〕魯德才：《古代白話小說形態發展史論》（南開大學出版社，2002年1月）。

擬出編撰者設計的意圖，獲得審案的目的與天道運作的原理。審案的最後為執行獎懲，由此得出獎懲的判準建立基點為何，如此亦可呈現本文天道的獎懲執行方式及其種類，從而抽單元因素，析出情節的意涵，在天道概念的涵括範圍，與明代的法律與一般道德內容為何，就此釐清冥界判案所呈現的天道意識與律法之間聯繫關係，探討小說所反映明代判案法式與當時的社會規範內容，以期展現當時風氣之一端，亦能更深入發掘明末小說淑世之用意。

其四，為藉由推演意涵，得知本書既採用公案小說之形式，就其反映社會的層面廣度而言，必然與人民的思想與感情有著緊密的聯繫關係，毋論題材或命意必雜染當代的訊息外，撰者實則有意抑或無意的編撰成文，並藉以宗教輪迴模式或普羅觀點，來成就其意旨。就由社會文化的兩個方面：思維模式與活動方式，從中得知天道映納律法精神；考察人物活動的內容與反應，理解特殊明代活動的意涵。由此三方面就人物型塑、情節安排、內容反映命題，對於當時社會文化呈現明代社會（完全）階層。釐清社會文化與公案小說，由此觀察的代表類型，與公案小說關係，明白小說發展角色扮演的角色，除了認識《輪迴醒世》外，加以深入探討，進而理解明末小說的發展傾向，是否轉向勸善書發展的趨勢。

第四節　預期成果

在少有研究者投入之下，希望藉由本論文的探討，在前人的基礎上做進一步的推展《輪迴醒世》的研究，提供後來者理解此小說的情況。是故，對於《輪迴醒世》研究的可能發展，寄予期待與自我要求。因此論文的主要架構設定於小說的故事取材、人物型塑、天道運作模式與社會意涵。這四部份包括了小說研究的基本面向，雖然不足以蓋括全局，卻能略窺小說的大致體貌。除此，由於明代抄襲的現象較多，因此情節雷同之處不少，反映的風格與文體較為接近，此種大部分集中的現象，希藉由此書的研究拼補民間的記憶版塊，另亦欲由此研究，能對輪迴醒世的豐富內容與層次的深入探討，以補充明代晚期的社會變動的清晰圖象。

第二章　情節改寫之法式

　　明代中後期以後，明代小說大量的刊印，與商業刺激市民文學、人民識字率的提高與出版印刷業的繁榮，有著密不可分的關係。然小說互相抄襲情況，隨著商業流通的客觀因素、書商射利而加劇。其中公案小說亦具有此項特徵。公案小說集《輪迴醒世》在此背景成書，具有明代小說常見的題材轉錄與抄襲的特性，部份故事來源有多種，或傳抄當時的作品或錄自歷代筆記，加以改編或改寫當時的新聞或編撰者的自我擬作，並將故事改編爲文白交雜的題材。此書的兩種成書方式沿承舊作或自我創作並行，爲限於筆者學力，考察其來源不易，此書的成書方法既然運用抄襲與引用他人資料，亦必改動原型故事情節，以符合編撰者的喜好。

　　全書共一百八十三則故事，就目前考察歷代筆記及明代公案小說而言，約有三十則傳鈔或轉錄自其它小說有關。其比例約佔全書六分之一弱。將原題材與小說引用故事，由人物、情節、主題上詳加比較，並針對比較結果，從時代背景，作者撰作動機及改作的原因進行對探討，進而審視小說在創作藝術上的差異及價值。因此本章以此爲出發點，由其改寫題材程度與故事幅度作爲判別分類的依據，其一，根據時代背景，編撰者命意與故事主旨，做一推斷，故事的涵蘊與人物型塑的特點。其二，本文擬將題材引用的故事，按故事類型、人物姓名同異與情節相同程度。

第一節　直接援引：情節大體承襲前人故事

　　此書雖運用他人作品，然而不同於其他小說全然照抄，而即令情節大體

上相似，也必有更動。以下依照改動情節幅度，可分成二類：其一、直接引
用人名、主要情節相同、故事類型相似。此類故事數量較少，就目前所知僅
有〈三官救苦〉、〈離十九載而得合〉、〈四魚精成就良緣〉三篇。此類故事多
轉載前代小說加以改寫。其範圍較爲廣泛，並以較爲著名故事作爲取材對象。
其二、人名不同，主要情節全然繼承，以〈五鼠鬧東京〉、〈守攀榨材〉等十
二篇。〔註1〕

一、承襲流傳廣泛的題材，且法式相近

此類故事參照前代流行較廣的題材，情節變異幅度小，其關鍵與主要人
物之人名，未曾更動，是此類題材主要特徵。「費孝先軌革」〔註2〕即是此例。
此故事原型最早出現於《搜神秘覽》〔註3〕。流傳至明代，其「卜卦」內容爲
市井細民所喜聞樂見題材，自然騰播於庶民，作者轉引自小說、筆記及類書。
其間後經抄錄、改編與新編，故事的人物關鍵「康七」，未曾改變，在於「康
七」爲字謎關鍵同諧音「糠七」相同，爲追索命案的重要線索，此則故事具
有高度的推理性，亦爲公案小說中習見題材。明代之前，此故事多屬抄錄，
其抄錄略分爲二種，抄錄與新編並存〔註4〕。搜神秘覽爲最早記錄此故事的，
此故事內容講述：善軌革的費孝先爲王旻卜卦的故事。故事梗概如次：費孝
先爲王旻卜卦，卦辭說：「教住莫住，教洗莫洗。一石穀，搗得三斗米。過明
即活，遇暗即死。」後果應驗卦辭。此故事後爲《疑獄集》所抄錄，其故事
情節大致相近。《輪迴醒世》〈三官救苦〉將「康七」故事改寫爲報應內容，
是爲最目前所知變異性較大作品，而其他同代或前代轉錄故事，與《搜神秘

〔註1〕其它尚有〈是偶方配〉、〈重義身鰥〉、〈法僧投胎〉、〈錯認還錯認〉、〈勤儉致
富〉、〈橫財致富〉、〈債利致富〉、〈經營致富〉、〈三指成家〉、〈謀妻報〉等十
篇。

〔註2〕《蜀異志》、《東坡志林》卷三、《揮麈餘話》卷二、《夷堅甲志》卷十三均有
登載，參見李劍國著《宋代志怪傳奇敘錄》（天津：南開大學出版社，1997年
6月），頁217。

〔註3〕〔宋〕章炳文：《搜神秘覽》（南京：江蘇古籍出版社，2001年10月，收於《續
古逸叢書》），頁847～848。

〔註4〕明代以前此題材亦被抄錄於在五代《疑獄集》、《異苑》、《搜神秘覽》、《拊掌
錄》，這個故事到了明代被廣泛抄錄於小說集，如鄧志謨《鐵樹記》、《包龍圖
判百家公案》的〈判姦夫誤殺其婦〉、〔明〕董斯張《廣博物志》、《智囊補》、
《包公案》、〔明〕王士翹輯《慎刑錄》、《鐵樹記》、〔明〕余懋學撰的《仁獄
類編》。

覽》的版本差異性較小。小說除故事類型、情節與關鍵人物「康七」保留外，人名全相異，亦加入三官神靈夢示內容，取代費孝先軌革內容。時間與發生地點均作改動，其故事與《搜神秘覽》相同的情節爲詩示、主角被謀害情節、其妻受害、謀害人物康七、蒼蠅抱筆頭。據蕭相愷所記本事出高文虎《蓼花洲閑錄》〔註5〕；其中的「蒼蠅抱筆頭」情節，後成爲小說鋪陳冤案的常見情節。〔註6〕

〈三官救苦〉的故事今節引如下：

> 楊恆，合肥人也。母呂氏，禮三官甚虔，終日爲恆祈保。恆夢見三位烏紗綠袍，坐於堂中，恆趨於堂下，三位問曰：「爾得非楊恆乎？」恆跪而答曰：「然。」三位曰：「爾今生無罪，前世行兇，註定九年繫獄，三尺亡身。念汝母數年祈保，我等代爲保奏。有幾句言語，緊記於心云：「牛脯可試狗，油澆莫洗頭。斗穀三升米，蒼蠅抱筆頭。」恆醒後，知是三官救厄，將夢中語，誌之不忘。其妻岳氏與康七通姦，康七欺恆母老身孤，欲謀其命，占岳氏爲妻。商之岳氏，置毒於牛脯中，俟恆晚歸，岳氏持牛脯與酒以進。……値有事他往，約數日方歸，至中途，因他事回轉。康七止知其去，未知其回。但浴於盤，岳氏擎燈添湯，而燈盞覆恆頭上，乃係菜油。恆思夢中語「油澆莫洗頭」句，遂不拭去，乃與岳氏共枕而寢。……遂以刀刺彼。岳氏被刺，負痛亂躍，驚醒伊夫，而岳氏已死。……。邑令判恆抵命，繫獄九年。典刑宮將研決之囚細審，將判楊恆宜決。有數蠅抱住筆尖，不得落筆，因謂恆曰：「汝莫非冤屈，陰使數蠅抱筆？」答曰：「犯人冤枉，當申於今日。」……。典刑官一時難剖，令値將

〔註5〕費孝先，字景韶，臨邛（今四川邛崍）人。生卒年不詳,活躍於十一世紀後半期（仁宗、英宗、神宗、哲宗時期），「世皆知名」。宋人高文虎在《蓼花洲閑錄》中詳細記載了費孝先爲大名府商人王旻作軌革卦影的一則事例。參見蕭相愷：《珍本禁毀小說大觀：稗海訪書錄》（鄭州：中州古籍出版社，1992年2月），頁327。

〔註6〕〔明〕李豫亨《推篷寤語》卷四原教篇下：「勸善書云宋京師一酒匠，每見酒內蠅輒取出用乾灰救之，如是數年所活甚多，一日被罪當死府官執筆書判一蠅，抱筆頭不得書逐之復來官疑有，再閱出之董昭之救，蟻江上後繫獄蟻領群蟻穴獄垣董遂得由穴而出夫人，茍專發一善念專行一善事至於久久不衰則其福應未，有不確然者。」參李豫亨：《推篷寤語》，收入《續修四庫全書》，第一一二八冊（上海：上海古籍出版社，2002年），頁348。

> 地鄰姓名逐一開來，併平昔往來之人，亦須開上。但所開姓名內，
> 有名康七者，典刑官見此名，悟曰：「一斗穀止得三升米，所餘還有
> 七升糠。今單上有康七，殺岳氏者必此人。」即時拘審，一拷即招。
> 既經自供，不須申請，竟行處斬。釋楊恆於獄。（頁 290～292）

故事敘述主角楊恆，其母虔敬三官，祈求其子能得三官護祐，其後，楊恆果
真在夢裡得到一首夢兆詩「牛脯可試狗，油澆莫洗頭。斗穀三升米，蒼蠅抱
筆頭。」接著，楊恆謹記此詩，其後果然依照夢兆詩進行。其妻欲藉由情夫
康七加害丈夫，未料自身受害。其間經過「牛脯可試狗，油澆莫洗頭。」謀
害設計，主角楊恆均能安然無恙。

原載於《搜神秘覽》的主要情節有十二個，夢示、卜卦、其妻通姦、牛
脯試狗、油澆、油澆莫洗浴、康七行刺、地鄰舉發、繫獄九年、蒼蠅抱筆頭、
康七招供、邑令平反等十二則主要情節單元。除「費孝先軌革」與「屋遂顛
覆」的情節不同外，其餘皆相似，因此，承襲的程度甚高。此二部份改寫爲
將「費孝先軌革」改爲其母虔禮三官神，「屋遂顛覆」改爲「牛脯可試狗」。
究其原因，將情節安排主角能免其惡運，歸功於虔誠敬神，故能得到神靈庇
祐；而屋倒意外事件改爲毒死狗的情節，增加主角人物前世爲惡必然關聯。
編撰者更動此二處情節，加重了故事因果必然與民眾希冀「老天有眼」心理
相應，使故事更能切合本書命意。爲驗證三官救苦之效，以楊恆前生作惡的
事由，作今生註定償還因果情節爲故事主軸，主角在事件中完全處於被動，
主角之所以能夠逃脫厄運，則全因其母「禮三官甚虔」。因故事中除了驗證因
果報應之不虛外，情節加重了天道報應不爽與天道之明察秋毫，對於小市民
期待亦甚爲瞭然，其次，地點由西川改爲合肥，時間由晉代改爲萬曆，〔註7〕
將時空距離拉到最近編撰者年代，適表明故事時代適應性，以符合讀者認知，
拉近距離強調可信度。其情節闡發「積善之家必有餘慶」承負觀念，全然以
天道報應的概念規劃事件，使主角的因果報應能發明神道之不誣。

編撰者對主角的善惡處理方式爲前生過犯以至今生遭厄，表現「前生所
造業，今生受者是」因果思維，與故事原相較，一則強調卜卦人物之神準，
一則爲因果原理，其改異面貌甚爲明顯。主角以負面人物詮解內容方式亦爲
顯明，情節用其母敬畏三官神作爲得救原因，降低了卜卦小道色彩。其次，

〔註7〕參見張國風：《清華學者論文學：「新生報」副刊「語言與文學」選粹》（北京：
清華大學出版社，2001 年 4 月），頁 244。

改動的情節除具有合理性與說服力外，後《輪迴醒世》更改爲三官神救護情節，亦同樣反映民間膜拜信仰「三官神」的文化情況，〔註8〕得知當時庶民民俗信仰的多元發展。

　　另一則〈守攀榨財〉故事中，章節亦大部份承襲，除情節相似外，主角人名已完全更動。僅抄襲關鍵部份做爲演繹情節主要依據，此類故事母題亦爲常見，內容流行。此故事最早見於《搜神記》「張車子」的故事。此故事來源甚早，且流傳廣泛。故事如下：

> 周擥嘖者，貧而好道。夫婦夜耕困臥，夢天公過而哀之，勑外有以給與。司命案錄籍云：「此人相貧，限不過此。唯有張車子應賜錢千萬，車子未生，請以借之。」天公曰：「善。」曙覺言之。於是夫婦戮力，晝夜以治生，所爲輒得，貲至千萬。先時有張嫗者，嘗往擥嘖傭貸竪舍有身，月滿當孕，便遣出，駐車屋下。產得兒。主人往視，哀其孤寒，作麋粥以食之。問：「當名汝兒作何？」嫗曰：「今在車下而生，夢天告之，名爲車子。」擥嘖乃悟曰：「吾昔夢從天換錢，外白以張車子錢貸我，必是子也，財當歸之矣。」自是居日衰減。車子長大，富於周家。〔註9〕

此則故事主人公因貧而好道，得到上天的幫助，將他人銀兩挪爲己用，後來債主出生，主人公財富日減，此故事傳達「定命觀」的思維。

　　而〈守攀榨財〉則敘述主角章闇，家無恆產，且無立錐之地，「欲居無室，欲耕無土，欲工作手藝未精，欲經營資本無措。」每日均到城隍廟祈禱，請發財，若不能發財，希望能早日超生。城隍因夫婦多番拜禱，就將夫婦倆的心願轉達閻羅。閻羅云：「其衣祿終身無有。」「庫中別無餘祿，止有攀榨之財。二十年後，其人方來領用，將此財與被夫妻看守二十年，沾些財氣罷了。」後夫婦果然發財，但不改其「守錢奴」的個性，二十年後來了，一個乞婦，攀榨床而得生子，章闇前往關心而詢問姓名，乞婦云：「有何名，昨攀榨而生。」章闇了然於心，心想債主來了，其後，最後夫婦留下財富給了繼子攀榨。

〔註8〕三官神救護的題材顯見爲民間信仰的反映，在其他文學亦有相同的題材，如戲曲的《鍘美案》。

〔註9〕參見〔晉〕干寶，李劍國輯校：《新輯搜神記》（北京：中華書局，2007年3月），頁123。

其主要情節有「祈禱神明」、「神明允諾借財」、「得財」、「債主現身」、「財歸原主」，主要的情節單元相同，而〈守孿榨財〉擴充情節與改易人名，如主角形象由「貧而好道」改為貧苦無立錐之地；並將得財情節增加「拾紋銀二十兩」及「盜賊自動送錢上門」；及財歸原主心有未甘的情節。細節的更易人名，除主角名更動外，甚至神明的角色均有所調整，若將天公與司命，改易為閻王與城隍神；另債主母親身份由雇傭改為乞婦。

綜觀改易原因，多為題材內容有關於主題思想，因其「輪迴」與「善惡有報」之主旨而有所調整。錢財定命觀，唐代以後逐漸發展，將人之禍福夭壽均歸於定命觀，而養子議題關涉繼承子嗣思維，此類題材其趣味濃厚，卻不失戲謔。編撰者將故事主角設定為嗇嗇節儉的章闇夫婦，因不積德行善只落得這般下場，繼承了「張車子」故事宗旨，說明了定命概念。《輪迴醒世》直接援引方式，非全然照抄，僅將故事關鍵情節與人物加以援引，大量保留故事原貌。改動部份多為關涉輪迴，如為驗證因果而設立的情節，改動情節均能按照題材來源主旨加以繼承，延續其對主角之善惡處理。情節表現了明代的生活情景與社會關係網絡，反映了社會生活體貌。其次，其改寫情節多反映當時文化內容，此類內容往往是市井細民的最為關注議題，因此投射了社會群體意識，對於研究當代風俗極具參考的價值。

二、主要情節全然延襲，惟主角有異，成書或有先後

此類大量援用其他小說題材作為改寫依據，惟人名有異。因此，將其限定於除缺乏具辨識力的關鍵元素外，情節面貌較為模擬兩可的故事，甚至情節雷同程度較小者，均屬此範圍。此類故事題材具有較普遍性質，其特徵為較易於運用於不同的文體之中，相對而言，其題材較具伸縮性與延展性，因此，若故事類型相近，改寫幅度大，但仍可見其面貌，姓名或情節已有出入。

此類故事情節的相似度極高，然主角人名、皆異。發生地點與時代則未定。此種故事典型代表為「五鼠鬧東京」，明代鼠精變化題材始自明代小說，目前較早記載，可見於《輪迴醒世》與《全補包龍圖判百家公案》第五十八回〈決戮五鼠鬧東京〉〔註10〕，《輪迴醒世》成書下限大約萬曆，而《全補包

〔註10〕 目前通論是以《全補包龍圖判百家公案》第五十八回〈決戮五鼠鬧東京〉，為最早出現的「五鼠精」的本子，《輪迴醒世》故事最晚的時間標明為萬曆，至於兩書何者為先或何者為後，至今尚未有定論，原因為兩者皆成書於萬曆，而《輪迴醒世》的成書的確切時間，尚待考證。

龍圖判百家公案》成書時間爲萬曆二十二年（1954）與耕堂刻本〔註11〕，其它若《龍圖公案》卷三〈玉面貓〉、《三寶太監西洋記通俗演義》第九十五回〈五鼠精光前迎接，五個字度化五精〉、《五鼠鬧東京包公收妖傳》皆晚於後。《輪迴醒世》爲兩種五鼠鬧東京系統之其一，據潘建國說法，《輪迴醒世》是沒有包公審案的系統〔註12〕。程毅中云：

> 《百家公案》這一回末尾說：「此段公案，名《五鼠鬧東京》，又名
> 《斷出假仁宗》，世有二說不同。此得之京本所刊，未知孰是，隨人
> 所傳。」本書可能根據另一說，但從全書多有改寫的慣例看，更可
> 能是重新加工的。（前言頁8）

潘建國以爲無包公情節者，可能早於有包公情節者，〔註13〕筆者以爲此說法證據，其立場過於武斷，在於確鑿的證據前，僅從故事情節或人物繁簡的發展規律考量，實在無法論斷二者前後。就目前所見諸種「五鼠鬧東京」故事源流，實際發現於明代無疑。再討論。

　　《輪迴醒世》的〈五鼠鬧東京〉爲書的卷十七的「妖魔部」，故事內容爲主人翁穆懌夫婦因淫逸之行，判作夫婦，須於來世受到群妖魔障的報應，故事主軸圍繞穆嶼夫婦受群妖魔障。兩人轉世爲夫柳舒與妻梅氏之後，五鼠精作各種變化混淆主角視聽，主角尋求縣令作決斷，縣令亦不辨，無可奈何之下，同謁天師，懇求天師伏劍降魔。豈料五鼠精變化爲天師，令眾人迷惑不清，真假天師乃云：「天子福大，諒能剖決。」冀求天子出面主持公道，不料貴爲天庭的天子亦被傚仿，五鼠精變化爲天子，令滿朝文武無所適從。天曹得知，著天將擒拿，豈知天將亦非敵手，最後真武（大帝）以八門生剋陣，制伏於天羅地網之中，然其中有真假天子、真假天師、真假邑令、真假柳舒、真假梅氏，玉帝亦無能分辨，不得已請出觀音菩薩出面解決難題，觀音向西天如來商借金精火眼白貓，以白貓剋制五鼠精。

　　故事以穆嶼夫婦爲主軸鋪陳故事情節，以輪迴遭受業報作爲詮解，卻將情節演繹的重心置於五鼠精的變化之上。此故事類型與其他小說類型相較，

〔註11〕「刻印最早的是《全補包龍圖判百家公案》，現存有萬曆二十二年（1954年）與耕堂刻本，題安遇時編集。」參見程毅中：《程毅中文存》（北京：中華書局，2006年9月），頁408。
〔註12〕參見潘建國：〈海內孤本明刊《新刻全像五鼠鬧東京》小說考——兼論明代以降「五鼠鬧東京」故事的歷史流變〉，《文學遺產》2008年第五期，頁99。
〔註13〕同上註，頁100。

最大差異在於缺乏包公審案內容，故事中縣令審案情節並不具有公案一般程式，包括不得不請天子出面主持公道，但天子亦為五鼠精所詭騙，由此得知情節重心在於柳舒夫婦，藉由夫婦受魔障而以此說明輪迴有效。五鼠鬧東京的故事基本模型為夫婦受魔障，尋求主持公道。具有包公審案情節的故事，均以包公清官形象作為故事的主角，加以演繹包公智慧、高明形象。但故事模式為由受魔障、尋求主持公道之間反覆，用以證明輪迴之有效性。

現就比較二書情節作為瞭解五鼠鬧東京的故事演化。主要有十個情節「主角出場」、「主角投胎」、「遇五鼠」、「真假主角」、「真假縣令」、「真假丞相」、「真假天子」、「偵察案情」、「求助於天帝」、「借貓」。其中情節差異幅度最大者為「主角投胎」、「偵察案情」兩部份。《輪迴醒世》故事多了「主角投胎」，而《包龍圖判百家公案》故事多了「偵察案情」。由此可知其情節擴充依故事的屬性而定。情節經由比較後得知：

（1）由相同得知五鼠鬧東京故事具有相同的故事源頭，然《輪迴醒世》的差異幅度較大。主要線索在於《輪迴醒世》篇目為「五鼠鬧東京」，此表明此故事原型即是五鼠精，並且明示地點為天子腳下，故有研究者以此「神話時間」作為故事演化的時間較早〔註14〕，在此處並不適用，另一理由為《輪迴醒世》故事若發生於明代皆清楚註明廟號，其他，早於明代皆標註朝代，如「宋末時」、「漢時」、「唐時」、「前晉時」等。而《輪迴醒世》〈五鼠鬧東京〉故事則標示「宋時」，編撰者有意模糊時間。

（2）編撰者延襲了「五鼠鬧東京」故事梗概，篇名未能與內容相符，表明了「五鼠鬧東京」可能存在更早版本，而《輪迴醒世》編撰者將此風行故事加以改造。其改造過程或可能參考了《西遊記》內容，因《輪迴醒世》「五鼠鬧東京」的故事的後半部則較近於《西遊記》，其一為魯迅與胡適所強調的真假孫悟空的六耳獼猴，其二為制服五鼠精的方式是，玉帝請出觀音，觀音勞煩如來，此三人的角色與《西遊記》猴精孫悟空情節雷同，為一物剋一物思維，五鼠精與天將戰數十回無所獲，最後為真武以天羅地網擒捉，與《西遊記》中孫悟空大戰天兵天將數回合，仍難分難解，最後由二郎神的嘯天犬所擒，有雷同之處。學者胡適、魯迅以為此佐證「五鼠鬧東京」故事可能抄襲《西遊記》。

〔註14〕高琬婷：《「五鼠鬧東京」故事研究 》（國立中正大學中國文學系碩士論文，2003 年），頁 81。

（3）《輪迴醒世》鼠精面貌，在此仍承襲明代的五鼠爲精怪印象，尚未演化爲人形。藉精怪折磨違犯天道的主角，是小說常見的情節。〔註 15〕因此可見撰者將五鼠定位爲一般妖精，以配合天道報應。

在另一則〈法僧投胎〉中，故事內容均有調整與刪節，其故事卻可簡化爲單一概念，此爲這一類型故事的最大特徵，其中以「高僧與妓女」類型最具代表性。此類型展示了矛盾與人性的爭扎，修煉與魔性挑戰情節內容。

〈法僧投胎〉的故事大意爲有一高僧能玄，態度傲慢，得罪知府，引起知府忿恨而思謀陷害，於是雇用妓女紅蓮誘惑高僧。高僧禁不住誘惑與紅蓮發生關係，多年修爲毀於一旦，知府得知後，以此事羞辱高僧，高僧坐化，臨去時云：「我法被你破，你家被我壞。」後轉投胎爲知府女路氏，路氏不守婦道，大壞路知府門庭名譽，路知府亦無可奈何，最後鬧出現命案，故事以悲劇收場。此故事的主角爲法僧，描述其復仇的歷程。

程毅中以爲此故事爲「度柳翠」故事的翻版〔註 16〕，而吳曉鈴以爲有更早的載記本子〔註17〕，見於《繡谷春容》〈月明和尚度柳翠傳〉及《古今小說》的〈月明和尚度柳翠〉，然故事據《西湖遊覽志》載（自署日期爲嘉靖二十六年 1547），此故事自宋時開始流傳，書中同時有「紅蓮」的故事；另徐渭所作的《玉禪師》（作於嘉靖三十一年 1522 年）也完整地載記這個故事單元〔註18〕。此種「高僧與妓女」的主題在其他小說亦有流傳。〔註 19〕兩則故事與〈法僧

〔註15〕如〈豕鹿猿蛇四毒〉、〈烏兔試丁生〉、〈夫擊婦腦於五樹間〉、〈一狐滅眾頭陀〉。

〔註16〕程毅中：《程毅中文存》，頁 429。

〔註17〕「然明佚名《騷壇摭粹嚼麝譚苑》（明金陵世德堂刊本，日本東京大學東洋文化研究所藏）固已收入《月明和尚度柳翠傳》矣。此外，明佚名《繡谷春容》仁集及明何大掄《燕居筆記》卷九亦爲收入，作《紅蓮女淫玉禪師》。明余公仁《燕居筆記》卷八則作《柳府尹遣紅蓮破月明和尚記》。杭俗有關此本之文獻記載當以來周密《武林舊事》爲最早，此外，明梅禹金《青泥蓮花記》卷一及明周輯《西湖二集》第二十回均足資旁證之需。元李壽卿《月明和尚度柳翠》雜劇，明徐渭《四聲猿》雜劇之第四種《翠鄉夢》均因衍此事而並傳於世。」參見吳曉鈴：《吳曉鈴集第 1 卷》（石家莊：河北教育出版社，2006年），頁 94。

〔註18〕參見劉磊：〈「月明和尚度柳翠」源流考〉，《安徽廣播電視大學學報》2003 年第 3 期，頁 55。

〔註19〕這是一個流傳很久的故事，《西湖遊覽志》卷十三記載有相關故事，《西湖遊覽志餘》卷二十談到小說話本中有《紅蓮》、《柳翠》，《燕居筆記》有〈紅蓮記〉，《繡谷春容》有〈月明和尚度柳翠傳〉，《古今小說》有〈月明和尚度柳翠〉。

投胎〉的相似度極高，其相近的情節有：高僧面見知府而態度無理、知府譴妓女惑高僧、藉故留寺情節等十四個單元情節中，有九個情節相同，五個情節相異，相異的部份為：（1）路知府修書（2）路氏投胎。（3）路氏嫁作人婦。（4）度柳翠。（5）知府女路氏為人謀殺。因此兩者相較之下，〈月明和尚度柳翠〉敘述與情節安排高明得多，差異無太大。由情節刪節與調整，難以說明，何者為先或後？可能如程毅中所言，有其共同的來源。

　　然小說將主角的行為破戒後，轉生後為路氏，將其諸種違背天道的行為歸為悲劇發生的根本原因，作者繼承小說一貫地否定出家人的立場，將此事件的發生關鍵聚焦於能玄一人的行為：不能守戒而違犯淫戒，遭知府設計後，又圖謀報仇，因此而遭惡報。此點改寫著重了僧人犯戒之情節，或可說反映當時僧侶的宗教生活情況。而其情節走向悲劇面，若云：

> 一日，徐子假言他出，藏於別室。路氏遣婢女邀史姓至，與之傳杯弄盞，耍至黃昏，纏就衿枕。徐子持刀，推窗突入，三人裸體，毫無遮蔽，揮刀劈下，恰中史姓心凹，肺肝突出而命絕。路氏叩頭討饒，徐子難再揮刀，乃曰：「饒汝一刀，容汝投繯。」路氏見史姓已刃，料難獨活，遂掩門自縊。徐子將兩屍繫作一束，乘夜丟人水中。次早，史家知覺，訟徐子於官，以求屍首。官府押徐子撈屍。史家覓漁舟數十，向水中打撈，即時撈起，將兩屍解開。路氏仰臥船頭，無寸絲相掩。史家僕隸，咸以篙子爭抵其陰戶。兩岸聚觀，豈止千餘人。忽空中言曰：「能玄今日報路達冤矣！」眾仰而視之，不見人影。驟起疾風迅雷，將路氏屍骸，從空捲去，不知去向云。

編撰者以法師轉世投胎情節內容，改造為因果報應故事，並在結局設置了受惡的慘烈情節。此部分情節的詳細化，強調知府女路氏（能玄後身）的惡報，與原故事「交合敗道」主題相去甚遠，由〈法僧投胎〉知府女的現世淫行，即使缺乏前世之因，按小說的故事模式，亦能自成一故事單元，主角兩次違犯天道的行為，則足以說明其主題重覆的特點。

　　〈月明和尚度柳翠〉、〈法僧投胎〉兩故事因成書時代背景接近，其時代因素差異較小。人物塑造方式採取了不同筆法進行，如主角承襲不同，前一類完全依照原型故事主角安排不作更動；後一類將主角由包公審案主角移轉至案主，兩者角色作了很大的調整。其次是情節改寫幅度不同，前一類改寫幅度較小，後者則較大，究其因，在於故事主角更動後，隨著闡發主旨的差

異，其情節必然隨之調整。至於相同點在於編撰者皆採用了故事中關鍵情節，此部份在故事流傳上皆具有極高的辨識性，此類故事，一旦改寫，此關鍵元素仍會被複製，關鍵元素（人名或關鍵詞）與情節聯繫緊密。另此類故事發展主線情節較爲單純，其變異性作品較少，此點與其原型故事所攜帶的局限特性有關，以致欲改動情節的轉圜空間不大，此亦考驗改寫作者功力。

其特點具備了：(1)《輪迴醒世》的直接援引方式，並不全然照抄，而是將故事的關鍵情節與人物加以援引，並盡量保留故事的原貌；(2)改動部份爲輪迴故事中的主要部份，如爲驗證因果而設立情節；(3)改動情節均能按照題材來源的屬性加以繼承，一貫並延續其對主角善惡處理，加以修整改裝。其改寫原則爲：依據故事文本，掌握故事重要母題，掌握故事的元素，補充情節、增加人物，加以鋪陳情節；所有故事的結尾均加上閻王斷案情節，使故事具有議斷主角善惡的色彩。

第二節　僅取其意，杜撰居多

此部份與前二種類型故事相較，最突出的是其參考歷史與時聞成份居多，惟基於背景因素，其故事來源相當多樣，因此將其歸爲一類。此部份故事均具有歷史的色彩，僅在時間略有先後之分，而將分爲「歷史」與「時聞」。

改寫內容情節均傾向於原故事架構，並繼承原先故事精神，而加以發揮，以引起讀者的同情理解。此部份內容主要爲歷史眞實人物與明代當時社會時聞。其中爲兩類：一類爲當代新聞，以〈悍婦報〉、〈大貪大害〉、〈觀燈失子〉〈仗勢行虐〉、〈假尼恣奸〉，共有五篇；另一類爲各類歷史故事。如〈陸文二忠臣死難〉、〈顏張二忠臣死難〉、〈兩刺讎以報主〉、〈仗忠生還〉、〈侍講以忠族〉、〈陸贄活拿斐延齡〉、〈三王索命〉、〈弑君償以弑父〉、〈洞賓預判竄崖州〉、〈奸臣變龜犬〉等十篇。其改編的內容取材對象均爲庶民所熟知的特點，並以「忠」、「義」特點作爲擇選人物標準。其次爲當代要聞，其內容集中於當時發生的社會案件加以改編，因此，故事具有爲鄉里草野的新聞特點，此點應與作者的有意改寫加以反映時事的精神有關。

一、歷史本事與故事新編

《輪迴醒世》中擇取歷史人物的本事加以敷衍，爲賢臣與奸逆另闢一部，添加對善惡內容的議斷情節。本書具有以身份而劃分章節用意外，小說有意

將忠義內容加以彰顯。運籌庶民對歷史人物印象，以輪迴詮解將人物命運，復印證小說命意。其次，為求歷史人物特點具合理性與趣味性，將人物情節加以刪改，在拿捏「虛」與「實」之間，不違背真實歷史人物命運，以突顯人物報應作為其改易原則。

若陸秀夫、文天祥，其與張世傑為後世稱為宋亡三傑。宋史登載陸秀夫：「陸秀夫，字君實，楚州鹽城人。生三歲，其父徙家鎮江。稍長，從其鄉人孟先生學，孟之徒恒百餘，獨指秀夫曰：『此非凡兒也。』景定元年，登進士第。……時君臣播越海濱，庶事疏略，楊太妃垂簾，與群臣語猶自稱奴。每時節朝會，秀夫儼然正笏立，如治朝，或時在行中，淒然泣下，以朝衣拭淚，衣盡浥，左右無不悲動者。……。時世傑駐兵崖山，秀夫外籌軍旅，內調工役，凡有所述作，又盡出其手。雖匆遽流離中，猶日書《大學章句》以勸講。至元十六年二月，崖山破，秀夫走衛王舟，而世傑、劉義各斷維去，秀夫度不可脫，乃杖劍驅妻子入海，即負王赴海死，年四十四。〔註20〕」以上為宋史載記了陸秀夫的死節故事，陸秀夫背帝昺投海，廣為流傳。〈輪迴醒世‧陸文二忠臣死難〉篇章改編了這個歷史的故事，主要八個情節有「登進士」、「楊太妃垂簾」、「秀夫背帝昺投海」、「夢示秀夫」、「秀夫思雙手擎天」、「秀夫進水晶宮」、「鬼門關謁閻羅」。後五個情節不同。其改編故事的建立基礎模型，有三部份，其一，為型塑人物的典型特徵：「忠」形象；其二，敷衍主角死節過程；其三，閻王加以禮遇情節。此部份為此類型故事模式。其改寫意圖，藉由虛構渲染，描述細節、補充情節、增加人物，提高文本閱讀的樂趣，在尊重史實的精神之下，添加輪迴的元素，以詮解人物命運，進而使歷史人物命運，運作於輪迴架構之中。

文天祥與陸秀夫故事為後人所熟知，小說將此歷史情節加以敷衍成篇，作為忠貞報國精神楷模，以神人皆敬重其「忠義通神」情節作為小說強調故事重點，符合民眾既有思維。其故事梗概依循真實歷史加以改編，刻劃了主角忠義能死節，不畏強敵環伺的大勇精神，符合本書的基本道德與天道思想。其身殉國，故事卻將其神格化，延續其不朽之精神，作為生命昇華證明。陸秀夫與文天祥二人皆為宋末大臣，面臨國家危難仍試圖力挽狂瀾，表現高尚節操，形塑其角色為忠君形象之高標，使故事中突顯此種風範。

〔註20〕（元）脫脫等：《宋史》第三十八冊卷四百五十一，（北京：中華書局，2000年），頁10315～10316。

由於情節虛構程度甚大，因此，參照歷史卻不違背人物的歷史形象，可以得知此形象取材來源多出自正史，故與正史所載個人事蹟，出入甚微。然此種改寫再創作筆法，具有濃厚的提倡忠孝意識。作者改編命意在於反諷當時的朝政，庸臣與奸臣充斥朝廷，致使國事如麻。希冀良臣故事震礫千古。人物善惡的趨向往往在情節開頭已預示了歷史人物命運，歷史人物的命運安排與環境的變化往往互為呼應，時勢與英雄互為因果關係，用以說明人物善惡的趨向。若由因果的情節模式而論意甚為符合。

　　其他如〈侍講以忠族〉，小說中誅連十族〔註21〕是按照正史中的記載加以敷衍情節，然小說的挖穴燒蛇的故事應是歷史過去之後，所添加的，目前所知〈侍講以忠族〉，應是延襲鄉野傳聞加以改編。明代筆記《野記》是目前可以找到此種故事樣貌的較早記錄。《野記》載記了方孝儒父親〈造墳燒蛇〉的故事：

> 方希直先墓初有妖，後治墓，乃見大蟒出塚中，生聚極繁，殆至數千，洞穴蔓廣，腥穢逼人。眾議欲盡殲之，姑掩穴歸，治挺鑽火攻之具。其夕，方公父夢黑衣嫗拜，懇言：「吾輩無損於公，公將滅吾族，幸舍之，當報德，不然亦能報怨。」父曰：「奚報怨為？」嫗曰：「公能族我，我亦能族公。」又曰：「吾舉族來懇矣。」方顧嫗後男女無限，然竟不許。明日，語家人，且謂妖蟒乃爾，正當除之，因極力搜捕，焚殺罄絕。其夜，聞山中哭聲。後方公不幸嬰烈禍，蛇蘖亦足徵也。〔註22〕

　　明人田藝蘅《留青日箚》也有載記〔註23〕，可見孝儒死後方家焚蛇的故事已開始流傳，此故事普遍流行於吳越之地。其後方孝儒一變而為蘇州蛇王廟的主祀，可能與吳越之地自古有蛇崇拜，有地緣上的因素，此或可能方孝儒為蛇王的傳說來源。在清人袁景瀾於《吳郡歲華紀麗》〔註24〕亦提到了此事，至今蘇州當地的評彈藝人，仍流傳此故事，並鋪演為方孝儒身為蛇王投胎為報滅族之禍，其故事為「紅蛇王是方孝孺，蓄意惹禍誅十族」〔註25〕，

〔註21〕〔明〕祝允明：《野記》筆記小說大觀第40編，（台北：新興書局，1983年），頁311。

〔註22〕〔明〕祝允明：《野記》筆記小說大觀第40編，（台北：新興書局，1983年），頁431～432。

〔註23〕提到方孝儒出生時「母見黑氣入室而娠，又云生而吐舌如蛇」，參見〔明〕田藝蘅：《留青日札》（上海：上海古籍出版社，1992年11月），頁574。

〔註24〕〔清〕袁景瀾：《吳郡歲華紀麗》（南京：鳳凰出版社，1998年12月），頁160。

〔註25〕潘君明編：《蘇州歷代名人傳說》（蘇州：古吳軒出版社，2006年1月），頁

此種蛇王投胎復仇的故事類型流傳甚廣。與《輪迴醒世》的故事呈現較大的差異，是為不同系統，目前流傳版本，以蛇王投胎報仇較為普遍，由蘇州流傳的民俗故事，可見一斑。

〈侍講以忠族〉故事節引如下：

> 方孝儒，為建文侍講。未捷時，為父母卜地，一堪輿以某山獻，孝儒亦粗遍地理，登山定穴，選於某日下葬。先一晚，孝儒夢往郊野，有數萬人跪告曰：「君已得我宅矣，苦不及徙，容遲三日，自當迴避，庶彼此咸利也。」……遂相計議，取乾柴數束，置於穴中，一火而燼。……。是夜又夢萬餘人相遇於野，或怒罵，或瞋目，或作欲擊狀。打頭一人曰：「不必辱他，不須苦他，只以四語加之，足矣。」云：「順事祖孫忤其子，人在寺中講禍至。火坑可蹈兩相加，削草除根亦照此。」……。錦衣衛逼其更衣，孝儒兩手堅持，牢不可脫，即服齊衰上殿，不面君而背立。永樂曰：「既有新主，何不革面以從？」孝儒曰：「我主已故，實難革心。」眾來武臣逼其轉身下拜，而強折其膝。孝儒曰：「屈於膝而不屈於心，猶之不屈也。」命拘其子至前而諭之曰：「若順從，免殺此子。」令群臣百端解諭，不惟不從，且罵不虛口。……。遂當面誅其父母。取其女與媳，當堂發於教坊司為官妓。朝廷處之愈慘，孝儒罵之愈毒。朝廷曰：「我當夷故三族。」孝儒曰：「那怕夷我九族！」朝廷曰：「我即夷汝九族。」九族乃本姓，三族乃父母妻三黨也。一時出口，反為孝儒所愚，而止夷其九族。此時群臣尚解勸曰：「一言之順，省一族之誅，公何苦至此？」孝儒曰：「數十年前，天定，非燕賊之能戮我一姓也。」眾問曰：「天數何由而卜？」孝儒語以葬墳焚蛇之故。解完此語，屬聲大罵曰：「燕賊何不速殺我！」命先割其舌，此舌擲地，舌在磚地上，自寫「燕賊篡位」四大血字。血痕透入，深不可刮。命押孝儒於市而支解之。（頁462～464）

真實歷史改編並引用筆記加以鋪張情節，正史記載著方孝儒不屈不服朱隸的情節，僅記載「孝孺投筆於地，且哭且罵曰：『死即死耳，詔不可草。』成祖怒，命磔諸市。」〔註26〕明史卻未書寫方孝儒被誅十族的事。然方孝儒遺體

111～113。

〔註26〕〔清〕張廷玉：《明史・列傳》第二十九卷（北京：中華書局，1974年4月第1版），頁4019。

卻由「其門人德慶侯廖永忠之孫鏞與其弟銘，檢遺骸瘞聚寶門外山上。」其門人之孫與門人之弟收理善後，不免啓人疑竇，誅十族之事的眞假與否，則有待考證。小說有關方孝儒故事趨近於《野記》中記載，情節仍有差異。其差異點有：（一）焚蛇的人由其父改爲方孝儒；（二）蛇數由數千改爲上萬；（三）野記及其它筆記，皆提到方孝儒爲蛇轉生，小說則否；（四）出發點不同，一爲堪輿所需，一爲「先墓初有妖，後治墓，乃見大蟒出塚中。」（五）〈侍講以忠族〉著重描寫方孝儒不屈的義節內容。

　　兩則故事大體都以因果報應作爲主旨的思想，情節差異表現了編撰者的意識傾向不同。〈侍講以忠族〉著重於詮解方孝儒忠君何以遭戮的根本原因在於殺生，違犯殺生，亦得償還，小說將方孝儒忠君的精神得以發揮，個人的殺生行爲亦得以詮解；而《野記》將方孝儒的角色形塑爲爲復仇而轉生的角色，懷著恨意而死，並連累家族與門生。兩者的主角形成強烈的對比，由此可見作者具有強烈儒家意識，因此用心刻劃了方孝儒寧死不屈的情節。而《野記》繼承了傳統民俗小道消息的敘事手法，將方孝儒生平遭遇賦予因果報應記異色彩，則更爲鮮明。

　　根據以上的兩種歷史故事，可以得知編撰者對人物善惡的處理，一概遵循歷史的形象主線進行而加以援引，而未作修改。並在原有形象基礎上，對於正面的人物，放大其效果，加強正面人物的神話性格。作個人主觀的印象渲染。如陸秀夫的歷史形象，本爲負帝投海殉節，然此爲忠臣之所應爲，小說卻將陸秀夫形象加以細節化，並增其神聖輝光。不僅自身殉國，亦鼓勵其妻死節。而相反的，若曹操或其他爲稗官野史所否定歷史人物，均依循民間印象加以繼承，以此基礎用以鋪排情節，符合民眾既定想法。作者此種善惡處理方式，既考慮了歷史人物的一貫印象，又能將此印象改編爲符合小說意旨，進而扣合命意，以歷史人物的眞實命運，肯定天道不爽。此類內容往往凸顯社會的問題與庶民關注之所在，對於當時的爲政者治理具有極大的參考與反省，具有反映現實的批判精神，借古諷今的意味濃厚。

二、時事新聞與文學虛構

　　明代筆記小說記載的當時要聞，屢見不鮮，其中以《塵餘》〔註27〕、《五

〔註27〕《塵餘》成書於 1607 年，丁未，萬曆三十五年。〔明〕謝肇淛：《塵餘》子部雜家類 1130 卷（上海：上海古籍出版社，1995 年，收錄於《續修四庫全書》）。

雜組》〔註28〕等書最爲知名。這些具有新聞時事特性筆記，載記了上至皇帝，下至平民百姓的生活事件，也爲明代的歷史留下了珍貴的記錄。這些內容包羅萬象，種類繁多。這些內容亦載記於其他文體，若日用類書等，有一部份反映於法律類書籍，由此可知，此類新聞事件，在當時民眾口耳騰播的影響。

《輪迴醒世》部份內容亦加以轉載，並改寫了新聞事件，演繹爲因果報應，作爲驗證天道之不爽，然此類的內容當涉及當代的聞名人物時，具有強烈的針對性，編撰者作了更多的修飾的表達。雖如此，這些新聞事件的改寫，對當時的讀者仍具有吸引，因其親近與熟悉的性質，更能引起共鳴，藉此轉爲具有教化意義的因果事件，令讀者重新詮釋，將寫實新聞轉化爲具有道德性價值判斷。此新聞事件延伸出不同面貌，放大虛構性質，弱化眞實意味，亦加強了故事情節趣味。

〈觀燈失子〉中主角史可遠「包攬詞訟」，致使禍及子孫，其子因觀燈而走失，走失途中備受欺凌，最後淪於乞兒，主角不幸溺死爲鬼，其妻在尋得其子後，看破紅塵出家爲尼。身爲訟師的史可遠，其惡行遠近皆聞，雖故事僅簡略述及：「華丘史可遠，稟性刁惡，包攬詞訟，慣放無煙火，能興平地風。」

此故事亦可見於《塵餘》，卷之一第 46 則〔註29〕：

> 有一朝貴官京師，有二子甚愛之。一日，家僮出海岱，門外遇一乞兒啼，視之竟爲其主次子也，驚問才知其數月前被人攝至此，迷失歸路，凍餓殆死，僮乃攜歸告主，後養數月始復如常。

〈輪迴醒世・觀燈失子〉云：

> 華丘史可遠，稟性刁惡，包攬詞訟，慣放無煙火，能興平地風。時人恆咒曰：「可遠其無後乎？」至後生一子，名保伢，體格溫柔，姿容俊雅，見者無不忻羨。時人又曰：「可遠有此子，天道其無知乎？」……保伢行數裏，不見燈影，知爲彼所拐，乃啼泣不前。僧喝曰：「汝至此，休想入城。倘若不行，即當刺故。」因拔刀以示，嚇得保伢魂飛魄散，敢不隨行。……回至家中，多攜路費，帶一

《塵餘》爲海外孤本，在日本發現，爲謝肇淛的少數小說創作之一。出故事時間的則集中在神宗萬曆年間（1573 年～1620 年），參見吳依珊：《謝肇淛及其「塵餘」研究》（國立成功大學中國文學研究所碩士論文，2006 年 7 月），頁 2。

〔註28〕〔明〕謝肇淛：《五雜組》（上海：上海古籍出版社，1995 年，收錄於《續修四庫全書》子部雜家類 1130 卷）。今經學者考證應爲《五雜組》。

〔註29〕〔明〕謝肇淛：《塵餘》，頁 170。

婢一丁，抵南安之境，訪至大東門，果有三眼井，此處乞兒頗多。
有一病乞，臥於井旁，狀若骷髏，問其姓名，啞不能對。呂氏曰：「此
必吾兒也。」因問曰：「汝名可叫保伢否？」病乞點頭，且睜目以視，
及見昌氏，認得是母，其淚如注，遂以手牽其衣。及語以父母姓名，
悉皆點頭。呂氏不勝痛哭，命僕負去，不數日而卒。自氏置衣棺埋
之，誓不回籍，以家事付牌僕，自捨身於女觀中。（頁127～129）

此類故事於《輪迴醒世》與《塵餘》二書所記載，極為相似。《塵餘》所載記
的體例已接近時聞，雖不言主角為誰，僅提示「有一朝貴官」，對於傳聞能夠
耳聞，其事件當時必然轟動，至於「貴官」為誰早以了然於心，只是時至今
日，時間與針對性已消失，而鋪張情節以為故事，將此時聞轉為具有因果報
應思想作品。

　　作者將原先時聞加以編成中篇小說，雖情節延展的已見繁複，其基本架
構仍清晰可辨，首先是將其主角由「有一朝貴官」置換為訟師史可遠，而主
角的訟師身份在明代具有指標性的特徵，明代是重視律法的朝代，因此，法
律的相關常識較其他朝代普及，好興訟使司法案件增多，因而促成訟師行業
的興起，然傳統概念對於興訟此事，仍抱持著負面的想法，致使協助打官司
訟師淪為爭議焦點，小說中主角已由話題人物轉爭議人物，甚至成為一般民
眾加以排擠對象。然此點適足以反映當時社會興訟的風氣，此故事結合了失
蹤人口的事件加以鋪排情節，亦表示當時社會問題的嚴重性，作者結合兩種
社會元素加以改寫，確實大大地提供小說興味。其次，故事增加了走失幼兒
所面臨的險惡情節，鋪露了當時拐騙人口的真實性與罪惡，而其參與罪惡人
物，竟為僧人。僧人本為世俗信仰寄托對象，而僧人犯案頻繁發生，由此加
重了故事的社會問題交融的多重性。

　　《塵餘》的「有一朝貴官」，由文本觀察並不具有善惡判斷的特徵，然情
節已賦予善惡的價值判斷，小說將其歸納為「報應」，而報應原因在於「稟性
刁惡，包攬詞訟，慣放無煙火，能興平地風。」，並將情節安排為個人為惡的
行為禍及子孫，此觀點包羅了傳統「承負觀」的概念，故事結尾安排其妻出
家以度晚年的內容，亦具有鄙視孤寡的想法。

　　在另一則故事〈悍婦報〉同樣載記於《塵餘》，〈卷之一第41則〉云：
蒲州楊元祥，舉萬曆癸未進士選館職，其妻悍妒。元祥嘗狎一婢，
妻怒之，元祥無如之何，每用繩繫梁間，詐欲自縊，妻驚救之。如

是數四，既知其詐也，亦不為意。一日又狎其婢，妻叫號欲杖之，
元祥入室閉户，妻猶怒不解，食頃，不聞聲，破户視之已縊死矣。
〔註30〕

情節描寫楊元祥其妻善妒的故事，後「狎其婢」，因遭妻杖打而投繯自縊。此
則與〈悍婦報〉的情節極為相似，但〈悍婦報〉篇幅則曼長許多。故事大略
相同。

〈輪迴醒世·悍婦報〉故事節引如下：

慶元劉乾，娶曾氏，尚執新婦禮。……。乾與一婢隔窗微笑，為曾
氏所窺，婢幾挺身，碎乾之衣巾，拔乾之髮鬢。爪痕橫面，指印遍
身，仍罰乾跪於檻上。……乾得罪於虞姓，虞姓知其懼內，思有以
苦之。瞰乾他出，往彼家大聲問曰：「劉兄可在家？」無人答應。虞
姓料曾氏離此不遠，乃曰：「不見劉兄，不得與馬姑娘寄信。被欲見
劉兄得緊，奈何？奈何？我且去，遲日再來。」曾氏在屏後聽得，
心如烈火，不待夫歸，窗牖器血，盡打粉碎。乾聞之，急趨而問。
曾氏持盆擲乾頂，腦已塗地，猶口齧其肱而肉懸於臂上。……。乾
設酌會友，一友攜狡童入席。乾與狡童接肩而坐，酒行數過，曾氏
問家童曰：「座中有幾客？」答曰：「有四客，有一小客貌甚美。」
曾氏往屏後瞰之，見眾客，各向狡童戲謔。乾偶以餘杯酌狡童，曹
氏遂不能禁聲，大怒曰：「如此快活也！」竟向廁中取糞一罐，馳中
堂，向席中亂澆，客偕乾飛走。曾氏且指乾曰：「你莫想來見我。」
眾語乾曰：「曉得令正如此利害，原不合偷趣調情？」乾曰：「諸兄
不合攜童過我，是陷我也。」眾友則去，乾忖曰：「隔窗微哂，尚拔
髮破面，今把臂交杯，有死而已，何必零碎受苦。」乃向書房投繯，
偶一僕人見。屍雖解下，而魂已歸地府矣。（頁351～353）

〈悍婦報〉增加了悍婦曾氏荼毒丈夫劉乾細節，因「乾與一婢隔窗徵笑」、「虞
姓知其懼內，思有以苦之」、「乾設酌會友，一友攜狡童入席。」遭受其妻以
「拔乾之髮鬢。爪痕橫面，指印遍身，仍罰乾跪於檻上。」「曾氏持盆擲乾頂，
腦已塗地，猶口齧其肱而肉懸於臂上。」「竟向廁中取糞一罐，馳中堂，向席
中亂澆，客偕乾飛走。」隨後劉乾投繯自縊。除此之外〈悍婦報〉的結尾以
閻王審案，令劉乾復生，以彰顯天道公正。兩者故事的差異性不大，《塵餘》

〔註30〕〔明〕謝肇淛：《塵餘》，頁169。

故事，其中記載新聞性較強，而其中主角楊元祥數次佯裝自殺，後來果然成真，故事未交代主角是否為有意；而〈悍婦報〉的主角劉乾雖自殺成功，閻王卻派鬼卒守護屍體，避免回魂時，屍身遭到破壞。兩人妻子下場亦不同，《塵餘》未交代女主角下場如何，而〈悍婦報〉女主角則遭到家族人士吊死，最後到了陰間，仍繼續地受罰：

> 命拔去其舌。鬼卒即將曾氏舌根拔出。閻羅曰：「汝一入劉門，怒目視夫。」命剔去雙眸。鬼卒即將曾氏兩眼珠剜出。閻羅曰：「汝曾以齒齧夫臂。」命擊去其牙。鬼卒即將曾氏牙敲下。閻羅曰：「汝手曾執杖捷夫。」命斷其手。鬼卒即將曾氏雙手斷下。閻羅曰：「心腸至此婦最毒。」命剜其心，斷其腸。鬼卒即將曾氏剖胸取心，破腹抽腸。閻羅命將曾氏骸骨，磨為粉碎。鬼卒即將曾氏入磨中，瞬息磨成細粉。閻羅曰：「仍將曾氏之魂囚於冰池，萬代不得超身。」（頁353）

兩則故事在比較之下，可以得知，其編撰立場相差甚遠，男女主角下場如此懸殊，反映了作者傾向，《塵餘》僅作為時聞載記，而《輪迴醒世》的作者已賦予故事了濃厚道德意識，小說對於妒婦的厭惡表現到了極點，給了妒婦安置了萬劫不復及挫骨揚灰的下場，並處罰她對其丈夫的無理惡行，若「剔去雙眸」、「擊去其牙」、「剖胸取心，破腹抽腸。」、「骸骨，磨為粉碎。」、「曾氏之魂囚於冰池，萬代不得超身。」，此細節化的處理方式有意加強了讀者印象。綜而言之，多數改易之作具有因果思想，並強調了善惡行為所帶來的報應，運用細節化處理方式原故事，以增加事件的可信度；其二為添加了因果報應的審案情節，以作為事件的詮解，並以公正的閻王補充事件的解說者；對於時聞故事，大量的具體細節作為增加故事的說服力。

小說的取材來源大致可以粗分四類：（一）承襲流傳廣泛的題材，關鍵人物，人名亦同；（二）主要情節全然承襲，主角皆異；（三）歷史本事與文學新編；（四）時事新聞與文學虛構。其直接援引方式，並不全然照抄，而是將故事的關鍵情節與人物加以援引，並盡量保留故事的原貌；改動的部份為輪迴故事中的主要部份，如為驗證因果而設立的情節；改動的情節均能按照題材來源的屬性加以繼承，一貫並延續其對主角的善惡處理，加以改裝。歷史故事反映了編撰者對人物善惡的處理，其形象主線進行而加以援引，而未作修改其增添的部份往往集中於故事的開端與結尾。並在原有的形象基礎上，

對於正面人物，放大效果，及加強正面人物的神話性格。多數改易之作具有因果思想，並強調了善惡行為所帶來的報應，運用細節化的處理方式原故事，以增加事件的可信度；其二為添加了因果報應的審案情節，並以閻王補充事件的解說者；對於時聞故事，大量的具體細節作為增加故事的說服力。歷史故事與時聞故事相較，缺乏社會問題交融的多重性與複雜度。各故事改易的程度主要原因應歸於闡發主旨的差異所致，來源於歷代的題材皆具有極高的辨識性，直接援引方式，並不全然照抄，而是將故事的關鍵情節與人物加以援引，並保留故事的原貌。

第三章　人物形塑：突顯命意

　　中國古代小說的人物塑造傾向於「著意突出人物的類特徵」〔註1〕，並習於小說中採用「典型」人物以彰顯主題。然公案小說一般創作，其人物特點以清官為核心，各章回以清官為主要人物，此特點亦反映於公案小說的書名，多以審案諸公命名的公案小說集，故胡適言及「箭垛式」的清官，恰表明此公案小說命名常態，清官既為公案小說核心人物，亦是佛斯特所謂「扁平人物」，〔註2〕辨認特徵容易及個性不鮮明。如同於公案小說慣習，《輪迴醒世》〔註3〕既名之為輪迴及醒世，亦如同勸善書一類，以人物彰顯神道設教，用各

〔註1〕劉上生指出中國古代小說在塑造人物形象時，會「著意突出人物的類特徵」，充分展示人物的善惡、忠奸等對立的格局，透過性格塑造和形象描寫等表現出一種類型的概括。參見氏著《中國古代小說藝術史》（長沙：湖南師範大學出版社，1993年6月），頁103～112。

〔註2〕英國小說家愛・摩・佛斯特（E.M.Forster，1879～1970）增提出過「扁平人物」（flatcharacter）、「圓形人物」（roundcharacter）的區別，透過辨識難易與伸展的概念化為兩者。這些說法的提出，進一步，對於人物的功用性作了具象的描述與有效的歸納，後為眾多學者採用。佛氏進一步將情節視為人物與一般非人物的互動組成，由兩者產生的不平衡用以觀察情節，可知人物於情節中的活動與表現。參見佛斯特，蘇炳文譯：《小說面面觀（Aspects of the Novel）》（廣州：花城出版社，1984年12月），頁59～60。

〔註3〕書中的僧尼不守清規、賣妻鬻子、商業局騙等社會流弊多有描繪正反映當時景況。全書十八部，每部一卷，按它的標目分為〈廉慈貪酷〉、〈嗣息配偶鰥寡孤獨〉、〈慷慨慳吝〉、〈悲歡離合〉、〈俠豪卑污〉、〈貞淫〉、〈貴賤富貧〉、〈公平剝削成敗勤惰〉、〈救援盜拐〉、〈人倫順逆〉、〈嫡妾繼庶〉、〈施濟吞謀〉、〈智愚壽夭〉、〈忠奸〉、〈矜驕承奉〉、〈屠殺生全〉、〈妖魔〉、〈伢行衙役〉。每部故事不等，少則幾篇，多則十幾篇、全書共一百八十三篇，多寫明代社會現實生活，揭露官場豪強惡行，世風險惡、道德淪喪，廣泛反映明代各階層之眾生相。程毅中以吳曉鈴藏明刻本之影本，即據「日本名古屋市蓬左文庫藏明聚奎樓刻本加以配補」，刻書年代大致在「萬曆後期或萬曆之後」。其他學者如陳大康主張日本名古屋市蓬左

類人物以反映命題，如以「類型」而分，即歸類於「扁平人物」觀全書之各篇主角大體符合此一特徵，由清官所代表的判官，亦有相似傾向，具備辨識容易及個性單純之特徵。〔註4〕

　　《輪迴醒世》既為公案小說且具有判別是非的意識，必然涵括是與非兩部分，作為故事主軸，「是」是指正面人物，「非」是指負面人物，透過正面人物與負面人物演義小說主旨。小說中冥司擔任議斷人物是非的角色與智慧老人，從而平衡小說中是非善惡的機制，並引導主角角色。其他配角人物在文本中亦有其重要性，其作用在於映襯主角及推動情節。小說人物結構安排主要由三類正反主角、配角、智慧老人構築而成，用此架構鋪排整個天道系統下人物運作，三方面人物安排在技巧上各有不同擘劃與作用，從情節採用、性格描寫、語言使用、事件鋪排，均具有不同於公案小說之規劃。本文欲由小說從人物塑造方法上、小說主角性格描寫，其情節安排及語言鋪排，以得知撰者命意，理解小說創作動機。

第一節　以正反的主角突顯主題

　　小說主角涵括社會的各層面，從各級官員、胥吏至衙役與鄉紳及邊疆守將、妻妾、商人、農民、奴婢、俠客、僧尼、歷史人物、儒生等，年齡從老至幼，各行各業及各色人等均有，其涵括人物廣度類似「社會小說」〔註5〕。此點表明小說欲涵括社會意圖，進而表現出社會生活廣度，由主角生活場域推衍情節，演繹內容。天道以獎懲對照人物善惡。運用對比方式來呈現天道，或有拙劣。〔註6〕其單調性在於全然由文本中判司直接議斷主角是非，然此種

文庫藏明聚奎樓刻本應刊於明崇禎七年（1634年）及胡從經主張萬曆末年，與程氏所言相合。請參姜德明：《胡從經書話》（北京：北京出版社，1998年1月），頁281。陳大康：《明代小說史》（上海：上海文藝出版社，2000年），頁529。

〔註4〕多數學者的意見多持此種看法，以卜安淳為代表，「特別是明清時期作品中的清官形象，都往往不可避免的帶有臉譜化、類型化的痕跡。」參見氏著〈公案小說的創作藝術〉，《古典文學知識》1992年第一期，頁72。

〔註5〕小說文體而言，其包含人物之廣度近似「社會小說」，亦即包含了中下階層的小人物。然內容的傾向則不同於公案小說著重於「案件」的性質，卓參游友基：《中國社會小說通史》（江蘇：江蘇教育出版社，1999年），頁1。

〔註6〕說中僅交代主人翁個性之後，即進入事件的介紹，缺乏交代正面人物的行徑的源由，對於負面人物亦然，此種古代小說習用正如心理學中的正增強的作用，對於正面人物的行徑均停留於表面描述如對其個性的直接形容與所做所

傾向「扁平人物」塑造方法，其用意在於強化正反主角形象特徵。進而由此特徵作為辨識人物善惡根據，一方面傳達天道內容，另一方面，由情節敷衍，彰顯天道意涵，使讀者能感受天道確然存在。因此，正反人物的情節安排關乎撰者用心所在，即以正反人物的趨向符合讀者的既有期待，用以證明天道運行於陽間真實不虛。

一、以正面人物彰顯天道的典型

　　小說習以正反人物來表現情節趨向，主角的性格優缺點往往間雜互見，但其缺陷表現主角的性格特徵，以此形塑主角的形象，進而創造其人物魅力，然《輪迴醒世》卻使用不同手法，即各分篇的主角均不同，將撰者認知正反兩種屬性編派於不同主角身上，並將其焦點化，以凸顯效果，進一步透過主角之語言與個性的特徵構築其「性格」，藉此推衍情節，並安插連續重大事件以鋪排主角命運，以達成善惡有報目的。

　　小說正面主角型塑技巧與特色具有極高辨識特徵，〈清官作判〉中如此描寫主角性格：「蒙丘穆徵，自做秀才時，已廉靜寡欲。過官吏貪污者，則且訾之訕之，切齒而擬議之；遇清廉者，則慕之羨之，不僅口出而贊賞之。」（頁1）首先描繪穆徵清廉與嫉惡如仇個性，後云「及登第作臨湖令，公平市貨，不用官價；平等收說，盡割秤頭。聽訟止判屈直，當笞則笞，當杖則杖，不折杖，不罰穀，不納紙錢。」進一步凸顯其奉公守法形象，此部分為小說安排主角性格，使其形象更為透脫，為後續事件作舖墊，以開展主角命運作準備，由小說主旨而言，主角完全符合正面人物所需條件，其形象符合讀者心中期待。其次，描述事件經過及外顯行為，以為驗證天道及與個性互為呼應安排，若云：「歲遇水荒，合且漂沒，里巷飄搖無定，不思東竄，即想西逃。穆公下令曰：『概邑居民，不得擅離故土。雖遇沉淪之苦，當為補救之方，死守而不他向。』」（頁2）事件同有張揚主角個性的作用，故發生事件之性質，亦暗合主角個性，進而與小說主旨同調。小說中正面人物個性，通常是按照人物身份安置個性屬性，如前述穆徵身份為清官，小說塑造清官屬性共同點即是「清」與「廉」，反之則為負面人物之個性表徵。在〈廉慈貪酷部〉中清官章節中，如〈陽職任陰官〉、〈剔弊加年〉、〈清修轉命〉、〈因慈加秩〉、〈王

　　為的行為效應，文本缺乏進一步於第二層人物形象的鮮明塑造，以致於閱讀完故事之後，僅流於對故事梗概的印象。

菩薩〉均以此作爲賦予個性模式。由此亦得見小說正面人物塑造方法，符合一般民眾既定觀感，所有正面人物的個性與內涵亦與傳統天道思維一致，故可與讀者內心期待共鳴。

塑造人物之技法，以主角行爲於相關事件中施爲，表現其個性，其語言亦具畫龍點睛的作用，因此，主角動向往往透過語言來傳達，以語言張揚主角個性。小說的主線雖爲單一而單調正敘方式進行〔註7〕，事件發生後，進行審判，亦是一般公案小說定式，形塑清官形象亦表現於體恤百姓行徑，如〈陽職任清官〉若云：

> 吳合令崔崇，蒞任半載，俸支五石，政簡刑清，不追舊稅，復寬新課。其兌銀較准法馬，花戶自投里長折封，累貯庫中，即督原里長包解。崔令不過催收覺察，毫不經手，亦不委權於戶房，得以從中需索。凡放告，即於當堂面准，狀不落房，亦不出差，即於狀上批某日審，看原告往拘。倘不奉拘，添差里長，不問枉直，先受重刑。於縣前左右，各置空房五間，內置鍋竈十數口，令訟者在此起爨，不須歇店，不用租房。審期自無一名不到。照例勘間，如田土除遠年不究，典契則議增。如人命則論眞假，眞者抵命，假則趕散。凡百事亦皆從寬發落，屈者受刑，絕無罪贖。凡聽審者，不必先期而至，見即審，審即散，一飯遂行，不必再炊。上司催徵甚急，崔令止行常法，不加逼促。（頁3）

主角崔崇行止全然是清官理想樣版，將「清」與「廉」清官性格表現淋漓盡致，小說形容主角勤政愛民，體恤人民視之如稚子樣貌。這些行爲描述完全是清官爲政指南，清官性格透過執行政務的細節予以表呈，故能將清官形象鮮活地展現。由此可知小說對正面人物行爲塑造，是藉由對瑣細情節刻劃，表彰清官正面形象，其次，刻劃內容是以具體生活內容爲範圍，此不僅可以做爲世俗清官模範，亦建構出讀者心目清官形象。

其次，天道所認可規範既已清晰涵括在這些正面人物行止中，用此手法扣合主旨要求，以「天道無親，常與善人。」〔註8〕體現在正面人物身上，故

〔註7〕「依照事件發展的先後順序敘述下來。這是一般最常用的手法，史書裡的許多列傳，大體均是正敘」參見林保淳：《創意與非創意表達》（台北：里仁書局，2008年），頁151。

〔註8〕「天道無親，常與善人」，語出《老子》第七十九章。類似有《左傳》〈僖公五年〉的「皇天無親，惟德是輔。」《國語》〈晉語六〉的「天道無親，惟德

正面人物符合天道範型，寄寓命意。然正面人物在情節之中卻較少有矛盾衝突內容，此種安排顯得缺乏張力而傾向於平舖直敘，此方式除降低閱讀趣味外，亦證明正面主角人物主要承擔公式化範型的任務，主角於情節中理想形象，符合一般「以和爲貴」的善。故可知正面人物形象建構由個性、語言至外顯行爲均符合天道規範內容，以下就負面主角論述。

二、用負面人物作爲天道的反證

天道以獎懲對照人物之善惡。應用對比方式來呈現天道，透過加大反差，加深對讀者影響。小說以二種方式進行對比，一爲情節內容，一爲章節篇目安排。小說人物形象對比，表現在人物性格與人物命運之上。對〈清官作判〉正面主角穆徵如此描寫：「蒙丘穆徵，自做秀才時，已廉靜寡欲。」，〈因慈加秩〉正面主角滕應斗個性是「常泰學康生也，優於文而雅於量。守無爭之德，尚不矜之風，即有當面此之，亦含笑而受，甚至有市朝之辱，亦低首而趨。」，與之對比的是〈冤鬼索命〉負面主角江春爲「毒比炮烙，慘輸羅織」，其他如〈仗勢行虐〉負面主角于逢年「倚藉權奸，橫施暴虐。不第其民漁獵，而更苦其肉鼓吹，草菅平民，而乃以五刑馬戲具也。」其次爲命運對比，穆徵後掌陰間判司，滕應斗延壽善終，對比的是江春爲冤鬼索命而死於廁，其後尸體毀於舟船火災，于逢年淪落地獄上刀山下油鍋。

除個性的對比之外，小說篇目安排亦是呈現如此，前後對照方式進行編排，有如正反例同出，此正反效果映照，加大反差。不同身份採用的對比特徵均不同，並以成組方式呈現如小說卷一〈廉慈貪酷部〉，對於塑造官吏形象即用清廉對貪污、體恤人民對橫徵暴虐；於卷六〈貞淫部〉婦女形象使用貞節與淫蕩兩組特徵。如以行爲對比而言，卷三〈慷慨慳吝部〉、卷九〈救援盜拐部〉、卷十二〈施濟吞謀部〉。用明顯對比以期使這種方式對讀者產生深刻影響，此種方式從創作手法而言，或有拙劣 (註9)，可見其單調性，此傾向「扁平人物」塑造方法以形象特徵集中於故事的正面人物，有助範型焦點化或過於公式化。

是授。」《易經》的「積善之家必有餘慶，積不善之家必有餘殃」，傳統中國文化的基本信念均以「德」爲相關內容爲內涵。

〔註9〕小說中僅交代主人翁個性之後，即進入事件的介紹，缺乏交代正面人物的行徑的源由，對於負面人物亦然，此種古代小說習用方式，正如心理學中的正增強的作用，對於正面人物的行徑均停留於表面描述如對其個性的直接形容與所做所爲的行爲效應，文本缺乏進一步於第二層人物形象的鮮明塑造，以致於閱讀完故事之後，僅流於對故事梗概的印象。

　　小說負面人物一貫作爲襯托主角與反襯主題部分，爲小說中反面因素組成，這些人物通常匯集負面特徵之大成，藉此可檢視小說匯集那些反面形象，作爲負面人物作爲檢驗天道內容，正如前述，小說既以正反主角互爲映照，必然有強化其焦點，作爲反面教材，反面人物不單是處於考驗主角位置上，相反地，亦同於正面人物需要接受天道檢驗與監控。他被動受到天道牽引與左右命運，正反兩方主角善惡行爲均概括於天道的監控之下，亦證明天道有效性，如〈仗勢行虐〉中負面主角于逢年，「于都戎逢年，拜劉昇馬乾爹，授長春令，倚藉權奸，橫施暴虐。不第其民漁獵，而更苦其肉鼓吹，草菅平民，而乃以五刑馬戲具也。」將其橫施暴虐、魚肉平民形象刻劃躍然紙上，後經其暴行事件加以凸顯，後奸情爲巡按陳震所知，將逢年子登時打死，陳巡按劾逢年罪惡滔天，勸逢年至京，批責棍五十後下獄，逢年於獄中自殺。其後下地獄：

> 閻羅曰：「如此奸惡，即粉屍碎骨，難洗列公之忿。」命鬼卒將逢年三魂，分而受罪。一魂入過油鍋，令其變狗。彼曾爲閹宦走狗，變狗遭屠，以示走狗烹之意。一魂押上刀山，令其變豕，不免刀下分解。一魂抽筋拆骨，仍入鐵磨，令其變牛。始則帶水拖泥，完至分其肉，磋其骨，用其革，且受鼓搥千萬也。罪既定奪，眾來官一揖而退。（頁 28～30）

負面人物違犯陽間律法之罪行，因仰仗一時閹宦得以倖免，卻難容於世間律法，一旦奸情發露，卻自鳩而死，陽間雖不能追懲惡行，冥界官府依舊受理控訴，將其罪行一一羅列，而後受報，除彰顯天道與人間律法一致外，對於負面主角人物型塑可謂詳盡，其方法爲先布建負面主角犯罪背景及其個性，後描繪犯罪事件，以坐實其罪行，犯行發露之後，由陽間律法罪懲，陽間懲處未盡事宜，續由冥界揭發罪行，作第二次詳盡審理，以將其罪行完全處置。冥界審理過程，安置受害人一一登場控訴其罪行，此手法用來將主角罪行層層加強到高點，形塑主角千夫所指的罪惡形象，將主角罪行暴露於眾人眼前，後續地獄刑罰之嚴酷遂變得理所當然，閻王僅順水推舟地執行，此種型塑主角方法是由背景及事件及第三者間接方式，刻劃出主角形象。情節高潮往往與主角之「惡」行有關，因此負面主角暴行迫害平民之事件，往往用於凸顯主角之惡焦點，情節鋪張負面主角之惡，往往亦與撰者設定主角身份有關，即是主角職能，如爲官者，必設定其行爲暴虐百姓及貪污公款，以反映小說

篇章的主題，然在公案小說具有強烈的善惡意識下，擘劃正反兩種人物在故事中更具顯明，此安排卻弱化了小說趣味性，強化說教意味，若由小說主張觀點而言，此種規劃乃小說傾向之必然，是非善惡對比安排有利於張揚人物性格，進而彰顯主旨。

　　對比方式來呈現天道，如前例而言，清官惡吏在《輪迴醒世》形象建立於兩極端點上，如清廉對比貪污、體恤百姓對比橫征暴虐兩組形象之上，藉此塑造形象之技巧得知應用對比，產生加大反差作用；除此而外對比亦用於描述主角個性之上，正面人物則刻劃範型，負面人物則極力否定主角人性良善之可能，以期好生惡死，此種個性塑造以呈現類型化趨勢，正面與反面主角下場正呼應此種心理。此種雕塑人物方式或是缺點，過於絕對化忽略人性之為善可能，如從撰者單一撰就命意而言，自是合理，然使用此方式對讀者影響是警告意味濃厚。對比反差呈現命意，正反人物由最終命運體現善惡有報。小說安排人物性格與人物命運的反差，由以上方式，總結出小說創作手法雖缺乏藝術性，卻透過各種個性及特徵描寫，呈現出主角性格。

　　作者用直接方式透過描寫手法表陳主角善惡形象，用以塑造人物典型。以正反人物對比方式進行，得出結論即善惡有報，確實使天道勸人為善命意易為張揚，其技法雖簡單而直接，畢竟一箭標的。使正反人物形象易於辨識。其次，正反人物經比對之後，得知正面人物經善惡有報輪迴機制，得到囿於陽間現實無法得到補償。同時負面人物亦同於正面人物，經由輪迴機制即眾人所共同認定的天道作用之下，而得到懲罰，善惡在不僅對其單一人物有所反映，而是對於故事中所有善惡人物均有反映，即民眾對善惡有報預期想法，以此想法凸顯善惡有報主題。故負面人物確實能激起讀者對於負面樣版形象心理反應，進而理解違犯天道內容外，亦強化讀者趨避心理效應。然背景映襯主角亦同屬重要，以下就配角人物於小說中地位作為論述要點。

第二節　利用配角襯托天道意涵

　　小說中配角一般居於映襯地位，在文本中安排亦然，表現於圍繞著天道主軸而行，並推動情節發展。其呈現的內容導向映襯於主題而非主角，此特徵說明配角直接服務於主題，儘管小說正、反配角之行為亦可分判善惡，情節的重點卻未彰顯配角的命運，此並非表示配角脫離於天道監控，恰恰說明

其在天道驅遣，其反映內容說明何以眾多配角均以天道趨向一致，全然配合天道規劃演出。因此正反配角在小說中若有不符合天道軌則行為時，即表現為天道運用，作為懲罰或獎賞主角工具。若小說中執行輪迴冥卒及監控人間天曹，間接配角如強盜與冤魂及妖魔，亦是如此安排。以下就配角之表現內容進行論述：

一、陰鬼執行回報賞罰

小說中的冤魂往往是受害者，死亡後到了冥界，向閻王控訴加害人及負面主角人物之罪行，閻王若非即刻命追魂司執行勾魂或同意冤鬼向加害人索命，索命方式常呈現亡魂只出現於加害人的視域中，旁人往往不得見，致使旁人誤以為加害人精神失常，從而作為其受報應之證明〔註10〕，若〈冤鬼索命〉情節：

> 越數日升堂，審問多時，覺不耐煩，乃除冠解束。纔憑案桌而坐，見眼前持鎗的，執棍的，被髮的，拖繩的，踊跳欲上。在令手指胡言曰：「此某人也，此某人也。」所云者，皆以前打死姓名，合堂人俱不見影踪，獨江令見之。及頂冠束帶，而鬼眾遂散。如此者數月。
> 一日，江令如廁，眾鬼擁至廁前，將江令亂鞭擊死，擠入廁中。及彼妻子扶框而歸，眾鬼隨行至江中，縱火焚舟，人與柩一時俱燼。
> （頁27）

小說利用此臨死容易產生幻覺現象作為小說善惡報應之題材，進而安排為惡之人將受報應，小說中凡是受害人遭遇非命，往往以冤魂身份出現於加害人或閻王面前，以求冤屈得雪，〔註11〕此種題材安排，從而印證負面主角之罪行，使情節內容更具張力與曲折。除此，冤魂往往作為閻王證明主角罪行的面質人物〔註12〕，以證明閻王所言不虛，此種情節規劃於主角往往不能全知於因果源由之際，若云：

> 正顧盼生情，衷腸莫訴，忽見數鬼卒，押一鬼犯至前，乃崔姓也。
> 崔姓見如蘭手持其訣，遂怒目切齒而叱曰：「汝戀有情人，使我做無

〔註10〕同情節亦見於〈貪污無後〉、〈妻索夫命〉、〈怨妾作祟〉。

〔註11〕受害人之冤情不得申張時，不再透過陽間的相關人申訴，卻直接向閻王投告，此類情節為小說中的冤鬼鳴冤的通式，如〈貪污無後〉、〈生死永離〉、〈呆童傾家〉、〈假手足以索命〉均是。

〔註12〕相同情節亦見於〈魂接忠奸〉、〈一面成婚〉。

緣鬼！」又指時彩曰：「你平白奪人妻，拆散我鴛鴦對，汝二人休想
回陽，同到閻羅前辨白一場。」遂扭之而進，閻羅曰：「應死得死，
應活得活，何必扭二人到此，彼亦替你不得。」崔姓曰：「吉時彩引
誘如蘭，致如蘭神魂飄渺，將我鳳盟姻緣，竟成畫餅，以是不甘心
耳。」閻羅曰：「吳家處子，是誰引謗，伊夫遲得甘心乎？」崔姓芳
低首無言。乃加鞭〔撲〕（楪）。命取婚簿，將吉時彩與安如蘭，註
爲永遠夫妻，合速回陽。（頁41）

面質的情節安排目的，在於證明天道對犯行的監察完善，使罪行更爲確鑿，
故面質情節亦作爲冤鬼出現情節的定式，由面質互相詰問言語，使得事件之
前因後果得以順理成章地表現，因此冤鬼面質有加強加害人罪行效果。另外
冤魂亦因主角善行而能面見報答其善行，〈陰騭易相〉主角皆因善行而得佑：

士安於燈下誦讀，聽得推開其戶，一女子恍惚至前，在几頭下拜。
士安未暇意其爲人，意其爲鬼，乃曰：「小娘子因何暮夜至此？」答
曰：「感恩主殮理，特來叩謝。」士安不勝驚怖。妓曰：「來報恩
主，非爲禍也。」士安方止步。投曰：「妾將殮葬大恩，告於陰司，
已將恩主貧賤夭減去一字矣。」（頁220）

陰鬼角色出現表明了負面主角面臨恐怖處罰的必要性，因此陰鬼出現代表著
天道以惡治惡的手段，在天道之下人有善惡，亦有陰陽的法則，陰鬼既屬「陰
性」，自然歸屬於「惡」的，故陰鬼帶有負面人物特性存在，在閻王賦予報仇
的權力，亦表明陰鬼以惡治惡的合理存在，此權力使其負面的手段與形象翻
轉爲天道執行者的角色，並增添其人性復仇的色彩。冤鬼除爲報仇鳴冤而出
現外，亦出現於報恩的場景，可見陽間的恩怨，往往也穿梭於陰陽兩界，並
不因死亡而結束，由文本意旨而言，其指涉了「善惡終不有失」，意即強調所
有行爲均有其後效應，不可輕乎天理報應。其次，在〈捐妾全俠〉元實爲趙
微贖身，趙微向閻王秉明事實，閻王特爲元實周轉其命運，閻羅曰：「元實目
下主夫婦分離，我當爲汝保全之。胥長仁夫婦生前受汝大恩，未償其報，此
人俱有俠氣，移報汝者以報元實，汝可無憾也。」（頁152），閻王爲解趙微之
憾，將原本獎善於趙微移至趙微恩人元實身上，後胥長仁自言：「命裏既有夫
人做，自不入彼牢籠。一臂之援，實天所使，豈不肖之力哉！」一語道出天
道的運轉機制，無論獎善懲惡，其轉介的過程亦依循天道的法則，藉此可知
冤鬼作爲天道運轉的腳力。

二、妖魔作為天道之腳力

小說中妖魔位置主要居於協助推動情節進行的角色，因此妖魔在人物作用頻譜呈現兩極，如非相助於主角即是迫害主角位置之上，此點規劃全然為情節需要而融入內容，在〈四魚精成就良緣〉中，魚精透過假扮化為人形，以助主角了結前世姻緣，就此完成下凡使命，然小說中妖魔常態大多處於迫害主角的位置之上，妖魔對主角進行邪惡考驗，奈何主角均無法經得起誘惑，此種情節安排傳達了兩種訊息，一是承認並繼承民間既有觀念，即天道不容許妖魔擾亂人間的立場，一旦干擾人間必然遭到懲罰，小說中如此云：「凡輪迴之無生滅者，惟上界諸佛。下而諸仙，則千年〔劫〕（擊）；下而諸神，則百年考，善則昇，不善則謫。」（頁528）；一是承認人性軟弱的一面，小說將人性過於簡單類化為善惡兩種，缺乏中間的灰色模糊地帶，然一旦為惡，主角命運即將遭到懲治，即使如作為世間宗教修佛向善的僧尼，亦難豁免於此種考驗，若〈一狐滅眾頭陀〉云：

> 近里有張漁父，攜數尾鱗，清晨入市，過千人坑，見一狐頂骷髏，望日光跪拜，隨變一美婦，素冠白練，掩袂而啼。……僧曰：「美情已悉領矣。」乃商之四僧，將婦匿過，各捐銀五兩與老張，曰：「聊供老人家薪水，遲月餘來接令愛可也。」張老持銀竟去。五僧得此美婦，日夕恣樂。中有一僧兇狠，輒思獨占，四僧不能抗，私計曰：「均出歇錢，為彼獨宿，何恨如之。不手刃不足以息忿。」遊乘夜而刺死焉，埋於後園柳樹下。四僧方議定捱次輪流，內一美而少者，婦與之獨厚，三僧雖得與之交歡，而枕席之間，不過勉強成就，毫無情緒。三僧不覺掃興之棍，又相議曰：「彼美少相貪，我等買個惹厭，此小禿比恃強者更毒，亦免不得一刀。」伺其洗澡，□以戟刺其腹，亦埋於柳樹下。（頁545）

寺僧為女色反目成仇實有跡可尋，情節將五寺僧描繪成色欲中餓鬼，第一部份將五僧的破壞戒律的情景極盡描繪成「五僧得此美婦，日夕恣樂。」之後「中有一僧兇狠，輒思獨占」，其他「四僧不能抗，私計曰：『均出歇錢，為彼獨宿，何恨如之。不手刃不足以息忿。』又相議曰：『彼美少相貪，我等買個惹厭，此小禿比恃強者更毒，亦免不得一刀。』伺其洗澡，□以戟刺其腹，亦埋於柳樹下。」以上將寺僧間的霸道兇狠與鬥爭透過語言描述，使人物形象能躍然紙上，另將凶器以「戟」帶出，亦有化龍點睛的效果，寺院乃清修

之地竟潛兵器，可見寺僧亦非善類，藉此襯托妖精在此情節之關鍵，妖精亦是配合發揮天道而作用，故不能由配角人物單一行為論斷其善惡，而是由情節中位置而決定。小說中有以妖魔作為邪惡考驗，於〈夫擊婦腦於五樹間〉、〈烏兔試丁生〉、〈豕鹿猿蛇肆毒〉情節中亦可見。

　　妖魔習作為考驗主角的人物，魔作為佛的敵對力量，妖魔出現暗示主角的正面形象，用妖魔鍛鍊主角能力與強化主角形象，天道之下正反同出、善惡同在，然妖魔的習見形象為負面的，小說將妖魔的「他界」性質翻轉為輔助天道的腳力，亦將妖魔具有之能力用於情節規劃以輔助天道之用，妖魔考驗已非情節的重心，讓妖魔成為天道的工具，使妖魔負面屬性轉化為超越善惡對立，進而成為天道差遣的角色，卻能藉由妖魔考驗突顯主角的「惡」。若視妖魔為天道腳力自能理解妖魔的超越善惡對立屬性，如〈四魚精成就良緣〉中的天道運作—天賜良緣，梁度（武公業）與羅氏（羅惜惜）的緣份未了，閻王亦權充月老並說：「俗云男人情短，女子善懷，信哉！念汝二人有情無盟，有約無緣，當為汝結來生之盟，了再世之緣也。然緣法雖註定，亦須有幾分阻隔，以示私情之譴責。」（頁 519）兩人重新轉世投胎，十八年後，閻王命四魚精撮合兩人姻緣。四魚精於其中假冒主角二人，製造接觸的機會，後終成就良緣，在小說中牽姻緣的紅線的人是閻王，藉此得出「天賜良緣」在小說中天道運作模式，已經改變了民俗中的性質，從單純月老傳說轉化為命定模式，從月老改為閻王宣判，亦即姻緣的性質已具備善惡是非。是故妖魔提供正面之輔助或作為邪惡試煉，妖魔的位置均與天道獎懲人間善惡的立場保持一致，以其行徑充作天道運行之腳力。

三、強盜作為天道之驅遣

　　強盜之行為本為世間律法所不應許，無論其動機善惡與否均認定為破壞秩序違法者，然小說以提倡天道獎懲善惡之命意，強盜人物亦供天道驅遣。強盜一般搶奪物件為財物，故小說安排強盜角色情節亦是符合角色的預設作用，即搶奪別人財物，強盜施作對象多為不當取財主角為主，亦即透過強盜情節安排將違犯天道所取得之財物，透過此行為事件完成天道平衡善惡。如〈四盜齋財〉主角范元吉「承祖德，繼父善，日積於厚，遇饑授食，遇寒解衣。被恩不止本里，亦不止親故，凡概邑與外郡，急則周，危則扶，施擠不止一時，不止一代。」（頁 298）篇首點出主角出身積善之家，雖其家歷經盜

賊洗劫，不過均歷險平安，此點表達天道福佑善人的小說一貫主旨。此篇既以「盜」爲主題，在其他段落中，主角對於因遇盜賊失去所貸銀兩他人，亦能抱有同理心情而予以救濟，因善行意外得到二十桶元寶，其後主人公又再次遭遇響馬盜，均轉危爲安，遭盜劫雖爲全篇的情節主線，隱伏暗線卻是主人公不斷地得到天道酬賞財物，雖主人公歷經數次盜劫，最終得到幫助亦來自於盜賊，若云：

> 本邑獲盜十數人，審問已明，解往各院。范公遇於塗，見眾盜打傷，難於徒步，且腰間無錢，饑餓不堪，乃深憫焉，各贈錢百文。每一盜顧驢一個，爲之代步。是盜議曰：「范公如此爲人，必肯救人於陷阱。古廟邊井中所藏之物，可盡屬之，以求救援。即不得脫罪，彼必給我等衣食，勝落在捕〔快〕（抉）之手，不得少沾其惠亦。」遂乘隙以前情悉語范公，指以藏銀之所，范公唯唯。及眾盜解院，各皆杖死，無一人回縣。范公至彼處，果得銀萬餘。因四盜所齎，遂極一時之富。尚恂之子，實官至左均，所謂先富而後貴也。（頁300）

情節主線以盜劫爲主，卻在內容中安排兩種善惡兩極盜賊，此種安排，張揚主人公寬大胸懷的個性，因此即使多次遇劫，遇到「饑餓不堪」的盜賊，仍「乃深憫焉，各贈錢百文」給與幫助，盜賊因而將藏錢之處悉盡告知主角，藉此盜賊事件更能彰顯主角善德崇高。於〈呆童傾家〉中，天道趨向藉由閻王一語道出：「陳堯原係財星，遣汝等爲之運財。不料汝等人身匪僻，竟運不義之財。既已爲盜，死何足惜，但堯借汝等之力，射汝等之利，不宜下此毒手。吾當遣呆童禍之，少爲汝等雪冤。」（頁257），此處由閻王直接揭示盜賊作爲平衡善惡之因由，使其情節安排趨於合理〔註13〕，偷盜於世間原爲不符合律法之行爲，偷盜本身亦須接受陽間律法之制裁，陽間律法仍爲人爲所創制，悉有不周全之可能，因天道屬全知全能，盜賊自能爲天道驅遣運用，因此，得知小說塑造盜賊爲天道平衡善惡的工具，藉此理解小說中頻繁出現盜賊事件以平衡金錢利益方面安排，盜賊既塑造爲天道之工具，其塑造方法則傾向於盜賊事件描繪，而非盜賊個性的刻劃，此一塑造特徵方法是傾向於「扁平人物」，故盜賊均缺乏姓名類型人物。既然盜賊以類聚爲盜賊事件，事件於

〔註13〕 於〈守攀榨財〉、〈橫財致富〉、〈缺耳驗報〉、〈捐妾全俠〉、〈重義身鰥〉、〈四遇起家〉、〈五敗子投胎〉、〈陰司三遣盜〉、〈盜刃貪令〉皆以盜賊事件作爲平衡金錢紛爭的媒介，其中以〈陰司三遣盜〉一則最爲典型。

情節中作用除平衡錢財利益之因果外，強盜行為本身雖不見容天道，除陽間律法已有制定規範，可見天道亦將盜賊事件視為運籌之籌碼，納入善惡平衡之中，故可知盜賊是為天道平衡善惡之樞紐。

第三節　取用智慧老人議斷是非

神話原型－智慧老人在小說中指引主角，並為主角提供解決之道，常見身份有醫者、教師、巫師、神父等〔註 14〕。智慧老人於小說中角色除前所言之外，亦擔任議斷是非的責任。

一、指導者以夢及諭示透露命運的藍圖

小說中情節安排智慧老人，主要負責指引主角的責任，此類的安排多在於篇首少數置於篇中，通常以預示命運的詩文或夢形式出現，諭示人物多屬天界神靈或游化僧人為主，如無，則以夢啟的形式直接出現，如〈四遇起家〉云：

> 僧語祐曰：「我出家人知過去未來，亦頗知風鑑。既蒙饘粥之惠，當為君聊談骨格。據君之相，當為餓殍，幸得臉上有四條陰隙紋。妻官有此紋，前生曾周全他人妻妾，修得此紋，當以妻妾報之。財帛宮有此紋，前生曾以財帛濟人，修得此〔紋〕（文），當以財帛報之。田宅有此二紋，前前生曾以米穀周人，修得此〔紋〕（文），當以米穀報之。前生以田產分人，修得此紋，當以田產報之。留四語以為後驗云：「女扮男裝渡鵲橋，酣睡強人竊負逃。千萬蜈蚣來運米，良田五百報村醪。」語畢，僧遂納履而去。受馬村盧姓，有女名四姑，為梅姓所聘，年已及笄。是月遣嫁，銀匠姜姓者，在家打造首飾。姜姓少而美，四姑屬而屬意焉。夜得夢云：「梅子不如姜，出籠配鴛鴦。莫道淫奔醜，此去地天長。」（頁 252～253）

人物設定以類似「游化僧人自號番僧」的手法操作，此法對照於主角有名有

〔註 14〕也可理解成容格（C.G.Jung）所謂的「智慧老人」（The Wise Old Man）的形象。在夢中智慧老人以巫師、醫生、神父、教師、教授、祖父或其他權威人士姿態出現。智慧老人是個原型人物，代表啟蒙者、教導者，引導故事中的主角通過啟蒙儀式。參見容格（C.G.Jung）著，馮川蘇譯：《心理學與文學》（北京：三聯書店，1987 年 11 月），頁 85～89。

姓，為撰者有意安排，使人物添增神秘感，其他諭示者方式亦同有此特色，人間智慧老人與天界的智慧老人形象塑造方式亦不同，天界神靈往往有名有姓，如人間的智慧老人賦予姓名往往將其諭示的格調降為凡間屬性，使其原屬天道諭示失色。由各個篇章得知其諭示來源對象不同，與方式差異，可理解撰者安排諭示之定式，考量於天道趨向結合於主角命運之合理性，是知天道必然觀點為定命，於小說架構中起到強化天道之作用，基於情節之合理性，智慧老人的出現貼合指引之需要。而諭示方式與諭示人物或有不同，亦起到昭示天道恢恢，疏而不漏既定想法。

　　智慧老人在情節中主要是作為指導者。在此天道背景下，亦暗喻智慧老人層級確實高於主角，故能對主角之命運與難關作清楚之開示，引導主角進程。凡情節中出現智慧老人，所設置角色與能力，均有與人物固有特徵一致。如觀音菩薩出現時，呼應了觀音既有大慈形象，發揮聞聲救苦能力，撫慰主角心靈。如〈大慈救十難〉中觀音以楊枝灑水救民於火災之中：

> 馬思理，前生係某寺僧，托缽造各色，募化頗多。以十分之一聊為起造，餘皆乾沒。罰今生自幼積儲，以萬金典當，註定某年遭火部，一火而空。本且有當鋪十餘家，則鋪兩利取加二，錢利取加三，思理忖曰：「當兩者有餘之家，反取加二，當錢者不足之人，反取加三，我不若此刻剝窮民。寧犯眾禁，而錢亦取加二。至期而此部已遣將該焚數十家，盡插紅旗。大慈從雲頭窺見，乃曰：「馬典鋪減加一以便民，在所當祐，而亦入火部耶？」因以楊枝水遍灑其房，得免於爐。（頁283）

觀音於小說中形象中多習用民間信仰既有印象，如楊枝救火、聞聲救苦、救人於水厄之中抑或免於刀兵劫，此為典型取民間信仰救援手法用以塑造形象，小說中天界屬性的智慧老人，多使用此法形塑形象。此法對於小說人物雖人物個性不明顯突出，然形象特為鮮明而易於辨認。兩種智慧老人的形塑方法雖有差異，但對於情節中起作用均指向其典型特徵即指導主角角色，進而視為為維護天道運行的機制，並藉由善惡有報因果報應予以回應。

二、以全知能力輔助陽間眾生

　　智慧老人除救援任務與指導者兩者角色之外，在小說中亦透過諭示議斷主角外，天曹作為智慧老人亦擔任議斷人物的責任，其預示內容是天道意志

趨向，此時諭示具有強制執行的意味即事件必然不容置疑，此種身份出現在天曹執行單位人物之上。若云：「聽得天曹判云：『攜得螟蛉折給嗣，傭香操臼養他兒。雙錢到手當攜去，培得單枝還兩枝。』」（頁 337）孔祖堯於夢中得到水府星君的諭示，說此消息是土地公上奏天曹中得知。表明孔祖堯前程已定。然何以智老水府星君之全知不能全然說破，天曹以彷彿加密形式使當事人即主角如墜五里霧之中。此種安排在於天道模式運行於陽間，表明了天道是「全知的」屬性，亦必符合陽間的預設即命運是未知的。

天神神靈皆具全知視角，下至冥界城隍與閻王亦然，故城隍與閻王亦均運用預示與判決同時進行，小說使用兩種情節技巧即夢與預示，作爲智慧老人於情節作用之腳力。若〈祈得一子〉云：

> 新丘施有聲，夫妻自幼持齋，頗爲施捨。至四十無嗣，日拜禱於城隍，夢城隍與語曰：「汝今生註定無兒，夫婦虔修，積福於來生罷了。」有聲醒，語妻曰：「依昨所夢，子息無望矣。」而祈禱終不輟。踰數年，有聲夢叩閻羅，問曰：「汝爲祈子來與？」閻羅曰：「然。」閻羅曰：「今生不得有子，來生當兒孫滿堂，且福祿綿長。」有聲曰：「雖則今生所作，來生所受，何如分來生之半與今生？止爭先後間耳。」閻羅曰：「陰司不得用此轉移法。」有聲苦求不已，判司稟曰：「略爲此人轉移，以徵積善之報，亦無不可。」閻羅曰：「查何人該托生？」判司曰：「托生已完，正有一花子尚未投胎。」閻羅曰：「即令往施家托生。」有聲曰：「夫婦虔修數十載，指望祈一長俊之子，以繼後代。若生花子，反玷門庭，不如無矣。」閻羅曰：「汝輕視花子，與無兒者較，相懸奚翅天壤也。」命向富貴司擇一差可者。判者曰：「富貴之骨俱付盡。」閻羅曰：「奈彼哀求何？可將汝下頤換花子下頤，來生當爲御史職也。」（頁 33）

夢是作爲陰陽兩界溝通管道，陽間眾生透過夢得以將期望傳達至掌管命運閻王，但首先陽間主角取得通行證（善行），反過來說，諭示只局限於行善之人，夢之行得通亦暗示「行善是有效的」，故下情能上達天聽。藉此得知夢與諭示是建構天道全知視角模式，全知神靈是透過此兩種情節內容展示全知視角，由此組建天道的運行規範。然此類情節單元安排，加強冥官雙重屬性，是否有不公正之虞？如前所述及，因爲諭示與夢均編派給屬於正面人物主角，如由陽間律法之公正性而言，似有偏坦之嫌。天道公正並不表現於情節單元的異同，而是

表現於其對於獎懲規則及天道運行的普遍性、全面性，若由此而言，自可理解小說闡述之天道確實公正。天道相對於陽間是全知系統，天界觀照人間方式即透過天曹糾察與天界神靈諭示陽間眾生達到與陽間交流目的，智慧老人亦是代表天道監控系統組成之一，能對陽間眾生做必要觀照。

三、用議斷是非詮解天道

　　既然天道觀照陽間一切，對於陽間必然有其善惡判斷，體現對應系統即是冥界審判，而冥界主要的裁斷者為閻王及城隍，閻王等冥司以議斷陽間善惡，實現陰間司法正義，故議斷善惡基本原則，作為天道秩序是否能實踐判準。冥界審判系統自唐代起，閻王審判出現了道具包括業鏡與業秤〔註15〕，用於說服民眾閻王具有更公正判決的客觀條件與公信力的物質保證存在，小說中閻王議斷案情，雖然缺乏客觀的衡量工具，閻王亦能公正審判，其原因在於閻王具全知全能，此點決定善惡報應的判準絕對公正，小說所強調焦點集中於閻王的議斷能平衡因果及發揮天道的善惡必報精神，不在閻王本身形象的塑造之上及賦予閻王判案配備，既然以冥官議斷系統的功能性為主，對閻王裁斷與發揮天道關係自當予以闡發，亦即閻王透過議斷人物使天道確實發揮。

　　閻王在小說中形象雖屬「扁平人物」，然其議斷人物之手法卻令人印象深刻，此部分是小說裁斷特點，閻王具有同理人情面向，有關男女私情具有寬宥的傾向，因而在判決上有似為主角開脫，尋求解套，如於〈一面成婚〉的整個裁斷流程為：

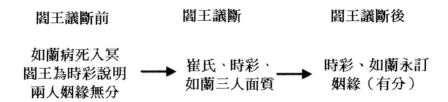

閻王議斷前	閻王議斷	閻王議斷後
如蘭病死入冥 閻王為時彩說明 兩人姻緣無分	崔氏、時彩、 如蘭三人面質	時彩、如蘭永訂 姻緣（有分）

〔註15〕業秤自唐代起，已出現於唐朝沙門惠詳（或作慧祥）所撰《弘贊法華傳》中，而云「見閻羅王，云：『汝可具錄生時功德。』遂答云：『生時唯讀《法華經》兩卷，更無別功德。』王遂索罪案，及業秤秤之，《法華》兩卷乃重於罪案。王撿案云：『其人合得九十年活。』謂案典曰：『汝何以錯追？大罪過。可放他還。』因令得活。」，參見姜守誠：〈「業秤」小考〉，《成大歷史學報》第三十四號 2008 年 6 月，頁 3～4。用《大正新修大藏經》本，（東京：大正一切經刊會，大正、昭和間 1926 年～1931 年），頁 42。

　　唯一可以說明命運改變的理由是閻王「念如蘭方便常行，惠及使婢，且事親頗孝，合當救解」（頁 43），對安如蘭與吉時彩的判決，由事件發展與情節安排而言，確然如此，但就對定命觀觀點而言，卻是矛盾的，天道定命觀是由個人的善惡罪行對命運產生移轉作用〔註 16〕，若由情節中安如蘭與吉時彩私情部分，並不全然符合前述重大善惡的必要條件，因此閻王的裁量傾向於符合天道的善行，此處要討論的是閻王的裁量是否站在維護天道秩序的基點上，透過對於小說情節考察，閻王所遵行的天道審判已有細緻化的發展，不在單純的以是非善惡的絕對化兩極處置當事者。情與法之間已有更全面考量，此點議斷結果已呈現天道律法所含括的世間倫常也給予肯定。此點內容於小說中頗為常見如〈生死永離〉、〈賣婢得婿〉、〈再世婚姻〉、〈四魚精成就良緣〉均是。裁量原則繁複化與更周全之外，獎懲加倍也是閻王配合天道的特點，「輕其所輕，重其所重」〔註 17〕亦即以天道規範下的內容為基準，凡天道認為犯行重大者，其所受罪罰較重，善行為天道所可，其獎賞亦較豐厚，加倍的因由可視為對行為的一種相對制約，以期達到預期效果。因所依基準為天道內容，故此原則亦視為小說中天道的獎罰原則─為達到天道秩序的理想追求的原則，對於個體利益均等的追求，此項原則並不公平〔註 18〕，此為古代文化的特點「天道無親，常與善人」的反映，天道既然站在「善」的一邊，必然成為「惡」的對立面，故肯定「善」而反對「惡」的精神即是對善惡行加倍地獎懲，故閻王反映配合天道秩序的維護的善惡裁斷。綜合以上，得知作為智慧老人或指導者的閻王角色，或主角行徑的議斷者，其出現情節安排，均有配合天道的考量，非是單純的即興出場，其出現時機與主角命運轉折有密切的聯繫，延伸的進一步即是天道運作機制的體現，因而智慧老人

〔註 16〕漢代的命運觀以三命觀最為流行，小說的此一情節全然不符合定命觀中的因善行或惡行改變命運。王充：「傳曰：說命有三：一曰正命，二曰隨命，三曰遭命。正命，謂本稟之自得吉也。性然骨善，故不假操行以求福而吉自至，故曰正命。隨命者，戮力操行而吉福至，縱情施欲而凶禍到，故曰隨命。遭命者，行善得惡，非所冀望，逢遭於外而得凶禍，故曰遭命。」參見〔漢〕王充撰，黃暉點校《論衡校釋》（北京市：中華書局，1999 年 2 月），頁 49～50。

〔註 17〕「輕其所輕，重其所重」為明代律法的特點。參見李交發：《中國訴訟法史》（北京：中國檢察出版社，2002 年 11 月），頁 289。

〔註 18〕羅爾斯（John Rawls）著，何懷宏、何包鋼、廖申白譯：《正義論》（北京：中國社會科學出版社，1988 年 3 月），頁 25。

形象作為天道運行的表徵，此種表徵藉由智慧老人的面貌予以彰顯。

第四節　小結

　　扁平化塑造人物旨在彰顯故事主題，《輪迴醒世》用此模式開展故事，雖陳述的故事易流於公式化，然其故事命意卻單純直接指向天道的因果報應之上，此為故事特徵。小說中人物均用來說明天道之顯效，編撰者以此顯效，說服讀者天道報應之不爽，由此得見，小說具有神道設教的意圖，並由此意圖規劃全書的故事情節，用此情節張羅人物性格與命運。小說中主要三類人物：正反主角、配角及智慧老人，作為推演天道的因果報應。正反主角聚焦小說的視點，以此視點左右讀者心理期待，進而使讀者心理產生善惡的價值判斷；配角功能在於推動情節的次要地位，輔助並說服讀者；智慧老人擔任引導主角的任務，直接預示或以夢境開示主角的必然命運，對於讀者而言，亦暗示天道的存在。由小說三種人物的地位得知，人物塑造目的在於突顯天道之作用與功能，以正反人物形象的對比方式，形塑讀者善惡的形象範型，然過於扁平化塑造主角卻流於說教與警誡意味濃厚；以配角映襯主角與主題命意，呈現於衛星拱月的模式，並由配角推動情節與發展事件的觸媒，作為天道的腳力與媒介；將智慧老人定位為天道的發言人，與主角形成上下的關係，進而用智慧老人作為牽引主角的進程，藉以彰顯天道報應之顯效。究其型塑人物方式，皆具有細節化的傾向，雖然缺乏更多的人物情感的注入，但類型化的特徵則是小說型塑技巧所有人物所共有的，然小說反映的生活細節所對應的文化內涵仍有進一步研究與探討的空間，限於篇幅另闢專章討論。

第四章　天道運作模式與思想內容

　　有明一代上自官方及下至民間重視法律。就施政觀已見端倪：一、明太祖依法治國，朱元璋多次主持修訂《大明律》〔註1〕，至洪武三十年「日久而慮精，一代法始定。中外決獄，一準三十年所頒。」〔註2〕《大明律》依據唐律制訂，後爲大清律沿襲採用，其後又頒行大誥及榜文；二、官府特別設置宣傳管道。設置申明亭用以張貼榜文〔註3〕，期許一般民眾能瞭解政令，設旌善亭，亭上書寫善人善事、惡人惡事，以示勸懲；三、強令官員有教民榜文

〔註 1〕　《大明律》是明代法令條例，由朱元璋總結歷代法律施行的經驗和教訓詳細
　　　　　制定而成。其詳參：「明朝是中國封建社會後期的重要王朝，就中華法制文明
　　　　　而言，也是一個重要的歷史發展階段，集中體現明朝立法成就的是《「大明律」
　　　　　集解附例》，簡稱《大明律》。《大明律》的制定過程，始于吳元年（1397 年），
　　　　　經過洪武六年（1373 年）、洪武二十二年（1389 年）和洪武三十年（1397 年）
　　　　　的四次修訂，最終完成了《大明律》的制訂。這是一部無論體例還是内容都
　　　　　較之唐宋律有所突破和發展的封建法典。《大明律》繼承了唐律的立法精神和
　　　　　儒家化的傳統，同時也體現了明太祖朱元璋重視法與時宜，法貴簡當，禮法
　　　　　並用等觀念。……在著手制訂《大明律》時，朱元璋強調要以唐律爲藍本，『命
　　　　　儒臣四人，同刑官講唐律，日進二十條。』」文據李青：〈從「大明律」對東
　　　　　亞的影響看其歷史地位〉，《中國法史學精萃（2005 年卷）》（北京：高等教育
　　　　　出版社，2005 年 11 月），頁 166。
〔註 2〕　參見〔清〕張廷玉等撰：《明史・刑法志》卷 93（北京：中華書局，2000 年 1
　　　　　月），頁 1527。
〔註 3〕　明洪武命各州縣及鄉之里社建立申明亭，由里長或耆老負責。除張貼榜文外，
　　　　　里中有人做出違反禮教的事者，如不孝敬父母，不尊重兄長，不友愛兄弟，
　　　　　不睦好鄰居等等，則點名張榜公佈其過錯，以示懲誡。《大明律》規定：「凡
　　　　　拆毀申明亭房屋及毀板榜者，杖一百，流三千里。」懷效鋒點校：《大明律》
　　　　　（北京：法律出版社，1999 年 9 月），頁 201。

之責。定期由鄉中耆老向里中編戶宣讀並講解《大誥》、《大明律》，明訂不盡義務將受笞罰，鼓勵一般民眾瞭解律法，民眾藏書《大誥》尚可減免刑責之規定，由官方普及律令的努力得見對律法的重視一斑。

　　然明代初葉重法責實，至萬曆後，因神宗皇帝怠政，造成國勢日衰。〔註4〕亦因明代監察及特務系統發達，宦官介入司法與監察系統情形泛濫〔註5〕，導致貪汙及營私舞弊的情況屢見不鮮。部分地方官員知法犯法，由法律執行者轉而成為剝削人民的原兇〔註6〕，司法「六濫」〔註7〕問題嚴重。政治腐敗造成律法不彰，人民自然對政治清明，有所期盼與要求，小說中抒發市井小民的心聲及願望，況此時刊刻事業發達、識字率大幅提昇推動小說興盛發展，亦即是萬曆年間大量公案小說出現的背景因素。〔註8〕

　　《輪迴醒世》成書此時，小說內容透過冥司審案的架構及報應機制，強化律法地位與重要性，藉此建構陽世與冥界共同遵行的規範，適能反映當時民間對法律有效執行及公義彰顯的殷切期盼。是書有別於明代公案小說集，多以犯案人身份加以分門別類。而以社會共同遵守的不成文條規作分門基礎。編撰者分類方式明顯地傳達成書的用意，及民間諸種生活樣態：上至官吏下至平民的日常起居及生活的內容。欲達成編撰者於序中所言：「至若施與報合，始與終合，幽與明合，如聲之應叩，影之應形，莫不由我之自作者之自受也。聊以輪迴十八部都括之，無不皆然矣。醒此，可與語輪迴矣。」（頁

〔註4〕 孟森由明代史料指出明代由盛轉衰的轉折在於萬曆帝長期不上朝理政，其間不郊不朝不廟達三十年，尤以倚賴宦官斂財致使明代的衰敗加劇。「明之衰，衰於正、嘉之後，至萬曆朝則加其焉。明亡之徵兆至萬曆而定。」文參孟森：《明史講義》（上海：上海古籍出版社，2002年6月），頁255。

〔註5〕 〔美〕牟復禮（Frederick W. Mote）、〔英〕崔瑞德（Denis Twitchett）（編），張書生等（譯）：《劍橋中國明代史》（北京：中國社會科學出版社，1992年8月），頁8。

〔註6〕 趙翼在《廿二史劄記》中專門列有「明鄉官虐民之害」一條，對此進行了例述，得出的結論是：「前明一代風氣，不特地方有司私派橫征，民不堪命。而縉紳居鄉者，亦多倚勢恃強，視細民為弱肉，上下相護，民無所控訴也。」請參趙翼（1727年～1814年）：《廿二史劄記》（北京：中華書局，1963年5月），頁731。

〔註7〕 「明清時期長期存在的濫詞、濫拘、濫禁、濫刑、濫擬、濫罰的『六濫』現象，固然與當時的政治、法律制度有密切的關係，卻在很大程度上取決於州縣官本人的素質。」參考柏樺：《中國古代刑罰政治觀》（北京：人民出版社，2008年2月），頁211。

〔註8〕 詳見齊裕焜：《明代小說史》（杭州：浙江古籍出版社，1997年6月），頁137。

20）本文以此作爲研究標的，意欲就此釐清冥界判案所呈現的天道意識與律法之間聯繫關係，及小說所反映明代判案法式與當時的社會規範內容，以期展現當時風氣之一端，亦能更深入發掘小說淑世之意旨。

第一節　情節建構：近似公案思維方法

公案一詞原指案牘，後爲文學及宗教所襲用，如佛教的禪門公案與宋代的「說公案」等，至近世，公案一詞已廣泛地使用於文學及日常談資。明代則用以命名審案相關小說。《輪迴醒世》雖非標舉公案卻具法律意識，用輪迴情節模式予以呈現，使故事結構與命題與公案小說甚爲接近，其故事情節的鋪陳與公案小說有會通處，以下情節分別予闡述：

一、具備審案的人事及規模

公案本以審案爲主要故事架構，必然具備審案程序及相關人事，故在公案小說中，常見清官爲百姓平冤故事核心爲主要情節。公案小說中主角一概是清官，亦爲小說中的靈魂人物，起到貫穿情節的作用，牽動左右情節發展，其重要性自不待言。而在小說中此主角則由閻羅王或城隍神擔任，負責案件決斷和執行冥界司法。

閻羅王是民間信奉的冥界統治者，又稱閻王。原爲古印度神話中冥界的王，而佛教承襲這種說法，當佛教傳入中國後，民間開始信奉閻羅王。自唐末藏川著述兩種《佛說十王經》，將中國太山府君與印度冥界主神等吸收後，形成新的地獄說，而後出現「十王說」觀念〔註9〕，至宋代淡癡所著《玉曆至寶鈔》採用藏川說法，並修正其書「地獄說」的疏漏，後以淺白語體刊印流布，至此「十王說」定型，小說引用的地獄冥界架構亦是承襲此說。在「十王說」中閻羅王居於第五位，藏川並無解釋其因，至宋代淡癡的《玉歷至寶鈔》因襲藏川舊說〔註10〕，而閻王在《輪迴醒世》中乃泛指地府主宰，非單指「十王說」中的第五位閻王。

〔註9〕十殿閻王的名號，分別爲秦廣王、初江王、宋帝王、伍官王、閻羅王、變成王、泰山王、平等王、都市王、五道轉輪王。「十王說」據蕭登福考證藏川的《佛說十王經》應在張果老繪十王圖與道明假藉入冥見十王事之前。文參見蕭登福著《道佛十王地獄說》（臺北：新文豐出版社，1996年9月），頁596。

〔註10〕參見蕭登福著《道佛十王地獄說》，頁420。

　　小說中判官之一──城隍神。城隍本非人格化的神，三國時期起，城隍開始向人格神轉變，並廣泛流行於江南。《北齊書》之《慕容儼傳》，傳稱慕容儼守城，「城中先有神祠一所，俗號城隍神，公私每有祈禱」〔註11〕。後有宋趙與時《賓退錄》言及城隍崇拜，「今其祀幾遍天下，朝家或賜廟額，或頒封爵，未名者或襲鄰郡之稱，或承流俗所傳，郡異而縣不同」〔註12〕。至明代朱元璋冊封後，表明城隍神已得到官方的認同〔註13〕，朱按地方及中央行政管轄分封各級城隍，使其成爲獎善懲惡及護國祐民的精神象徵。〔註14〕除此之外，明代社會風俗中已有「告陰狀」〔註15〕及舉行冥判儀式，故得知城隍神，在明代不僅受到官方承認，在民間已成爲地方信賴的守護神。

　　小說中主要判司爲閻王，負責輪迴機制的執行，藉由斷案將陽間人物作善惡審判，以闡揚天道。閻王爲小說幾乎所有故事必出現的冥界人物，閻王的出現，除執行審判的任務外，其代表的是發揮天道的獎善懲惡作用。閻王在小說中的角色與其他公案的清官一樣，是正義與公理的化身。小說賦予閻王超然神性，並具有對陽間人、事、物的理解與關懷。因此閻王在冥界中的地位至爲關鍵，不僅能全能處置陽間的事務，公正地審判。小說中安排了不同的冤魂角色，向閻王控訴不公與冤情。若〈貪污無後〉云：

　　　　一干冤鬼，齊叩閻羅，訴林閣父子慘惡，以私忿小怒，假手穆令，

　　　　屈殺眾命。閻羅極其痛恨，著追命司即刻勾林鐸，不移時而鐸勾至。

　　　　閻羅曰：「吾且不加鞭撻，且任汝等出口冤氣。」（頁68）

爲冤魂所遭受的不平申冤，以平衡冤魂的怨懟。並藉此發揮天道的獎罰善惡。此點預設了冥界的人事佈局的公正，並不隨人間的利益或親疏所左右。閻王

〔註11〕〔唐〕李百藥：《北齊書》（北京：中華書局，2000年1月），頁191。
〔註12〕〔宋〕趙與時：《賓退錄》（上海：上海古籍出版社，1983年8月），頁103。
〔註13〕此法有效的在全國範圍施行，使城隍的地位正式地進入民間信仰的陰間審判系統。「明朝開國之君朱元璋一立國，就規定了對城隍神的崇拜，從南/北兩京直到全國各地的城市，普遍設有城隍廟，而且等級系統極爲嚴密，官方定時進行裙杞。民間也同樣信奉城隍，……。」參見陳寶良：《上帝的使徒：明末清初的耶穌會士》（臺北：萬卷樓圖書公司，2001年1月），頁16。
〔註14〕鍾國發以爲城隍神是政權控制人民的工具與象徵，雖民眾仍以自行對待爲民間信仰。請參氏著〈道教神靈譜系簡論〉，收錄於《傳統中國研究集刊第1輯》（上海：上海人民出版社，2006年12月），頁67。
〔註15〕「舉凡向東嶽帝、城隍等神祇『告陰狀』，或是在廟宇中執行冥判等相關信仰和節慶活動……。」請參見邱澎生：《當法律遇上經濟—明清中國商業法律》（臺北：五南出版社，2008年2月），頁78。

能實踐天道並不僅於此，對於位居百姓之上的官吏，不能善盡職責卻魚肉百姓的官吏亦加以嚴懲，若〈盜刃貪令〉云：

> 城隍即扭若圭之魂，同至閻羅前，從前數其貪濫，命剝去衣冠，責棍四十，說至索及花子，害及孤寡，閻羅怒曰：「朝廷一頂紗帽，竟與花子甲頭帶也！」命將缺簡擊背二十，仍叱曰：「本不合放汝回陽，若是這般一個死法，卻不便宜了貪濫之尤。姑容轉世，另有處法。」
> （頁 19）

此情節表彰了冥司的功能，彰顯其能力已在陽間的正義之上，將冥界的審判視為天道最後定奪，故由以上情節得知閻王具有超然的全知與公正，罪犯的不法盡在閻王眼界之內。

上述情節中得知城隍亦與閻羅協同辦案。小說中的城隍神協助審理案情外，權充智慧老人，重要性並不下於閻王。在〈假手足以索命〉中「閻羅命著某處城隍糾察劫財傷命之盜」及〈轉女為男〉中，沈恭被雷部雷殛而死，其後，城隍與雷部承玉帝旨意將報應原由傳達陽間家屬知曉，「共扶屍而進，見懷中有一冊，取而觀之，先寫沈恭屢年造孽情由，發雷部打死；後寫沈恭於河東贖還男女情由，合宜善報，已將妾孕轉女為男，更加祿秩，以綿後代。」〔註16〕（頁 402）城隍亦聯合其他天界職司綜理陽間事務，視需要而獨立審理案情，〈遺腹得旋〉、〈謀妻還妻〉、〈謀妻報〉、〈追尋十賤〉等皆是。若城隍於〈謀妻還妻〉中審理「枉賊謀妻之罪」，其後「命鬼卒驅徽前去」，將自縊的宋徽送回陽間〔註17〕，此屬於獨力審理案情。至於城隍以智慧老人出現的章節，城隍多以詩文啟示當事人如〈救妓得妻〉的志安因虔敬城隍，以詩啟示他「飛花逐蝶委塗泥，花柳還魂己酉時。一曲日光懸鏡照，水王七十烏當笞。」（頁 292）其後故事發展正如詩的預示內容，甚至發生的細節都準確無誤，「水王七十烏當笞」一句解為汪鴇當笞，由此證得智慧老人所言不虛，其他如〈三指成家〉、〈賴財償拐〉、〈離十九載而得合〉、〈祈得一子〉、〈平生五大俠〉等均屬之。是知：因民間信仰相信閻羅與城隍主掌陰司審判，故能使讀者相信天理昭張，不得不信服善惡有報。

冥司第二階層由追命司、轉輪司、變成司、富貴司、男女司等相關判司所組成，直接接受閻王的指揮，是執行冥界司法主要部門。追命司執行拘提

〔註16〕其他如〈矜才沒受用〉、〈怨鬼索命〉的情節亦然。
〔註17〕獨立審理案情的情節仍可見於〈遺腹得旋〉、〈謀妻報〉、〈追尋十賤〉等篇目。

任務，富貴司掌管人間富貴福祿，男女司掌理人間男女婚姻，轉輪司負責轉生投胎爲人，變成司則將爲惡之徒解送，以投生畜類。各職司的主管偶由陽間清官昇任，反映陽世清官能造福眾生，死後亦掌生前權力和職位，清官善盡職責亦將獲得老天獎償與補償陽間的獎勵機制。如〈清官作判〉的穆徽及〈兒孫盈百〉中葛汝鼎二人均是此例。復次，冥界各職司常聯合運作，顯見冥司的組織架構完善，如〈再世婚姻〉中「命轉輪判司將裴穀往太興魏光處投胎，將馥馥往宛陵虞廷植處投女。又著男女司，註二人始結姻，中離拆，後諧婚，其間艱難跋涉，當倍嘗也。各領命而退。」（頁 47）於〈是偶方配〉中命男女司與轉輪司聯合作業的描述亦然。〔註 18〕而追命司通常出現於需要拘提陽間到壽且有罪行的眾生的敘述中，如〈陽職任陰官〉記述：

> 玉帝曰：「著追命司一齊取命，亦於本衙門審明申解。」崔崇辭天庭
> 至任，即牒文至追命司，隨即簽批，若鬼卒追二命。及勾到汪、晏
> 二姓，尚冠帶入見，城隍曰：「論陰陽職分，該賓主相迎。二公得罪
> 天庭，玉旨批與本衙門勘問，可除去衣冠。」鬼卒將二人衣冠脫去，
> 丹揖跪下。城隍曰：「汪亨掌天官權要，不舉直錯枉，反點正摧邪，
> 樹私門桃李，壞朝向丁棟梁，合受何罪？」（頁 5）

見追命司多追拿拘提要犯，如同人間的通緝犯或犯重大刑案者，如另一例於〈貪污無後〉「一干冤鬼，齊叩閻羅，訴林閣父子慘惡，以私忿小怒，假手穆令，屈殺眾命。閻羅極其痛恨，著追命司即刻勾林鐸，不移時而鐸勾至。」（頁 68）〔註 19〕人犯至冥府經冥官判決後，需轉生動物者，則由變成司負責，如〈彭酸鬼〉中情節，變成司承閻王之命，執行將彭姓變成狗的處置。其他轉生動物例子亦有類似的情形，此類情節亦見於〈自致其貧〉、〈變馬償所負〉、〈繼妻三變畜〉〈一身變四畜〉。

　　最底層的執行者爲冥卒，民俗中的牛頭、馬面是城隍出巡繞境中的隨從，陰司的層級複製自陽間的官府，〔註 20〕相似於陽間衙門的捕快及衙役，繞境出巡可展示陰司官方的力量，冥卒作爲冥界秩序的維護者，亦供地方城隍的

〔註 18〕文據《輪迴醒世》，頁 49～52。

〔註 19〕又如〈寡婦分門〉追命司一批勾六婦。小説有關描述甚夥，不再另舉。

〔註 20〕據蕭登福所言「至於道教仿照人間帝王行政組織，來規劃天堂地獄者，則自淮南子天文篇史記天官書晉書天文志等敘述天界諸神位次，都是以人間帝王君王等政府組織來做比擬。」而地方的組織亦同，請參見蕭登福著《道佛十王地獄説》，頁 61。

差遣。於輪迴機制運轉之歷程中，﹝註21﹞他們代表的是輪迴機制的執行部門，在冥官發號司令後，冥卒及相關職司即配合執行。冥卒作為冥官的隨從，除了彰顯冥官的威嚴外，也是屬於因果報應執行的必要環節的人物之一，小說中的冥卒主要是拘提陽壽已盡的眾生及刑罰觸犯天道的眾生，如「命鬼卒將逢年三魂，分而受罪。一魂入過油鍋，令其變狗。彼曾為閹宦走狗，變狗遭屠，以示走狗烹之意。一魂押上刀山，令其變豕，不免刀下分解。一魂抽筋拆骨，仍入鐵磨，令其變牛。始則帶水拖泥，究至分其肉，磋其骨，用其革，且受鼓搥千萬也。罪既定奪，眾來官一揖而退。」（頁 30），又如於〈三王索命〉中，「命馬面以銅槌碎其腦，復擊其牙割其舌，令以鋼刀斷其喉，以鐵鍊繫之，仍如前呵護而去。其家丁在牆上一一窺見，諸鬼既散，眾人方敢叫門，堂上絕無人聲，高聲大叫，內妾婢聞之，方持燈至堂，而林甫已氣絕矣。」（頁466），此類情節往往充滿恐怖的氣氛，小說中冥卒雖然角色缺乏靈活的個性，卻能夠貫徹地執行冥官所交付的任務，此代表冥卒為彰顯天道監控系統的組成之一。

　　另負責監察民間的天曹﹝註22﹞，也是審案內容中所組成的輔助人物，與其他如妖魔參與的情節具備補償天道機制。如〈糾拿懶惰〉中「天曹遣黃靈官糾察海定一方，帶糾懶惰。一等讀不成讀，懶於讀而僅負讀之名者，擊之。一等耕不成耕，懶於耕而僅附耕之列者，擊之。一等工不成工，懶於工而僅叨土之名者，擊之。一等商不成商，懶於商而僅竊商之名者，擊之。一等懶婦，勤於食而惰於工者，擊之。」（頁 276）更甚者，神官監察促使陽間眾生之善惡行為均得到應有報應，天曹及其他神仙如三官、呂祖、觀音、關公、雷公及電母等所代表的是天道系統下的部門，在不同地位上維護天道的運行，完備天道運作，與冥官審案的立場是一致的，此類情節的安排亦強化了天道的嚴密性。其他如妖魔參與之情節亦可用來驗證天道之顯效。如〈四魚精成就良緣〉及〈狐媒合婚〉中為輔助了結前世因果，繼而於閻羅王默許下，成就男女雙方的因緣；〈五鼠鬧東京〉及〈烏兔試丁生〉則由妖魔懲罰當事人的姦淫之行。小說中第十七部妖魔部專卷敘述參與因果報應事例，因此妖魔

﹝註21﹞　「更進一步地說是保護者的軍卒與護衛，是縣官衙役的化身，從事威脅式的偵查，……，並且將刁民死後的靈魂抓住關入牢籠裡。」參頁王斯福（Stephan Feuchtwang）著，趙旭東譯：《帝國的隱喻：中國民間宗教》，頁88。

﹝註22﹞　天曹糾察的例子甚夥如〈陽職任陰官〉、〈壽星為子〉、〈買婢得婿〉、〈貪汙無後〉、〈還妻故報〉、〈三管帳〉、〈送來蝦蟆〉，舉例繁多，茲不贅引。

成員不論從正面的起到輔助因果報應或懲治違逆軌範的人物，均支持輪迴系統的獎善懲惡機制。由此觀之，情節中配角人物往往具備補償天道的作用，無論是天曹職司或妖魔均使天道的運行機制更爲完善。

冥界的人事安排，上從閻王到城隍，下至各職司冥卒，兼及天曹監察與妖魔參與，都說明小說中的審案人事亦符合陽間的官府審案機制，不僅由人事的組成反映此一情形，至於冥司層級的複製亦有此傾向，使冥界的人事運作符合的審案機制，進而發揮了天道的功能，無論從閻王審案的觀照，或天曹的輔助糾察等都說明此人事組成與參與歷程所構成的天道運行機制。故由人事規劃及情節均可作爲驗證天道的實踐，亦符合審案人事安排。

二、合於審案的類型及程序

陰間冥官除能照管陽間律法未及範圍外，因其超能亦可處理外於陽間律法之外的案件，故使天道能公正發揮。由書中的案例梳理之後，可大略分爲民事、刑事案件和陽間律法未規定者。全書以十八部分門別類，刑事案件與民事案件與陽間律法未規定者交雜其間，陽間律法未規定者包括了違犯宗教戒律與倫理與社會規範與個人生活習慣等，分類如下：

1、刑事類：觸犯刑法而構成犯罪行爲所必須承擔的法律責任，此部分屬公訴罪。《大明律》亦有相關細目規定，分爲《賊盜》、《人命》、《鬥毆》、《罵詈》、《訴訟》、《受贓》、《詐僞》、《犯奸》、《雜犯》、《捕亡》、《斷獄》十一卷，共一百七十一條。指的是違反社會倫理與大逆不道及傷害國家利益之案件。﹝註23﹞在《輪迴醒世》中予以處理的刑事案件共計四十六則。包括〈清官作判〉、〈盜刃貪令〉、〈大貪大害〉、〈怨鬼索命〉、〈仗勢行虐〉、〈怨妾作祟〉、〈誤刃致鰥〉、〈貪汙無後〉、〈欺心受害〉、〈生死永離〉、〈離十九載而得合〉、〈華夷夫婦〉、〈魂接忠奸〉、〈子還曠夫〉、〈呆童傾家〉、〈五敗子投胎〉、〈陰司三遣盜〉、〈遺腹得旋〉、〈不孝陰謀〉、〈噬焚不孝〉、〈假手足以索命〉、〈妻索夫命〉、〈悍婦報〉、〈變馬償所負〉、〈六鬼婦索妻命〉、〈鬼妾謁縣令〉、〈繼妻三變畜〉、〈因財傷手足〉、〈孽子歷四難而奮跡〉、〈謀墳地報〉、〈謀財報〉、〈謀妻報〉、〈因奸被謀〉、〈癡呆代罰〉、〈三王索命〉、〈陸贄活拿斐延齡〉、〈弒

﹝註23﹞雖《大明律》以六部吏、戶、禮、兵、刑、工分門別類，不似現代法律通用方式分類，但犯行內容古今皆然，故本文仿照現今法律作分類，另《大明律》論罪方式有兩種特徵：一是以身份議斷其罪行，二是以其行爲本身作爲議斷罪行的根據。

君償以弒父〉、〈奸臣變龜犬〉、〈洞賓預判竄崖州〉、〈倚內戚勢力驕人報〉、〈恃力報〉、〈恃世代科第報〉、〈趨才學不獲報〉、〈因承奉破家〉、〈夫擊婦腦於五樹間〉、〈選君不改訛字〉。

2、民事類：罪行造成他人或財產受到損害及傷害謂之。在《大明律》中民事案件指的是戶婚，田土、錢債的爭執等，依此標準共計二十四則。包括〈買婢得婿〉、〈一面成婚〉、〈貪花失偶〉、〈寡婦分門〉、〈刻薄遺孤〉、〈母醮遺孤〉、〈守攀榨財〉、〈所省適供所用〉、〈法僧投胎〉、〈錯認還錯認〉、〈假尼恣奸〉、〈因淫減福〉、〈賴財償拐〉、〈育弟為子〉、〈洞房有誤〉、〈陰謀所託〉、〈吞基報〉、〈使勢報〉、〈假外戚聲勢驕人報〉、〈五鼠鬧東京〉、〈烏兔試丁生〉、〈禁子遭磨〉。

3、陽間律法未明文者：然而律法有多種行為不能規範，例如善行是不予以獎勵的，或因刑事為規範到的以及事件未曾爆發的。陽間律法懲惡不獎善，故事中例證不符合律法所規範者，律法規範則分為刑事及民事類，因陽間律法有證據及證人要求等，不能列於前述類，亦歸類於此部分，因《輪迴醒世》冥司為明察秋毫之公正機構，因此隱而未發在本書多有收錄。隱而未發的部分，陽間律法未處理者，一併歸類未明文者共計三十則。包括〈假他子還魂〉、〈是偶方配〉、〈王家夫婦〉、〈賈員外〉、〈彭酸鬼〉、〈三管帳〉、〈十喪夫〉、〈七喪子〉、〈一門星散〉、〈觀燈失子〉、〈追尋十賤〉、〈賤分五等〉、〈債利致富〉、〈自致其貧〉、〈經營異報〉、〈糾拿懶惰〉、〈一身變四畜〉、〈日旭即昏〉、〈舌鋒致夭〉、〈恃財報〉、〈矜才沒受用〉、〈井蛙自驕報〉、〈趨財〉、〈趨勢〉、〈爭趨貴〉、〈殺生自害〉、〈傷生異報〉、〈一狐滅眾頭陀〉、〈米木行善惡報〉、〈天曹兩遣官〉。

刑事類案件所佔的份量最重，其他為民事類及陽間律法未明文者，案件以財、命案兩種因素衍生犯行為主要。由此是知冥界所處理案件與陽間司法案件的內容大致相同；未明文者部分亦具有明代法典的「泛論」精神，以儒學基本精神作為推理罪行的刑責。〔註24〕故可證冥界的審案綜攬世間一切眾生的行為，所有人物均接受到天道的考察，亦將世間律法涵括其中。

《大明律》審案程序分起訴、審判和執行三個階段。一旦百姓至縣衙鳴冤後，官府即立案追查，進行審判之時即要求原告及被告兩造到場聽審，不論刑事案件與民事案件兩者，地方官府皆可受理，案情重大者或涉及層級較

〔註24〕〔美〕牟復禮、〔英〕崔瑞德編，張書生等譯：《劍橋中國明代史》，頁158。

高者皆須逐級審理並嚴禁越訴，一般刑事案件地方官府僅「擬罪」或處理案情輕微者，其餘案件均需逐級審理，因此刑事案件與民事案件的審理態度與方式或有不同，表現在於明代律法的人命關天思維，及對官府審案的權限與要求作了明確規範。民事案件和輕微刑事案件，一般採取傳喚方式命令被告到案。經傳喚不到，可以拘提。嚴重刑事案件，可以不經傳喚，直接拘提。

　　根據審案歷程對小說的違犯事件可分爲兩種處置程序：一爲事發後馬上進行處置，此類處置較類似陽間律法的執行方式，立案後立即執行拘提與啓動審案程序；另一種是於加害人命終歸陰後由閻羅作終生罪行總結發落。第一種爲加害人入冥後並沒有完全得到終極審判，僅讓加害人受到薄懲。如於〈貪污無後〉中，臨海令林閣爲官不端爲土地與城隍所知，共奏天庭。天庭下旨：「林閣既父子濟貪，漁獵一方，著追命司〔速〕（述）勾林鎔以示少懲。」（頁67）其長子勾魂至陰間審判，其後林閣仍素行不端未稍加收斂，冤鬼再次叩冤於閻羅，閻羅即著追命司拘提犯案人，林閣至冥界方自云惡孽皆身所造，閻王仍喻「留汝老不死，遍嘗日暮途窮之苦，以償居官貪墨，居鄉肆橫也。」（頁68）使加害人留於陽間受苦償還罪行。此種情節往往伴有告誡陽間百姓的意圖，因此文本後續均有加害人由地府復生後自訴其罪，自言悔不當初所造惡行。另一例〈悍婦報〉，劉乾因得罪其妻曾氏不堪其虐，自縊身亡。後向閻王投訴其妻悍行，閻王著追魂司拘提曾氏，其時陽間族人商議將其妻絞死以抵夫命，曾氏死後至陰間，閻王判其萬代不得翻身。拘提的表現形式，往往有陽間對應的事件發生，如前述曾氏爲族人處死，實際是對應冥界拘提之需要。拘提的程序由閻王視案情需要時而啓動，如需要時則命追命司前往拘提，如在〈恃世代科第報〉中，「虞恆父魂伺石工之魂，領追命司鬼卒，拽維垣前行。超魂趕上，數鬼卒相持，不使超近前。一路鞭攝維垣，超惟逼望悲號而已。」（頁491），又如在〈貪花失偶〉中，「韓氏愧忿而死，赴陰司告賈新行奸致死之故。閻羅曰：『賈新即不因汝告，而死期已至。』即著追命司勾賈新至殿前而問曰：『恣自己活污，破他人情竇，可乎？』新曰：『因彼一哂關情，弄得兩緣湊偶。』閻羅曰：「汝風流過度，來生當以鯨曠償之。』」拘提爲審案程序的初步，拘提命令由閻王或更高的天曹下令執行，緣於犯行已爲神靈所知，不見容於天道。

　　第二種爲加害人死後由閻王終極審判而六道輪迴。此類方式爲冥界審判之大宗，大部分符合陰司的審案程序，不似陽間官府於案發後即刻拘提，陰

司審理案情具有拘提、判決、執行獎懲的程序。拘提至冥界後由閻王及城隍議斷其罪行，審判的方式並不如公案小說中的清官斷案之方式，探案、審案、破案及判案一律簡省爲冥官直接斷案。如〈嫡厚妾以免禍〉中蔣氏前生傷害多人，陰魂勾至地府使知前情，而後受報，是文：

> 此時蔣氏年已四十有九，臘月得孕。……今日係汝死期，拘汝到此，將前情說明。」又令五人相見，蔣氏猶識得此係某人，於某年陷死；彼係某人，於某年累死。閻羅曰：「此五人皆從汝腹過，可變作故兒以示。」五人變作小兒，死於地下，宛然當日產下之亡兒也。閻羅曰：「汝等醒來，各自去投胎。蔣氏曾以五番痛苦，爲汝等少報矣。今蔣氏向善，汝等不得念舊惡而思禍之也。」五人乃退。（頁360）

藉以比對冥界的兩種審案程序比較《大明律》所規定者，大體相同者，可以知道審案的大致流程，此說明冥間審案亦兼具審案的大致程序，陽間律法雖於刑事案件與民事案件有差異處，然於冥界對於此二種案件並無二致，小說中陽間死而復生的入冥案例則更近於陽間律法的司法處理方式，具有案發後即立案偵查的特點。另陽間律法與冥界審案的相異者有：陰間審案不必原告被告均到場聽審，閻王均可直接議斷罪行；冥界具有主動揭發案情之能力，任何違犯天道案件均能處置；閻王審案層級雖複製於陽間官府，並不限圍於陽間「越訴」之規定；冥界處理案件沒有陽間限期追訴的時間侷限，閻王審理視案情需要時，可隨時拘提任何相關人。

三、亦用心證作斷案的原則

在冥界議斷情節中冥官沒有使用陽官的繁複技巧與技術，陽間官府中常見的測謊及催證等手法均闕如，在於因冥官具有超能，對於發生事件始末能了然於心。小說情節中常有閻王召喚兩造到場面質之情節，如〈一面成婚〉〔註25〕中吉時彩原定的姻緣的對象並非安如蘭，後爲閻王重新裁訂姻緣，「閻王曰：『……路家有女，註爲吉生周年夫婦，此女悍而且毒，以滾湯潑死婢子，不得姑容，使作吉家姻眷也。』命鬼卒送二人回陽，古生由東門而出，如蘭由西腳門而出。……崔姓曰：『吉時彩引誘如蘭，致如蘭神魂飄渺，將

〔註25〕在文本中〈生死永離〉例中，閻王處置方式亦同。〈買婢得婿〉、〈再世婚姻〉、〈四魚精成就良緣〉均於冥界中改訂姻緣，此點異於民間流傳月下老人牽紅線以訂男女姻緣的故事型態。

我夙盟姻緣，竟成畫餅，以是不甘心耳。』閻羅曰：『吳家處子，是誰引謗，伊夫遲得甘心乎？』崔姓方低首無言。乃加鞭〔撲〕（樸）。命取婚簿，將吉時彩與安如蘭，註爲永遠夫妻，合速回陽。」（頁 44）閻王將兩人前生冤怨與今生姻緣作一解說，使雙方心解意開，彷彿陽間司法審理中的交叉辯論，此緣於陽間司法之主審官形成心證之必要過程，期使判決透過兩造互相詰問獲致真相，小說採納在於符合陽間審案程序，使讀者確信閻王審案亦能公正。其次，陽間官府判案多靠證據及人證等因素決定其罪行，明代律法明確要求須具備證據、證人及受害人方能立案以追究罪行。小說中判官的超然身分直承天帝意旨，以全能視角作心證之判決既符合於天道，如於執行歷程中，有不公允之處亦能自動修正以彰顯天道，如小說中主角沈恭誤遭雷公雷擊而死，不得還陽，後經城隍奏報玉帝，「幸得伊妾有孕，先註生女以敗壞，今沈恭既有許多善行，著男女司將伊妾轉女爲男，著富貴司加以祿秩，永其後代以報。」（頁 40）。由以上表明天曹及執行天道職司，若有疏失亦能自動補償，保證因果報應絲毫不差。對於相關執行報應有疏失，照常處份。然小說中有述及城隍不公者，如「崔崇上任後，上謁天庭，玉帝極獎其清正，因說前任城隍，失奏汪吏部，以致黜降。」（頁 3）其後遭糾舉，改派陽間清官充任以示天道公正，「此時吏部賄賂公行，趨承者雖贓濫必陞，牴牾者即清廉必黜。天曹已經細察，都城隍有失奏劾，天曹謂其糾察不明，不得居此職，遂黜之。適陝西城隍。以崔知府清廉正宜，上奏天曹，即降旨召崔崇任都城隍之職。其迎接臨任之儀從，與陽官無異」（頁 5）相關情節雖出現執行的判司城隍有失責之處，由此亦可知天道的監察系統的完備與公正，能自動調整天道運行之失，亦保證秉持天道的主審官心證之公正。

第二節　獎懲標準：天道爲唯一的準則

由前面章節的審案類型及內容梳理可知，冥界依據天道所作的裁量反映了部分天道的衡量標準，此標準除暗合明代律法所規定者，亦包含明代當時社會習慣與規範，故違反此二部分，如陽間律法無法追究者，冥界審判機制即追訴對當事人的罪責，務使當事人進入冥界即遭審判並受到懲罰。天道內容不爲人所直接了解，但由其所反映的懲罰可知，那些具體行爲違反天道，由文本可知，其監察範圍遠甚陽間律法。無論是透過人間的偶發事件或陰司

的強制執行都是天道意志的彰顯。其懲罰類型，分為二部分：第一種的內容
為法律所能議斷的民事、刑事二類，第二種的內容融攝一般道德為範圍。

一、近似人間司法之處理方法

《大明律》的罪罰處置主要有「五刑」。地方官府的處置權限僅在於笞、
杖兩種為範圍。明代的刑法主要有笞、杖、徒、流及死五種，笞刑是最輕的
刑法。《大明律》的刑罰特點主要有三：一是「輕唐律之所輕，重唐律之所重」；
二是明初整飭吏治重要內容，其一是以重法治贓吏，集中表現在《大明律》
和《明大誥》中。三是除「真犯死罪」外，明律各種懲處均可繳付罰金，其
範圍擴大到婦女亦一體適用。所有罪刑均可易科罰金贖罪〔註26〕。

《大明律》專設官吏「受贓」〔註27〕專章，用刑也嚴，官吏有受財而枉
法者，一貫以下杖七十，受財達八十貫者處以絞刑。對負有監察職責的巡按
等則加重其刑，「風憲官」犯贓〔註28〕，明律規定的懲罰更重，「各加其餘官
吏罪二等」。對收受賄賂的官吏凌遲處死，對因公科斂的官吏也處死刑。凡官
吏犯罪加處其重刑，不與平民所犯命案等一般看待，小說中的陽間官吏徇私
枉法也遭到彈劾，並受到冥界的嚴厲處罰：

> 陳巡按劾逢年當時罪惡滔天，不止削籍。准其所劾，勒逢年至京，
> 批責棍五十，下之獄，而自鴆。……令將銅夾棍夾折兩足。解至光
> 祿卿處，光祿卿曰：「我不以山珍海味豢養閹狗，遂忤其意，汝誣我
> 減君膳，實私囊，發我與法司勘問。自料不能堪此苦楚，因而投繯。」
> 命將繩綑縛懸於梁上，擊銅槌二十。解至侍郎處，侍郎曰：「我握兵
> 符以捍中外，不聽宦官指揮。汝誣我與北虜相通，按兵不動，乞旨

〔註26〕 見〔美〕布迪、莫里斯著，朱勇譯：《中華帝國的法律》（南京：江蘇人民出
版社，1995年8月），頁76～80。

〔註27〕 引文參考自「凡官吏受財者，計贓科斷。無祿人，各減一等。……。有贓者，
計贓從重論。有祿人，枉法，贓各主者通算全科（謂受有事人財而曲法科斷
者，如受十人財，一時事發，通算作一處，全科其罪：一貫以下，杖七十。
一貫之上至五貫，杖八十。……。四十五貫，杖一百，流二千里。五十貫，
杖一百，流二千五百里。五十五貫，杖一百，流三千里。八十貫，絞。」文
參懷效鋒點校：《大明律》，頁183。

〔註28〕 「明律對於監察官員犯贓的處罰規定與一般官吏不同，應加一般官吏二等，
其規定如下：『凡風憲官吏受財，及與所按治去處求索、借貸人財物，若買賣
多取價利，及餽送之類，各加其餘官吏二等。』」參見劉雙舟：《明代監察法
制研究》（北京：中國檢察出版社，2004年1月），頁118。

> 棄我於市。我不欲爲刀頭之鬼,遂自鳩死。」命將鐵槌碎其腦,帶
> 鐵枷,上鐵肘,插風旗,上書邪奸陷忠誤國一名戍逢年,遍遊鬼門
> 關。(頁 27)

其受刑之方式比照人間之刑罰,亦採用民俗信仰中的地獄觀念,採用的刑罰如
「銅夾棍夾折兩足」與「擊銅槌」及「將鐵槌碎其腦」,比陽間的處置有過之
而無不及。其次刑事案件,如〈陰司三遣盜〉中「丁天度,係亳州孝廉。本地
五十裏內絕無鄉紳,彼獨雄視一方,誰與並峙,無欲不遂,無謀不得。但看上
眼,無問他人妻,他人女,定行謀占;得中彼意,無論他家田,他家產,百計
並吞。」(頁 301)最後落得「剝剝數年,亦滿萬金。罷職輿歸,屬且深爲切齒,
集盜數十,尾劫其財,又取其命。而妻與子則未之刃,囊無所存,無以買棺,
露屍於野。」以命償命的報應,其處罰亦同於陽間律法精神,往往命案與金錢
的糾葛分不開,此反映明代商業經濟衍生的社會問題,其他如侵佔財產、繼產
析立、詐財、欠債、賣妻鬻子,不當取財若非遭盜匪搶劫即遭子孫揮霍殆盡,
另〈五敗子投胎〉中閻王說:「歸有紀何其害命之多也!此人註定富貴綿遠,
目下不得禍及,即若汝等,向追命司出批,先勾其二子,略施報應,仍命故五
人投作被子,盡傾其所貪而斬其後。」(頁 264)之後「歸有紀身爲副使,又生
五子,豈料五子傾家,各皆無後,致有紀葬身無地,而斬其血食,此皆貪與酷
之報耳。」終於善惡有報,以斷其後嗣及敗盡非法取得的家產爲代價,此種懲
罰方式類似以等價償還的情節設計,用以符合讀者心理反應與考量法律層面。
張晉藩在《中國法制史》中提到:「關於損害賠償,明代承襲了元代的規定,
對犯罪人科刑的同時,要求其進行經濟賠償,但經濟賠償不以被害人的損失來
計算,只是簡單規定犯人給付全部或一半財產等等。」〔註29〕而《大明律》設
專條禁止在土地買賣上的違法行爲及刑罰侵佔他人田宅。如嚴禁盜賣田宅:「凡
盜賣,換易及冒認,若虛錢實契典買,及侵佔他人田宅者,田一畝、屋一間以
下,答五十,每田五畝、屋三間,加一等,罪止杖八十徒二年。係官者,各加
二等。」〔註30〕及列入其〈戶律三·婚姻〉「強佔良家妻女」條,提到:「凡豪
勢之人,強奪良家妻女,奸占爲妻、妾者,絞。」〔註31〕其所關涉者皆是重罪,

〔註29〕 請參見張晉藩:《中國法制史》(北京:高等教育出版社,2003 年 2 月),頁
　　　　240。
〔註30〕 懷效鋒點校:《大明律》,頁 55。
〔註31〕 同前註,頁 61。

關係到社會倫理價值及危害皇權利益在《大明律》中皆「重其所重」。而於小說中亦以爲違反倫理及倫常道德所不容者，均設定其下場悲慘，「盡傾其所貪而斬其後」及「而斬其血食」，作爲犯罪之懲罰。綜合以上，小說中民事糾紛及刑事案件是參照陽間律法的原則處置。

二、融攝一般道德作爲內容

　　小說中違反一般陽間社會規範者亦遭處罰，包括陽間律法並文明文者，本書融攝一般道德作爲獎懲內容，期使在冥界審判下，得以彰顯天道。由冥界懲處亦可得知那些具體行爲違逆天道，亦即那些行爲逾越當時道德內容。《輪迴醒世》分門別類的方式，突顯一般陽間律法未規範者，足使讀者一眼即見此書所主張的天道部分內容，如〈公平刻剝成敗勤惰部〉、〈慨慷慳吝部〉、〈貞淫部〉、〈屠殺生全部〉、〈矜驕承奉部〉。以下由呈現的內容作爲探討的基礎：

　　〈王家夫婦〉中的王朴，節儉近乎苛刻，「遂夏不設帳，爲蚊所苦，一人睡，一人驅，互相換替。冬不置被，爲寒所迫，掩以薦，覆以草，何等煖和。曾舊穀投而新穀登，未見壺有漿而故有米。一日欲造千年計，十餐常有九餐饑。」（頁 85），後閻王令投胎魚鷹「只許看，不許吃，只許取，不許用。」輪報結局否定超乎常理的節儉，此種行爲不爲一般人所認可，儒家倫理以爲節儉爲美德，然近於嚴苛之節儉亦失去中道，故不爲一般道德所接受。在〈慷慨慳吝部〉中尚有其他類似的例子，〔註32〕說明當時民風亦將吝嗇視爲違反社會規範，不爲一般百姓所接受。其他如〈公平刻剝成敗勤惰部〉中強調刻剝及勤惰不爲世俗所容，而形成專部故事。其他亦有因宗教因素而新增的道德內容，如殺生指的是殺害人類的小動物，爲取食而殺生本爲百姓生存的必然過程，因葷食爲取得生命營養的重要來源，如果沒有殺生，人類的本身即不可能存續，然書中指的殺生是除生存需要以外的部分，不違反人類生存的法則，故小說所提倡的不殺生與一般生存需求並行不悖，將不殺生作爲一般道德內容有其合理之處，〈屠殺生全部〉中亦有專部故事描述殺生之害處，〈殺生自害〉中的孫節、曹世容、陶輝、張台、楊穰與盧旦等因殺生而使自己的未來蒙上陰影，他們的生命若非短命即是不善終。尚有如〈七喪子〉中的主角謝璟，因前世殺生過多以致今生命運乖桀，此說明殺生的宗教戒律已廣泛

〔註32〕〈賈員外〉、〈彭酸鬼〉、〈三管帳〉情形亦類似，限於篇幅不作深入探討。

影響人民對於動物生命的重視，主角殺生過甚以致影響自身的壽命長短的情況，與殺人償命的處置原則相似。

　　另有違反一般性道德內容卻隱而未發，後爲天曹所糾察而得到報應者，如〈債利致富〉、〈自致其貧〉、〈經營異報〉、〈米木行善惡報〉中主張經營講究信用。以〈經營異報〉爲例，閻王拘提經商不實的「滎陽鎮曹吉，每一歲爲陰司勾人二故。是歲批拿六人，米行周邊、郭有戚，雜貨行沈鼎實、湯銘，紬布行汪祿、岳松。」其後將此六人於陽間所爲一一道出：

> 六人勾至閻羅，逐一點名曰：「查得六人乃三行戶，同一米行，糶靜
> 糧，賣乾米，用准斗宜乎折本，而反得百倍利。既攙糠，又著水，
> 用小斗，宜乎得利，而反折本。同一雜貨行，分兩重而 價不刻者，
> 宜得利少，而利偏集。……周暹與郭有戚，同托生於平磯村章姓家
> 爲兄弟；沈鼎實與湯銘， 同托生於水柳村馬姓家爲姐妹；汪擇與岳
> 松同托生於得隆里，一姓羅，一姓葛，同歸林氏爲妯娌」六人私語
> 曰：「合平與刻剝同曹，世云今生積，來生受，此言大謬也。」閻羅
> 察知此語，乃謂曰：「汝等謂陽世有善惡，陰司爽報應。」（頁246）

六人獲致的報應或有不同，其處置方式爲「非餓瘠即凍損，夫婦顛連相繼而死」、「令催姑跣足蓬頭，垢面塗體，衣以破緺，食以粥湯，喜則唾罵，怒則鞭笞，挂磨一至此耳。」、「既寡且貧，勝墮陰司地獄。」等。反映生前作爲終爲天道所察，陽間未受報應，冥界有司自會調理。凡違犯陽間律法之外的行爲，其冥界處罰方式亦不盡相同，其意正在於禁制類似行爲發生，以警惕此類行爲之不可取。如〈十喪夫〉中的郭祖汲，縱欲傷身也遭到冥界懲罰：

> 閻羅曰：「本註放以長年，奈汝自促其算何。倘汝樂果能長久，何必
> 做神仙，何必做帝王。 豈知極樂生悲，滿眼榮華，轉盼已成蕭索。
> 姑不汝貴，既今生極樂，罰來世極悲，發汝與轉輪司，投作吉安馬
> 姓女，註定十番婚配，十度傷悲，每一姓兩載恩情。」（頁107）

作爲陽間享樂主義者必不認同此種處置方式，然因奢靡享樂方式不容於天道，以致須歷經「十喪夫」。閻王代表的是社會意識的認同與否，當然不爲社會所接受之行爲往往須承擔輿論所產生的生存壓力，故享樂需承擔「十喪夫」的後果，這種懲罰實具警示意味。其他如本人罪行未受報應者，亦連累親人受報。〈觀燈失子〉中的史可遠「包攬詞訟」的行徑爲世道不容，致使其子「體格溫柔，姿容俊雅」仍不見容於人，竟有云：「可遠有此子，天道其無知乎？」

（頁 127）後可遠溺死，其子經年後尋獲回家，不數日亦死。此種禍及子孫的處置，除受「承負觀」的概念影響下，對於不見容於天道罪行的處置，類於陽間重大案件株連的模式，因此對於可遠的罪行描述「華丘史可遠，稟性刁惡，包攬詞訟，慣放無煙火，能興平地風。」當可理解為「包攬詞訟」的行徑為當時社會極度不容，個人罪行已無法自己承擔，但囿於陽間律法無法處置時，則轉嫁親屬共同承擔。綜和以上得知，天道所容攝一般性道德的內容，涵蓋了百姓的日常生活各領域的慣習，也包容宗教影響，而一般性的道德內容並不與百姓其他遵行的觀念矛盾，仍可在百姓原有天道概念下擴充一般性的道德內容，使天道所包容的陽間層面的規範內容趨於細緻而完整，進一步讓天道彰顯於陽間。

三、天道能體現世間律法

綜觀以上的懲惡方式，足以說明俯視人間的天道是超越凡情之公正。所謂「皇天無親，惟德是輔〔註33〕」、「天道無親，常與善人〔註34〕」，天道被視為宇宙秩序及共同遵行的規範，民眾遵行天道軌則作為普遍價值。小說中的「天道」大體指陳為一般性道德規範。本書概括以天曹（具體神官職司系統）和冥界（冥官系統）及人間（律法系統），由上而下即天庭、人間、地獄所建立起的官府機制執行天道。天道派生人間一般性的道德作為民眾遵行的軌則，符合一般性的道德即是符合天道的人間規範。其規範內容除天道的內容外，人道亦概括其中，書中將「善」定義為宗教性的內容及社會群體意識承認的部份。

輪迴為天道運轉機制，輪迴必然承載運作天道正義的責任，天道作為無上的權力擁有者，以輪迴定奪善惡。若以圖示，可見對個人而言，輪迴具有重要性：

個人生命的循環　-----▶　輪迴

獎善懲惡的機制　-----▶　輪迴

圖示輪迴的作用

〔註33〕《左傳》僖公五年記宮之奇語引《周書》。偽古文《尚書》採入〈蔡仲之命〉。參見楊伯峻編著：《春秋左傳注》（北京：中華書局，1981 年 3 月），頁 309 。
〔註34〕陳鼓應：《老子注釋及評介》（北京：中華書局，1984 年 5 月），頁 354。

輪迴爲其天道體現正義的機制，任何生命均在安排之中，藉此完成實質正義，這也是傳統小說張揚正義的通式。輪迴雖是宗教思想所衍生對正義的表達，卻也道出多數民眾欲求實現正義的心理，透過輪迴機制達成個人及整體正義的結果，有效地解決民眾對天道存在疑問，採取輪迴及承認輪迴機制補償律法無法彰顯的現實缺陷。

世間律法《大明律》作爲實踐天道公正的部份，天道亦有其平衡之機制以補償其作用。世間律法的地位，爲天道彰顯於人間之運作載體。其爲天道運行輪迴之一環，民眾普遍咸以律法的效能驗證天道實踐，又以認知其行爲是否在天道監控之下，故律法可視爲天道運行之環節。

天道實現公道正義之主要方式即審判，而「獎善懲惡」乃其手段。天道勸善的途徑，建立於善惡必報的必然因果之上，其程式可簡化爲以下的圖表：

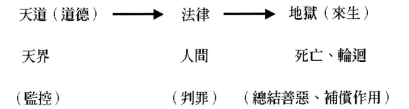

圖示天道審判程式

天道流行端賴其運作機制充分體現，獎善懲惡的手段作爲體現律法的面向，惟以天庭爲主的官僚體系具全知全能，法律未能體現天道，陽間的惡劣行徑未予懲治，於輪迴（包括進入地獄）時必予處罰，爲善者亦賴此獲得予以獎賞，讓善惡必有報，天道便全然體現。綜上所述，得知世間律法體現天道之內容，律法爲天道的世間具體化表徵。

第三節　小結

「六道輪迴」由印度佛教傳入中國後，至明代與道教、儒教形成三教合一的民間信仰，概念融合之後，卻又形成不同的民間信仰變異，復使閻羅王與城隍神均在此天道架構下能協調運作冥間的判案機制，執行獎善懲惡的工

作，與一般民眾的信仰同軌。

　　從探討中得知，小說之運作法式爲全書核心，即輪迴爲天道運行之手段。其運作流程爲：由天曹糾察或案主申冤，一旦主審官立案調查後，即進入審案程序，透過閻王議斷罪行，交由冥界職司及冥卒執行六道輪迴。此種法式與陽間審案大體相同，人事安排亦按照陽間司法運作模式。其運作軌範完全依照天道的內容，並符合世間律法之要求，天道公正透過閻羅王的判案得到實踐，進而輪迴判案的機制解決普羅大眾公平正義的需求。

　　天道運行均能充分體現，如於陽間法律未能體現天道即惡行未予懲治時，進入冥界必予處罰。爲善者亦賴此獲得獎賞，讓善惡必有報，天道便全然體現。冥司判案在於彰顯天道公義，發展出遵行社會道德規範爲主張之勸善思想，以輔助明代法律之失，緩解明代當時社會的矛盾，以符合編撰者神道設教之意圖，而判案之人事安排與獎罰方式之運作模式，則可概括爲變相之公案小說。

第五章　社會文化反映

　　《輪迴醒世》的題材豐富，故事所標注的時間上限始自唐代，下迄明代萬曆，共有一百八十三則。若由人物的類別而言，包括官員、俠客、儒生、農民、僧尼、道士、鰥夫、寡婦、盜賊、富商、伇役、婢妾、商人等，因此，綜觀這些人物類別可以五倫的關係區分其角色，亦可以以職業區分為士、農、工、商。由小說包羅的廣度而言，表現了明代庶民的生活面，由此面向反映其政治、經濟、社會及民俗內容。《輪迴醒世》以獎懲陽間善惡行為作為輪迴機制，從而呈現了法律與文化的意涵。本章節以《輪迴醒世》作為文獻資料的討論基礎，期能藉此呈現一般市民對於法律或宗教文化的看法，揭櫫明代的社會文化。另就社會文化而言，小說情節依輪迴觀念而構設，就此討論信仰與法律面向，可發現它的條文依循傳統的道德條目，雖未有較為嚴格規範，實為庶民所接受，其中教義微具一般的宗教與法律概念，能反映宗教內涵；其次，容攝一般性道德內容與法律的內容，從而建立起大家所共同遵守與信仰的模式，不僅為一般市民能接受的內涵，亦成為小說中人物所共同遵守的軌則，並於故事中呈現信仰運作的意涵與模式。另外對於法律條文容攝的方式與歷程，經過本文的討論，提出與利用史料探討的不同結果。

第一節　思維模式：以律法容攝天道的精神

　　中國人的「天道」係指意志天。庶民思維以為意志天決定天道內容與運作方法，並掌握人的命運，能根據人的行為加以獎懲善惡。百姓以為天道力

量左右人之禍福，然天道既然無形，就此並未有深解，僅將遵行道德的規範視爲順應天道，以免於災禍。庶民就此想像有天之意志決定人的禍福，以爲天道亦有類似律法的判準衡量所有人的行爲與思想，其範圍遠超過人間法律（《大明律》），在此基礎思維下，《輪迴醒世》將律法容攝天道精神，吸納輪迴機制、報應的基本觀念及一般人信守的道德條目作爲所有人生命安頓的法式，重新組構，運用輪迴控制個人的趨向。小說用此輪迴機制，安排百姓禍福趨向，百姓依此輪迴作用而安身立命。以下章節先言輪迴：

一、以輪迴作爲主要機制

輪迴成爲天道律法的實踐機制。人間法律僅處置爲惡者，然在輪迴機制之下，任何人均難以逃脫輪迴的處置，此爲輪迴異於人間法律之處，輪迴機制因其爲超越人間的力量，除包容了人間法律的特性外，亦能由此機制彰顯人間善惡。「輪迴」一說始自佛教，此觀點視個人輪轉六道，歸因於生命本身的業力，因緣發生而牽引六道。〔註1〕隨其融合於中國本地的民俗後，民間習以輪迴觀解釋生命的流轉方式，此種融合促使中國本土泰山信仰融合輪迴觀，豐富原先中國人對生死遷流的想法，進而形成本土特色的「六道輪迴」，如印度「閻王」演變爲中國「十殿閻羅」〔註2〕。小說援引此模式，大略採用「十殿閻羅」說，以閻王來主宰人生趨向。除此之外，亦將生死報應架築於輪迴之上，藉以詮釋天道運轉生命的模式，以天道爲依歸，藉以取代業力作爲禍福個人的力量。然經小說所援引的輪迴機制，已異於佛教教義，視天道爲牽引輪迴的力量，致使輪迴機制爲小說的天道思維所運用，將輪迴轉化爲富有天道與民俗色彩的機制，大體承襲佛教輪迴的流轉趨向與形式。

小說亦將歷史事件含括於輪迴之內，因之小說具備此類內容，並加以鋪

〔註1〕佛教中，輪迴爲生命流轉的「原理」，所有善行與惡行視爲是業（Karma），業力推動生命六道輪迴。佛教將它形容爲轉輪，不間續地運轉的客觀因素。小說繼承原理的此一面向：輪迴爲生命遷流的機制，冥界爲所有個體生命的終點站及善惡獎懲的處置空間，並將聚集於冥界的陽間人物，作善惡審判。

〔註2〕輪迴之機制爲佛教借用印度原始宗教而來的，因此閻王的地獄主宰亦是習用，只是到了中國以後，與泰山府君的陰間信仰合而爲一，成爲冥界的主要管理人之一，然冥界的詳細內容卻不斷演化而成地獄「十王說」，地獄的相關職司，也不斷地充實，進而成爲民間習俗中的冥界具體形象。參見蕭登福：《道佛十王地獄說》（臺北：新文豐出版社，1996年9月），頁596。

陳，小說採用歷史人物作為驗證此事件的見證人，增強其可信以說服讀者，若〈魂接忠奸〉周鸞，於冥界遊行所見的景象，以見證陰司報應，再次將歷史人物的功過於冥司獎善罰惡：

> 岳憲持簡勇躍，先鞭其左右肱而肱折，後鞭其左右股而股爛。又於黑風洞取出一鬼犯，乃万俟卨也。武穆曰：「無佐證而下我父子於獄，當時馬功首，今日為罪魁。」令二于剖其腹，刺其狐媚心腸，看鬼卒滾起油鍋，燃起炙床，設下鐵磨，將檜三人又入油鍋，皮肉盡腐；撈起仍上炙床，燒得骨肉枯焦，又入在磨中，磨為細末。將灰燼向風一揚，又變糟三人形狀。又列刀山劍樹，將檜等塊塊肉剮，段段腸抽。（頁145）

史書記載岳飛率領岳家軍大敗金兀朮，奠定南宋偏安的格局，卻因奸臣謀害而死。〔註3〕岳飛悲劇的發生，引起群眾悲憤，未因岳飛死亡而有所舒緩，小說借由運用文化中的既有印象，並為善惡觀念闡發，以發揮小說的勸化功能，進而重塑岳家軍的忠君愛國之形象。此點於當代（明代）或其後的岳飛之小說，常以悲劇重塑，延續民間既有之期望。〔註4〕

輪迴延續前世今生為其特點，小說將當代事件重新加以詮釋，明初方孝儒因不願為明成祖（朱隸）草詔而被誅連十族。小說以孝儒早年殺生作為詮解後來誅連十族的命運，若〈侍講以忠族〉云：

> 方孝儒，為建文侍講。未捷時，為父母卜地，一堪輿以某山獻，孝儒亦粗遍地理，登山定穴，選於某日下葬。先一晚，孝儒夢往郊野，有數萬人跪告曰：「君已得我宅矣，苦不及徙，容遲三日，自當迴避，庶彼此咸利也。」孝儒因忖此夢曰：「目下又不造宅，又未占人家基址，夢中所見者，決非人類。若人類，何其姓字之多也。」次早挖坑，挖下數尺，乃蛇一穴，皆伏而不動。已選定時刻下葬，不得那移，欲俟其自徙，又盤結不起。堪輿曰：「如再遲數刻，良時差過，我亦不敢下葬也。」遂相計議，取乾柴數束，置於穴中，一火而燼。

〔註3〕宋史記載岳飛的死，肇於奸臣東窗密議。另岳飛死後，秦檜仍居相位負責「監修國史」，故其事績沒而不聞，林國華：〈岳飛故事的流變與時人心態的關係〉，《麗水師範專科學校學報》1992年第1期，頁20。

〔註4〕明代小說《大宋中興通俗演義》亦以秦檜冥司受報作為傷害忠良的報應。朱眉叔：〈大宋中興通俗演義與說岳全傳的比較研究〉，《中國文學研究》2007年7月第28卷第4期，頁87。

> 大結青煙一裊,直透九霄,煙氣竟日方散。遂挤去灰燼,再濬尺餘,
> 將柩安葬。是夜又夢萬餘人相遇於野,或怒罵,或瞑目,或作欲擊
> 狀。(頁 462)

將方孝儒遭誅十族的命運,歸因於殺生所致。與民間將「史可法」等殉國英雄相比卻有不同,將〈侍講以忠族〉歸於《忠奸部》,卻又不減損孝儒的忠臣形象。當儒家倫理精神與歷史現實發生扞格,小說以運用輪迴因果作為平衡朱隸的正統地位與方孝儒的忠君精神。

小說模擬人間律法《大明律》原則,用六道趨向作為獎罰安排,更進一步將傳統的善惡有報概念加以具體化實施,發展出獎善罰惡的措施,因編撰者認知天道為無所不包的與對天道概念的模糊,致使情節中的獎賞與懲罰僅流於梗概。對於善報或惡報概念加以延伸,「輪迴之說,雖有定數,或一善可以消百惡,或片念可以概終身。即一身而輪迴幾轉,是有定理,無定數也。」(頁 283),小說輪迴機制除了表現其「實用性」外,其生命輪轉的償還完全依照此方式進行,由此可以理解小說中的善惡處罰不全然以等量公式償還,而是以道德條目作為善惡判斷,加以發揮,此種概念化的判斷原則透過輪迴加以實現,使小說意旨得以充分發揮。

執行輪迴的具體部門與人間法律執行者亦有相仿之處。小說的輪迴人事架構仿照人間衙門的組織,其形式呈現簡化的傾向,並具體化為冥界職司及部門,以此部門運行輪迴機制,其機制藉由冥界人物開展輪迴的情節內容。主要審案情節自閻王受理案件後(輪迴機制開始作用),冥界始啟動具體職能部門(進入司法程序),冥卒與判司或冤魂(受害人)配合調查,前往拘提加害人。由拘提到審判結束的全過程視為輪迴機制的運作範圍。其運行範圍擴及陽間,其主張陽間亦為天道執行輪迴當然場域。此外,一部份的小說人物,往往由天界降生陽間以便償還因果或回返天界的中繼空間,此部份人物多為配角,小說往往安排此類人物輔助主角作為鋪陳情節角色,可視為強化輪迴的戲劇張力,此種例子亦可作為輪迴運作的佐證。亦說明輪迴機制無所不包的特性,由此得以完善天道的獎懲體系。

小說中的「輪迴」為完成天道的必要手段,並藉此補償陽間律法之不足,進而,並超越陽間律法所不能規範的限圍。小說將輪迴吸取律法的審判意識,作為天道無所不在的證明與天道對陽間秩序的觀照手段,期望由輪迴機制達到和諧的社會秩序。

二、視律法爲報應原則

中國人咸少以純粹的法律角度，建立「報復刑」的觀念〔註5〕，然此種思想被吸納至傳統報應觀之中，因此律法與報應原則較爲模糊，並將報應等同於刑罰，或視法律體現報應的作用〔註6〕。天道審判必伴隨報應，報應深具有審判與刑罰的兩種意涵。小說習用兩者，並將律法與報應結合於情節之中，進而由此推導出「天道循環」、「報應不爽」的結局。

「未知生，焉知死；未能事人，焉能事鬼」〔註7〕對鬼神存而不論的說法，隨著儒家成爲國家正統的主流後，民間崇尚鬼神之風續存，由此得知，理解濃厚鬼神氛圍的報應觀在中國發展的軌跡，除庶民對於未來生命的關注而趨使外，中國人的現實性格，使得報應觀有效地左右人民趨樂避苦的心理。〔註8〕此心理助長報應概念的發展與成熟，相信「善惡報應」即成爲社會的共同信仰。「天」之概念在中國起源甚早，關於天道懲惡獎善的說法早見於《尚書・商書》云：「天道福善禍淫」〔註9〕，報應的概念最初源於復仇觀，《太平經》云：「罰惡賞善人所知，何不自改？天報有功，不與無德，思之思之，賞罰可知。自可死，獨苦極，善惡之壽當消息，詳之愼之，可無見咎，故以重誡，令自悔耳。〔註10〕」雖道教、佛教「因果報應」均論及報應，但觀點有基本差異〔註11〕，小說採用「善惡有報」作爲獎罰的原理。具有融合三教之觀點，因此小說將承負觀、復仇觀及佛教報應融合於情節中，卻異於三教個別的報應觀，從而將佛教因果報應與道教承負觀融入天道概念，進而擴展報應的涵攝，使報應成爲庶民深信不疑的天道信仰。

〔註5〕「法家曾經嘗試過，但正如我們看到的那樣，純粹的法律觀念，在中國始終沒有市場，儘管由法家建立的制度被大體保留下來了，而報復刑觀念在形式上卻是被包容在更廣義的報應觀之中的。」參見霍存福：《復仇・報復刑・報應說—中國人法律觀念的文化解說》（長春：吉林人民出版社，2005 年 1 月），頁 213。

〔註6〕參見瞿同祖：《中國法律與中國社會》（北京：中華書局，1981 年 12 月），頁 260～261。

〔註7〕參見〔宋〕朱熹：《四書章句集注》（台北：大安出版社，1999 年），頁 172。

〔註8〕參見賈二強：《唐宋民間信仰》（福州：福建人民出版社 ，2002 年 10 月），頁 289。

〔註9〕〔漢〕孔安國傳（唐）孔穎達疏：《十三經注疏・尚書正義》（北京：北京大學出版社，19 年 12 月），頁 200。

〔註10〕王明編：《太平經合校》（北京：中華書局，1979 年 12 月），頁 573。

〔註11〕黃東陽：《唐五代記異小說的文化闡釋》（台北市：秀威資訊科技股份有限公司，200 年 3 月），頁 55。

　　小說具有強烈的律法意識，報應必然伴隨獎罰，若由小說中地獄受刑之情節可知，小說人物所違犯律法的案件必導至其報應內容。若「既人畜類，萬代不得起身，其受罪更毒於油鍋刀山鐵磨也。小人又願代爲畜類。」（頁317）、「吾所云六胎而害放命者，正此人也。註定分娩之時，斷汝腸，剜汝腹，折汝心，碎汝肺肝，當不異刀山碎割也。」（頁360）、「陶濟平生最貪花戀色，一晚孤眠，遂徹夜不寐。妻無罪而遭刃，彼何得復諧夫妻之好。當註彼雌雄失偶，永不成雙，孤苦終身，勝似刀山劍樹也。」（頁56）縱使存活於陽間亦難脫身於受罪之苦。隨其佛教因果報應的意識影響，致使小說中的報應類型有繁複化的傾向，不再侷限於簡單報應類型。若云：

> 曹氏入陰司，正扭信良亂打，適李二姐三人齊到，一同槌撻，齊謁閻羅。閻羅曰：「不須亂打，計奸一節，亦汝等前生所致。信良前係呂姓之妻，美於貌而青於年，呂姓嫖賭傾家，身入下流。汝四人前係男身，同學習業，湊銀若干以賂呂姓，縱妻與通。罰汝等女變男，男變女，收前帳耳。」眾女鬼方叩頭無語，惟求免（眼）罪過。（頁210）

信良爲出家人，當受宗教中的戒律約制，或受破戒懲罰的下場，然小說只以出家人身份安排情節外，其餘情節與在家者無異，若由佛教因果而言並非如此結局，而書中盡以前世的因果爲此事件發生的源由，彷彿與佛教的戒律無涉，由此說明佛教因果的概念在書中借代爲天道報應〔註12〕。此種報應觀正是當時的社會意識反映，卻又與原來佛教的因果報應教義有著根本差異，由此而言，小說的報應原則並不僅趨向宗教性發展，亦依循律法精神「以牙還牙」。此種情況在小說的其它報應類型亦有所反映。

　　又如承負觀。在小說中解讀爲先輩所造善惡因皆由子孫概括承受，〔註13〕若〈觀燈失子〉的可遠「稟性刁惡，包攬詞訟」，因此父債子還，其子保伱失

〔註12〕　〈觀燈失子〉、〈大貪大害〉、〈一狐滅眾頭陀〉、〈法僧投胎〉均爲僧尼犯戒故事類型。

〔註13〕　承負觀首見於道教《太平經》，書中包括有濃重的勸善思想，提出了「承負」的善惡觀，認爲先人犯有過失，積累日多，由後輩子孫負其過，前人爲「承」，後人爲「負」。如果爲善，則前人積福，後人受陰。其云：「凡人之行，或有力行善反常得惡，或有力行惡反得善，因自言爲賢者非也。力行善反得惡者，是承負先人之過，流災前後積，來害此人也；其行惡反得善者，是先人深有積畜大功，來流及此人也。」參見王明編：《太平經合校》（北京：中華書局，1979 年 12 月），頁 22。

蹤：

> 可遠不見保伢，徹夜何曾貼席，等不得天明，即奔馳街上，遍逐城
> 中，絕無消息。遍貼招子，且挂門逐戶，一一探問，那得影響。今
> 日哭於南街，明日悲於北巷，技之里甲，告之官府，代為尋兒，亦
> 無下落。（頁 128）

小說僅交代因其父素行不良，故其子須遭受悲慘的命運，若：

> 回至家中，多攜路費，帶一婢一丁，抵南安之境，訪至大東門，果
> 有三眼井，此處乞兒頗多。有一病乞，臥於井旁，狀若骷髏，問其
> 姓名，啞不能對。呂氏曰：「此必吾兒也。」因問曰：「汝名可叫保
> 伢否？」病乞點頭，且睜目以視，及見昌氏，認得是母，其淚如注，
> 遂以手牽其衣。及語以父母姓名，悉皆點頭。呂氏不勝痛哭，命僕
> 負去，不數日而卒。（頁 129）

此種長輩累及子孫的「承負觀」，完全與《太平經》中所述及的精神相近，庶民仍接受此種看法，卻與佛教的共業觀不一致，承負觀將報應延及子孫雖與佛教的自作自受的處罰不能對等﹝註 14﹞，由討論小說中報應原則，自然發現此種報應情節適反映先秦以來「因果報應」的說法﹝註 15﹞，可說明佛教與道教的報應概念在此容攝於民間所認知信仰之中，使小說的「報應」原則成為天道運行的表徵，庶民由此得見天道之彰顯。不論佛教或道教的觀點均承認報應之必然。庶民所關注報應之實現的期望心理，使情節呈現趨向報應，藉此說服讀者，相信報應（獎善懲惡）必定發生，此點原則與律法的懲罰標的一致。

三、以道德作判定標準

　　既然天道報應以人物為主體，以道德思維為衡量標準，必使輪迴機制和報應內容與個人善惡互為呼應，方能建立完整的勸善體系，使庶民相信，書中對各種人物的道德審判。雖因身份有所差別，而有不同等對待，其用意在於使各階層的人物能各安其位，並以天道勸懲，端正道德秩序。目的既然是

﹝註 14﹞　《泥洹經》：「父作不善，子不代受；子作不善，父亦不受。善自獲福，惡自
　　　　　受殃。」由此可知佛教主張自業自報或自作自受，（《弘明集》卷十三郗超《奉
　　　　　法要》引）郗超：《奉法要》所引，原文見《大正藏》卷一，181 頁上。
﹝註 15﹞　「承負就是講，行善者，其善行可澤被子孫；行惡者，其惡行必流毒後代。
　　　　　所謂因果報應，毫髮不爽。」張俊：〈宗教為德行許諾幸福——道教、佛教、
　　　　　基督教三模式〉，《世界宗教學刊》2004 年 12 月第 4 期，頁 138。

以恢復人間的道德秩序為導向，其天道必然涵括社會風俗與一般性的道德規範、儒家的倫常觀念及宗教戒律，期使庶民認知順應天道而行與遵行道德規範同軌。以下先就儒家的倫常觀念作說明。

書中天道內容涵括儒家倫常觀念，有忠君愛國的要求，有孝弟的觀念，有三從四德的條目。講述有關忠君的條目的故事，若〈忠奸部〉的〈陸文二忠臣死難〉、〈顏張二忠臣死難〉、〈兩刺讎以報主〉、〈仗忠以還〉、〈侍講以忠族〉及〈俠豪卑污部〉的〈魂接忠奸〉、〈屠戶誅曹操〉。闡揚孝悌的道德條目，若〈人倫順逆部〉的〈孝子割股〉、〈子三縊而救母〉、〈育弟為子〉、〈手足不二〉，講究三從四德的有〈嫡妾繼庶部〉的〈嫡厚妾以免禍〉、〈妾子勝螟蛉〉，〈貞淫部〉的〈望門寡〉、〈遺腹寡〉、〈青年寡〉、〈有子寡〉、〈因寡得圓〉、〈重義身鰥〉。

小說符合儒家的入世思想，為宣揚遵行倫常的基點，並能取得社會的士階層的支持。而忠孝節義的故事，也在此階層的推動下，自然亦成為小說與口傳文學的題材，進而使不識之無的社會民眾視忠孝節義的內蘊為社會的共同標準。小說中大量出現寡婦、鰥夫情節，亦將此價值判斷作了詮釋，即將守寡視為「善行」，故能得到善報。小說中的輪迴邏輯必使處於「守寡」處境歸因前生惡行，以致須以嘗守寡孤寂的痛苦。小說肯定守寡的行為為善行，亦符合於當時的社會價值，如有因節操而自殺的情事，如忠臣不侍二主的情操，被肯定為善行。其次，婦女須遵守有恩有義準則，此亦類推至「三從四德」與「七出之條」，違反者的下場多數為轉生寡婦，以示懲罰。

關於宗教中不殺生戒規，若〈殺生自害〉、〈傷生異報〉、〈放生亭〉、〈放生碑〉、〈戒殺堂〉、〈法僧投胎〉及〈假尼恣奸〉，明代的宗教風氣敗壞固有其制度的原因，然宗教的概念是否發生質變的情況則須由小說的情節分析，如以道德判斷「殺生」，文本將其善惡價值的歸屬傾向於採取宗教的角度，若佛教的五戒之首為「不殺生」，作為屠夫孫節為營生而殺生：

> 泥溝鎮孫節，自幼業屠，每歲屠豬三百餘，歷年總計盈萬。一夕夢自變為豕，豕變為人，持刃以屠，負痛而醒。節猶不悟，尚欲刀頭覓利，向潘姓屠豬。豬已放出，而楊尚未滾。時天甚暑，節裸體臥檻上，隨即睡去，其刃置於檻旁。豬踤刃柄，望節腹而直刺焉。節亂滾而命絕。（頁 508）〔註16〕

〔註16〕小說中的例子，視殺生皆為惡行，無論其對象為多麼微小的生物，如〈殺生

人類雖為生存必得殺生取食，而屠夫職業卻背負殺生的罪惡，小說情節以主角為豬所殺，可見其殺生判斷建立於宗教性的原則之上，凡殺生皆是「惡」的行徑，而不考慮個別行業之特殊性，此種為佛陀所規範的殺生戒指的是「蓄意」的殺害。由此可知，「不殺生」於當時已為社會價值所承認，成為一般性的道德內容。

與殺生相反的行為為「護生」，書中視「護生」為善行，若〈放生亭〉：

> 虞啓偕呂氏，居臨淮之南，離江渚不滿數百武。一日渡江，舟至江心，水族浮於江面，四圍旋繞，如星拱狀。啓深異焉，仰天嘆曰：「諸族繞舟，或命該覆溺乎？」又不興故作浪，舟甚平穩，水族投而復起者三。啓於江中往返無虞，因思曰：「諸族繞舟，狀若乞憐，何不因彼乞憐之狀，動我以好生之懷。」遂於江渚建亭，題曰「放生亭」。
>
> （頁 512）

後虞啓因放生善行得免溺死，其行為亦得閻王許可復生：「『虞啓陰德如此，何不預牒，以免其溺？』水族揚聲曰：『出水底而登之岸，亦未遲也。』閻羅許水族共援虞啓，以報放生之德。」（頁 514），放生的行為已為當時社會視為善行，成為社會風氣，「不殺生」雖為戒律所提倡，然與原有文化中上天有「好生之德」的概念亦一致，故此概念能在中土持續發展至今。

除此之外，明代因社會的商業發展，小說反映的商業性內容亦夥，由此衍生的商業糾紛日益繁雜，書中將商業道德亦涵括其中〔註 17〕，其道德條目包涵商業道德的基本要求，有信用、童叟無欺，若〈米木行善惡報〉、〈天曹兩遣官〉、〈經營異報〉、〈三指成家〉、〈勤能造命〉、〈糾拿懶惰〉、〈橫財致富〉、〈經營致富〉、〈債利致富〉。傳統以為商為四民之末，文化中否定追求金錢價值的傾向甚為明顯，儒家觀點將積極追求個人利益者視為小人，若「君子喻於義，小人喻於利」的詮釋。然小說卻極力提倡商業經營，將發財致富的思想視為當然，商業發達之後，糾紛益繁，僅依靠法律實不足以嚇阻商業道德之江河日下，小說於勸化道德之際，自然將原先社會忽略的商業道德納入，由此理解包容各種社會問題的天道輪迴，亦能考察商人行徑是否符合天道思維。〈債利致富〉中周汝德不按商業倫理致富，導致積攢的錢財無端失去，不管他人死活的放高利貸行徑，書中描述：「那管鵲無枝，燕覆巢，任他浮萍水

自害〉、〈傷生異報〉例，所以更遑論其他打獵的原始狩獵行為。
〔註 17〕明代的小說《騙經》的出現亦反映此種社會景況。

面飄，上要本完利不少。便做溝渠餓殍，不饒他紙上分毫。」（頁237），可見其苛刻的惡行已超乎想像，小說將其債利致富的手段充分描述：

> 董志道借銀三十兩，已經三載，罄室久懸，立錐無地，破屋數椽，止穀起利。因見汝德曰：「昔年所倍，苦無田園抵償，願以間架屬之。」故德查帳云：「欠本三十兩，遞年加四，三年該本利八十一兩六錢。」令其書契，執契引見德完，問曰：「董志道來完前帳乎？」志道曰：「也非銀與錢，也非地與田，止有數架屋，寫契獻尊前。」……錢恩借德完銀五十兩，以之生理，竟至折本。週年已還過三十兩，又經二年，未曾清楚。苦無抵當，還有田數坵，只得憑他盤算。正所謂良田數畝，放債尋我，盤過三年，往那裏躲。先見汝德，汝德查帳云：「欠本銀五十兩，週年收過三十兩。除利二十兩，收本十兩，淨欠四十兩。起利二年，該人七十人兩四錢。」錢恩曰：「銀子一時難措，有遠宅田數坵，寫與倪家。」（頁237～238）

原來汝德用債利圈地，以致借貸人起居安身的地方都被剝奪了，竟至流離失所，其後汝德「其今日吞某家田產，明日納某家女子，不可枚舉，大率如此。」（頁238），之後端賴老天有眼，「玉帝著鈔庫司稽查，如命中該得者聽，如不該得，著火部沒其家財。至若周汝德，著追命司勾來栲問。」（頁238）雖其不當謀利不為官府所知曉，亦在天曹監察之列，其非份之財亦無法久存。另於〈米木行善惡報〉章節中，將經商的善、惡兩面並呈於故事中：

> 天曹察得保元地方，公平少，刻剝多，神祇過往，止糾大善大惡。至市道交易之間，雖善弗及錄，雖惡弗及譴，致陰司鑑則有蒙，將何以旌公平而做刻剝。……木行周宗文，三代接攬徽商，不虧賣不虧買，止持其平，除去令商自賒。從中保認，不從中主張，收銀令商自收，從中催討，不從中乾沒，不以今年掛去年，不以新帳抵舊帳。……李化藉，亦木行也，行帳不清，累年拖欠，除去則商人之木，討來乃自己之錢。以張三之銀，抵還李四。以今歲之帳，抵塞舊年。……孔鑑祖開糧食行，價直隨時，不抬賤以就貴，不抑貴以作賤。糶主糴客，任其願成，交易不從中扐揹。原銀原兌，原等原斛，出入咸以道義，遠近誦其公平。……曹琪成，韓公鎮之米行也，斗斛大小，伐馬重輕，糶者糴者，不當面兌銀，糴客必取足色，糶客與以水絲，其成色皆被扣去。（頁551～554）

用不同行業別的周宗文、李化藉、孔鑑祖及曹珙成四人來突顯商業道德亦在天道規範之範疇，公平交易及刻剝作為商業道德的判斷基準，並以主角的致貧或致富亦反映其道德情況。究其以道德規範作為判準的原因，除撰者的想像讀者為庶民百姓外，則可由善惡報應得知部分天道對商業範圍亦有規範，雖不在陽間律法之內，亦在天道賞罰之列。綜合以上，得知在天道審判之下，強調以一般性的道德作為庶民遵守的要則，在輪迴機制下權衡善惡之因果報應，使所有人均能天道的運作體系下安身立命。以吸收律法的審判意識，以輪迴機制的超然補償陽間律法之不足，進而以報應說服讀者天道之存在。

第二節　萬事興訟：訴訟反映明代生活實景

明代開國皇帝朱元璋為保政權長治久安，以為政權穩定，維繫於律法之健全，故仿唐律制訂大明律，經十三年始定。因大明律的條文較前代周全，後大清律沿襲承用。又因朱元璋鑑於元朝覆亡肇於政治腐敗及吏治不清，在政治上，嚴加控制官吏，此精神並反映於大明律的條文。開國初期，明代的政治呈現高度清明，官吏的行政效率達到空前的程度，至明代中期以後，大明律的部分條文已經備而不用。明太祖禁止宦官議政，其子朱棣首開其例，為宦官干政，埋下遠因，明代的政治亦隨之趨於複雜，直接或間接地因宦官的特務行徑影響到人民的生計。《輪迴醒世》的成書年代主要在萬曆時期前後，此社會情況於《輪迴醒世》中均有所反映，萬曆帝（1572～1620）四十八年是明代由盛轉衰的關鍵期，其「不作為」加速明代朝政腐敗，不理朝政以致官吏的缺額不補，〔註18〕朝政空轉致使重大的國防形勢嚴峻與政治腐敗加劇，基層官吏趨炎附勢與橫徵暴斂使得民不聊生。然政治對於經濟控制的放鬆，又促使經商的風氣盛行，人民棄農從商的情況愈加普遍，由此商人階級在社會的地位逐漸提高，面對新興的經商風氣所帶來的犯罪問題成為關注焦點。雖經濟繁榮社會的物質生活，此時社會風氣卻已奢侈相高，促使爭競奢華及享受品味成為社會風氣的主流，亦衍生社會失序之行為日益增多。〔註19〕社會之貧富不均及政治矛盾的加

〔註18〕參見孟森：《明史講義》（上海：上海古籍出版社，2008 年 12 月），頁 245～246。

〔註19〕卜正民以「縱樂的困惑」明代的風俗雙面向，整個社會追逐物質上的享受，卻沒有帶來精神的滿足。卜氏提到：「它不是一部明朝經濟史（目前來說，寫一

大致使人民的痛苦指數不斷上升，《輪迴醒世》的出版正反映當時的情景，而其中小說的民俗風情大量反映了社會的底層百態，此種反映，真實地呈現明代民風脫序的情況，故能由正史以外的角度提供觀察明代社會走下坡的景況，並由政治、商業與社會文化三個切面的討論，試圖釐清小說所反映的社會意識。

一、反映吏治的黑暗

學者多認爲明代政治衰敗的原因有兩個：一個是宦官爲禍，一爲廢除丞相制。兩者爲相陳爲因，廢除丞相制，必然使皇帝直接處理政務，加上朱元璋將大權集於一身的制度規劃，使得隨後的繼承者亦必然面臨同樣的負擔。致使後繼者無法承擔起巨大的政務責任時，掌管內務的宦官，就近掌握了權力[註20]。明代對官吏的控制，到了萬曆朝並未能起到良好作用，小說中的吏治則反映了政治情況，刻劃了政治腐敗，具體而細緻地描繪官吏惡行，使得讀者對於政治的情況有深刻的感受。在〈怨鬼索命〉若云：

> 望江令江春，毒比炮烙，慘踰羅織。杖頭飛肉，引烏鴉遍繞丹墀；棍夾流脂，青蠅亂營綠砌。披枷帶鎖，滿街接踵並肩；投監下獄，遍地屍橫殍積。初下車時，因點名不到，一民壯兩捕快，用十斤大板，重責四十，肉爛如泥，骨節俱損，俱不滿十日而死。初一限比較，少一兩，責十板，即少三錢者，亦責五板。二百里長，責過一百九十三人，內有不慣受刑者，皆結毒，死者六人。其幾死而苟延者，不止數十。然嚴刑之下，猶有弄權滑吏。小民因峻法如爐，凡狀詞有名姓干連，輒虞性命不保。叫批者，若肯匿得一名，願出銀十數兩。（頁23）

望江縣令的濫施酷刑致使冤獄無數，縣令不僅不能成爲愛護人民的父母官，竟成迫害人民的禍首，縣令江春的殘酷即使是聽令於他的皁隸、門子及序班

部精確的明朝經濟史還不可能），而是一部描述正在發生巨大商業變化的國度的文化史。這是一部關於商業在明代社會所起作用的書：財富所帶來的快樂和這一快樂所觸發的困惑。」參見〔加〕卜正民，方駿等譯：《縱樂的困惑：明代的商業與文化》，（北京：三聯書店，2004年1月），英文版作者序第2～3頁。

〔註20〕「明代特務總機關司禮監既握有政府實權，司禮太監們成了真宰相。於是表現在政治上方面的首先便是操縱內外臣工的進退。有明一代大臣進身多半和這些太監有關，雖以大學士宰輔之尊，也往往靠他們來援引入閣，如若守正不阿，便立即遭到斥謫，甚至加以罪名，予以陷害。」參見丁易：《明代特務政治》（北京：群眾出版社，1983年12月），頁38。

亦不能倖免，若云：

> 江令倖一門子，把門皂隸在後堂與門子調情，為江令所窺。次早出
> 堂，即將門子齊皂隸鞭撻，門子打至二十而死。江令怒曰：「門子既
> 死，這奴休想獨活！」遂不論數，死而後已。鍾姓加納序班，同鄉
> 紳送節，公然上座。別後邑令問門子曰：「穿綠補服者，何官也？」
> 答曰：「序班。」令怒曰：「序班敢上座乎？」即出招告牌，遂有十
> 數狀齊進，即時拘到，責過十板，方纔送監。斷去回產千餘，仍罰
> 銀二百，造文昌閣。鍾某經杖責，又兼重罰，鬱結成疾，不三月而
> 死。（頁24）

基層官吏與人民的關係最為密切，因此基層官吏良窳與人民禍福緊密聯繫，
然文中的江縣令之殘忍與暴虐比之強盜殺人放火有過之而無不及，小說中的
暴虐官吏比比皆是，如〈盜刃貪令〉中的黃若圭以錢財買官，以錢財贖罪，
人民生死繫於金錢之有無，視人民生命如草芥；又如〈大貪大害〉中的余龍，
濫用職權，上下其手，誣賴百姓，致使無辜者死於非命。

　　對於宦官為禍，其內容亦有反映，若〈仗勢行虐〉中的于逢年，憑藉宦
官的權勢以作威作福：「閹宦劉昇，權傾內外。凡朝紳競進者，無不奔走門下。
少為牴牾，立見摧折。于都戎逢年，拜劉昇為乾爹，授長春令，倚藉權奸，
橫施暴虐。不第其民漁獵，而更苦其肉鼓吹，草菅平民，而乃以五刑馬戲具
也。」（頁27～28）除了影射宦官專權之外，也將朝政敗壞的一面表現出來；
在小說的情節的人物網絡中，宦官的惡表現在二方面，一是自身所做的惡行，
一是權貴依附於宦官的無所忌憚的惡行，如于逢年拜劉昇為乾爹，並仗勢為
惡，形同共犯結構，以致此結構而形成的犯罪網絡無所不在，使人民無所遁
逃，當人民的痛苦沒有可以呼告的對象時，便開始對「青天大老爺」的出現
顯得絕望；唯希冀以小說的閻羅與城隍能夠伸出援手，救百姓於水火之中。
對於共犯結構，小說的內容如此呈現，〈假外戚聲勢驕人報〉：「一日，木棟牴
牾宦官，為彼所誣，陷以謀反，罪及親屬。而公婿姑爹，即時勸解」（頁484），
其他如〈倚內戚勢力驕人報〉、〈使勢報〉中均將有權勢的為官者的惡行藉由
小說加以披露，由於此類情事均在小說多篇描述，並特立為一部，足以說明
此種現象的普遍，已引起人民強烈的反感，並將此類情形列為因果報應必彰
顯的事件。

　　此類的情節亦與反映忠臣愛國的精神亦有聯繫，忠心的諍臣必不能見容

於閹宦，因此奸臣當道與閹宦互為表裡的政治勾結行為，必然排擠忠臣或堅持理想的人臣，以致在朝廷中的對立局面加劇，小說如此描述：

> 解至知府處，知府曰：「我待罪外藩，職守惟謹，因束陳劉宦，〔未〕（米）寫門下走狗。汝遂誣我以貪，坐贓五萬，致我死獄。」命以鐵掌擊嘴五十。解至參政處，參政曰：「我矢志操躬，未入閹黨，本為民蠲免。故劾我侵漁國稅，囑法司下我於獄，因而謀害。」命將銅撥撥其指而皆折。解至副使，副使曰：「我欲砥柱中流，與宦者相角，既不望塵下拜，又不踵門屈膝。汝竟代張牙爪，遂以贓濫誣我，下獄追贓，以致損命。」（頁 29）

小說將遭致殺身之禍歸因於「我矢志操躬，未入閹黨，本為民蠲免。故劾我侵漁國稅，囑法司下我於獄，因而謀害。」當時朝廷之上，「非我族類」的朝臣連正常為官均不容許，小說將閹黨指為禍首的痕跡甚為明顯，小說編撰時間當於閹黨禍害已除之後，小說故能陳述有關內容。內容直接暴露受害情況，小說雖為編撰，仍具參考時事新聞的價值，方能如此具象描述各種受刑景況。

綜理以上，小說大量反映了人民遭受迫害的情節，此類政治或濫權來自於閹宦與基層官吏。此二者的迫害構成了人民痛苦民不聊生景象。對於治理百姓的官吏，利用職權侵害人民，被視為社會腐敗的根源，呈現多數群眾的觀點。上位者不能照顧百姓，福利民生，反卻製造事端迫害人民，人民難以生存已到了鬻妻賣子的份際上，竟雪上加霜地精神折磨。藉此刻劃了晚明的社會激烈的衝突與矛盾，小說反映了人民對於吏治有所期待的心理。

二、呈現商業的經濟活動

小說中涉及明代的各種商業情況，其內容描寫的情節，主要分為兩類，一為商業糾紛與因經濟發達產生的犯罪種類，一為呈現各種各類的商業活動。商業糾紛與因經濟發達產生的犯罪，小說中常提及出外經商被謀害的事件，如《謀妻報》中敘述上官清謀佔韓允的妻子王氏，在出外經商途中把韓允推入江中。若云：

> 遂與允八拜締好，極其交密。居則聚首，出則把臂，即摘親雁序，無捕此者。遂各湊百兩，販糴米糧。船重不得就岸，宿於江中。是夜月明如畫，適韓允欲出大恭。清曰：「吾當作伴。」允芳就船邊蹲

踞，清當胸一推，已墮江中。允略能使水，遊至船頭，清以筒子抵
開，如此者數迴，允力盡而沉，纜清慌忙叫曰：「韓官人〔掉〕（調）
下水矣！」舟子奔救，不見影蹤。清槌胸大慟，徹夜不輟。明早泊
船不動，顧小舟撈屍。至百里外而屍撈起，買美棺以殮，暫寄江邊
寺內。俟米糧糶去，載棺而返。同舟師謁韓家母，且將本銀若干，
所得利息若干，一并交還。（頁 421）

上官清固爲好美色而謀害韓允，情節描寫經商爲爲高風險的行業，尤其身懷
鉅款往來江湖。對於經商遭受謀害的例子，多反映於行商於船的情節，若〈離
十九載而得合〉中的描述：

大賈有貨若干，載往浙江，出坐艙銀，求雲登舟，以圖免稅。商人
約於某處相接，至臨清坐船發漏。地棍徐成、趙一刀，沈剝皮、陸
鬼愁等，假王尚書名號，駕船胡行。雲與劉氏起船，并貨物移於岸
上，徐成適駕舟而來，既見貨物，又觀劉氏，因起謀心，遂向前稟
曰：「老爺何往？」雲曰：「赴蘭谿任。」徐成曰：「小船正欲往浙江，
到蘭谿甚便。倘不嫌船小，即當裝載，船錢絕不敢計較。」雲因露
處河邊，不勝惱恨，聽說有此便船，何等忻幸，遂不計論，竟上彼
船。徐成約趙、沈、陸三兇手駕舟，其弟徐用知兄有謀雲意，趕來
相救，上船同去。（頁 130）

在船運發達的地區，舟船作爲運輸工具，降低了成本，在明清小說中河邊是
一個危險的意象：生命死亡地點。如《負情儂傳》的杜十娘投水自盡或《戲
中戲》中劉藐姑、譚楚玉。小說運用了庶民的共同思維，以舟船與河邊營造
出歹徒犯案地點。水可載舟意象轉化爲一種死亡場域，突顯明代經濟繁榮背
後的矛盾。

除此亦表示當時船運的發達，舟船往來頻繁，證明其商業繁榮與船運或
漕運有關，故小說除描述其經商內容與商業犯罪的事件外，亦反映具體細節
如漕運抽稅，如上文引述的「大賈有貨若干，載往浙江，出坐艙銀，求雲登
舟，以圖免稅。」漕運抽稅，船家以載客避稅，與現代的納稅大戶想方設法
逃漏稅亦相仿。而稅收是國庫充實的來源，然書中提及稅務卻不鼓勵納稅，
如〈陽職任陰官〉中：「吳合令崔崇，蒞任半載，俸支五石，政簡刑清，不追
舊稅，復寬新課。……本府知府頗貪，崔令一日進見，知府曰：『大尹徵糧
息緩，恐不稱職守。』」（頁 3），稅收影響國庫關係重大，明代因稅務制度不

良，明代的地方稅收多數歸地方政府所有，〔註21〕此或許爲制度面造成地方官斂財的原因，減少稅收作法被人民視爲良政，而追加收稅被視爲惡官行徑，貪官以此中飽私囊，形成人民認定增稅爲貪污的不良觀感。

書中陳述有關船運的記述內容極多，除反映當時漕運發達外，亦反映經商往來的交通運輸多靠水路，筆記小說中多載南方場景的陳述畫面。書中利用舟船運輸而發財，並哄抬物價的致富手法多所描繪，如〈經商致富〉云：

> 寧國商載炭一船，販於濠州，至河下而炭船鱗集，商料不能速貨，又載至豫州，而炭船益倍。因天氣陽和，人服單夾，無有圍爐者，故炭如此填塞。接州所集炭船，亦各載回。商自瓊州載炭回籍，路由濠州，與浚船同泊。浚與商閒談，商言將炭載來載去，覺煩苦之極，若有受主，即折本亦是甘心。婦以手招浚密語曰：「此奇貨可居也。」浚與商議價，商曰：「本銀滿百，盤費約十兩餘，君若果買，投去盤費何如？」浚欣然兌銀百兩，而炭屬於浚焉。是夜西風大作，加裘於絮，而寒猶透骨。改日下雪數尺，而河巳冰，彼炭船不得來，此表船不得住。河冰十日不解，最價三倍。婦止之曰：「姑待一兩日，又當得幾倍。」越一日，樞密院提邊輛，限三日內全解，將庫銀發銀鋪傾銷。銀鋪無從買炭，訪得城東五里外，有一炭船，冰於河內。銀鋪爭往，其價憑浚口判。半日內炭即運完，所得約有五百餘金。浚謂婦曰：「此利息亦分定也。前嶽帝笯詩云『山灼成灰爐內燒』山與灰，乃炭字，銀鋪買炭人爐中，致我有此利息耳。」婦曰：「我亦有預兆，知於此得利，故勸君姑待也。」（頁240）

其後，牛浚依賴河運進行運輸發了大財，此商業活動描述以奇貨可居的商業經營手法，快速地聚積財富，其經商區域包括了明代的荊、濠、豫及鄂州，此區域跨越相當於現在的數個省分，足見當時商人的活動能力，亦反映明代商業發達程度，由於這些區域觀察豫州的地理位置，已超出大江（長江）航運範圍，藉此可說明當時的漕運在販運中的吃重位置。

書中商業手法呈現多角經營，如其利用炭、藥、米三項貨物進行調度，

〔註21〕「直到明王朝統治進入崩潰時期，普遍的作法是任命府縣推官充當收稅官。收入所得只有小部分上繳中央政府；大部分被地方政府留下來作爲自己的開支，或者作爲救濟資金。」參見黃仁宇：《明代的漕運》（北京：新星出版社，2005年4月），頁166～167。

使用通其有無的手段,滿足民眾所需以獲得利潤。小說卻將利潤來源歸於累積善行所致。並以善惡兩種經營手法映襯,如〈經營異報〉中,經營米行、賣油鹽者、賣絲紬布疋之布商及開雜貨鋪之小老闆的經營手法,各自不同;描述如何偷斤減兩的不肖經營手法,後致使生意失敗,小說以道德概括命運轉折的緣故。亦有反映當時的特定經營情況,詳見於〈五敗子投胎〉提及「鹽商史椽,每歲該運鹽萬石,至田豐發賣。苦水陸相半,且欲盤壩幾番,鹽到田豐,欲賠銀四五千。且此地食外省私鹽,便而且賤,又不樂食官鹽。商與前令並合邑鄉官計議,每歲願輸銀二千,以一千入邑令,以一千分給鄉官,止發空引到縣,且令申文報完,並繳鹽引。」(頁 259)私鹽的經營亦與官方的行政措施發生聯繫,因為販鹽所獲利潤龐大,亦遭不肖鄉官縣令覬覦,史椽不得不行賄,最終竟問成死罪〔註 22〕。小說中將縣令多描繪為貪吏,如前所述的「鹽引」(販鹽執照),鹽商為求鹽引,竟用二千金行賄,因此可知層層稅收經過剝削,稅收中飽私囊。此種貪污的普遍,除使國庫空虛外,亦使地方官的貪污更形囂張。一旦貪污金錢風氣導向成習,對於平民百姓剝削,自不可免;由此是知,明代政治敗壞,除商業行賄風氣催化吏治腐敗,實際與地方掌握抽稅的執行濫用相關。

小說對於經商思想帶有否定的意味,雖多處描寫經商的情況,卻將致富原因歸諸於有德(命定觀點)所致;由富轉衰則歸咎於違反天道精神。此種思想與傳統觀念並無相悖,然小說卻大量反映商業生活情節,其用意除映射晚明商業發達情況之外,亦有將社會失序歸諸於金錢觀錯置,如貪官為求財而不擇手段刻剝人民,或農民欲快速累積財富而棄農從商,或不肖歹徒為金錢鋌而走險謀財而害命。諸種金錢相關情節,堆積出晚明社會與政治的腐敗描寫,雖眾多主角發跡致富,卻咸少予以有善終,隱然以財富帶來了厄運作為比喻。書中大量出現的經商情節作為說明,並多鼓勵以此類方式達成致富的目的。如〈勤儉致富〉、《橫財致富》、《債剩致富》、《經營致富》等一系列致富的故事內容,若由商人出現比例而言,其所賦予角

〔註 22〕鹽業在明清兩代的經營利潤極大,因此常成為利潤爭奪的衝突點,「然茶鹽之利尤鉅,非鉅商賈不能任。第市法有禁,西北在茶,東南在鹽。茶禁通於西北之虜,而多產於東南,故其法久而可守。鹽禁限於行鹽之地,而在在有之,故其法拘而難行。且茶利食於人、榷於國者,什之一二;鹽利食於人、榷於國者,什居七八。」參見〔明〕張瀚,《松窗夢語》(北京:中華書局,1997年 11 月),頁 85。

色的價值判斷，可獲致不同的結果。商業發達與道德判斷，則成爲對比內容，表現異於世俗追求奢靡、貧富相高的思維，小說將追逐金錢的價值視爲世風下滑的禍首。

亦強調了商業道德，傾向於契約條文與規範的遵守，須予以重視，此內容亦要求回歸於基本道德的期望；此基本道德涵括儒家的倫常精神，並以三綱五常的內容作爲律法判斷，違犯天道依據；同時亦包容佛教與道教的常規，將宗教性戒律調整爲一般百姓能理解的內容以爲恪守。本書其律法精神容攝了以三教內涵與一般道德性規範，藉此開展了輪迴醒世的命意。

第三節　社會百態：投射晚明社會生活風俗

明代研究學者陳寶良，將明代風俗的漸變以正德（1506～1521 年）爲分水嶺〔註 23〕。正德以前，社會風俗崇尚儉樸淳厚。正德以後，風尚頹靡，華侈相高，僭越違式，出現一股追求豔麗、慕尚新異的風潮。此風從士大夫、士子、市民等階層開始，影響及于下層百姓、娼妓，始於城市，輻射遠近鄉村，使整個社會生活呈現異于明初的現象。卜正民在《縱樂的困惑》一書中以歙縣作爲研究主題，兼用春、夏、秋、冬比喻明代世風下滑的情景，該書以個案研究。而本書成於卜氏所言的明代之「夏末」，其社會景況與陳寶良所提及下滑之社會風氣，是有過之而無不及。其書中萬曆朝的主題是「錢神、書信與旅行、消費與生產、貿易、時尚」〔註 24〕，正與以下所論述的內容相關。小說中描寫諸多的明代風俗，如好男風〔註 25〕、妬婦、狡童、進香、看風水等均是小說描寫的內容。以下先就狡童內容進行，若〈悍婦報〉云：

> 乾與狡童接肩而坐，酒行數過，曾氏問家童曰：「座中有幾客？」答曰：「有四客，有一小客貌甚美。」曾氏往屏後輒之，見眾客，各向狡童戲謔。」（頁 352）

與狡童的戲謔情景引得妬婦醋勁大發，用糞便擾亂宴席。在這一節中妬婦將

〔註23〕陳寶良：〈明代社會風俗的歷史轉向〉，《中州學刊》第 2 期（2005 年 3 月），頁 150。

〔註24〕參見〔加〕卜正民（Timothy Brook），方駿、王秀麗、羅天佑譯：《縱樂的困惑：明代的商業與文化》，（北京：三聯書店，2004 年 1 月），頁 2。

〔註25〕康正果認爲中國的同性戀並不適合全以西方同性戀的觀點來理解，他以「男色」名之，詳見氏著：《重審風月鑑》（台北：麥田文化出版公司，1996 年 1 月），頁 109～166。

狡童視爲自己的潛在威脅對象，妬婦行徑爲自己帶來了致命後果，以妬婦被宗族人士絞死結局而言，呈現了宗族力量與官府權威的秩序平衡；另一層面則是妬婦之行爲爲家庭倫理秩序中所不許的，亦即與天道不合，妬婦的潑辣行徑被視爲破壞傳統秩序的禍首，儘管妬婦已違犯七出之條，但畢竟罪不至於死。狡童事件引發非理性衝突，亦突顯了當時民風對於此兩種面貌的態度，在〈追尋十賤〉中：

> 六殿問曰：「汝所攝者何人？」鬼卒答曰：「高郵蔣鑑，以男風供人。」
> 諸王曰：「此風味乃浙地與吳下所最尚者，怎勾得盡？」鬼卒曰：「此
> 乃通判之孫，乃人狡童之類，故攝之耳。」諸王曰：「六殿大人所云，
> 世家之子，命帶桃花，供人淫慾，正此人也。」六殿命將蔣鑑責三
> 十，抽去大腸，押至變成司，變大頭蠅。（頁173）

明代上層社會普遍嗜男風，並指陳「此風味乃浙地與吳下所最尚者，怎勾得盡？」，表明男風在社會上盛行已經達到了空前程度，尤其浙江與江蘇一帶。若作爲狡童的下場是淪爲蠅類，而好男風者其下場亦不善，若〔〔禁〕（惡）子遭磨〉云：

> 不移時陸觀勾至，閻羅曰：「汝陸觀乎？」答曰：「然。」閻羅曰：「汝
> 的威風，勝似酆都；汝的法度，慘於地獄。陽間有汝這等一個活閻
> 羅乎？」答曰：「此係興州獄中古制，非犯鬼所創也。」閻羅曰：「姑
> 不用地獄之刑，套設古制一用何如？」命取大木一段，長尺餘，令
> 塞陸觀糞門。木大門小，苦不能拔入，著鬼卒以槌擊之，使投其柄，
> 糞門俱裂，舌吐四五寸，眼珠突出，其木深入腹中，苦不可拔，剖
> 腹而出其木焉。閻羅曰：「古制若何？」答曰：「殆有甚焉。」命將
> 陸觀押赴轉輪司，投作小唱，以男風作生活。王小川雖遭毒手，猶
> 不足以贖罪，發轉輪司投作乞食遊僧。數鬼使押二鬼而去。（頁575）

好以男風作虐的陸觀以「興州獄中古制」作爲推托之詞，將王小川刑虐致死，而王小川雖爲受害人，以男風供人驅遣，並不見容於天道，轉生投胎仍須受罪罰。違犯律法的習用辦法乃是以牙還牙，陸觀因此問刑受罪，小說中將小唱行業視同於男風，說明當時小官現象與妓女、教坊行業的盛行不相上下，偶有搶奪客人的情況發生。小說內容對於男女從事性服務的態度亦不同，故小說情節少有女性因生存壓力從事性服務而遭受譴責，然男性因生存因素自願或遭強制不得已而有此行徑時仍然遭受罪罰，由此是見，社會對於小官身

份鄙視遠甚於妓女，對於性別倒置而予以譴責。在具有主動或被動好男風情勢下，亦有不同下場。由前揭引文內容，消費男風者並未遭到惡報，認定處於弱勢狡童或以男風爲生者被認爲是破壞社會秩序者，而予以懲罰。而嗜男風者視爲消費行爲，並不會遭報。

明代盛行的旅遊活動中，以新興進香旅遊最爲普遍，明代對於年輕女性束縛，相較於前代已有鬆脫，因此藉由節慶出遊是暫時解脫束縛方式之一，若〈進香三顯應〉云：「宜鎮捕快，各有香願，集數十人結一會，每歲進香於茅山。應捕鮑樂所、丁琥、車奎，平日向包妓者姚官兒。車奎在香會中，鮑、丁不在會內，亦素無香願。姚官兒因車奎往茅山，乃曰：『妾久有香願，帶妾同往何如？』鮑、丁同在席中，乃曰：『官姐欲往茅山，我兩人雖不進香，亦當相陪。』」（頁 569），明代的年輕女性出遊，仍具有潛在危險，多數出遊的女性多爲年紀已大的人，類若妓女姚官兒與包妓者出游，亦是常見的旅遊景況。單身女子遠遊仍須附靠於恩客，然此種進香文化與女性出遊結合，對於女性的禁錮與進香活動的議題，爲歷代所罕見的情況。小說昭示進香危險，文中有「溺死者，正彼一夥進香人也」暗示了此類活動的可能下場，以此警惕進香活動的合宜。

明代盛行風水改運，藉由祖先安葬於良穴寶地以改變後代子孫的命運，此情形於小說中亦不少見，其時觀念視此爲調整個人命運的方法，若〈賤分五等〉云：

> 門下者，皆遠近之堪輿也。日與之登山間水，偏喜奇形怪穴。堪輿逢迎彼意，止貪眼下之財，那管後來之禍。如鑿山遇石，達曰：「此土山石穴也。」眾皆附會焉。或引書以証，或舉某宜家所葬之穴，恰如此穴以侫焉。不怕鑿破天罡，遂爾下葬。如鑿山見水，達曰：「此必金水養金魚也。」眾皆曰水穴如何秀發，如何清奇，竟用此穴以理，何異委父母於溝壑也。豈料福行遲而禍行速，數年後，學業日荒，聰明日塞，初猶不利考，後以行劣見黜。復傷妻損子，身亦不壽。（頁 228～229）

然欲藉由更葬祖先風水以方法改變命運，小說對於此方法並不肯定，尤其破壞它他人祖先墓墳以求得良穴寶地，此種偷盜行爲即使成功，亦不見容於社會秩序，編撰者對於此行徑視爲有損陰德，強調未蒙其利反受其害，小說描述爲「復傷妻損子，身亦不壽。」小說中凡涉及堪輿的內容，均屬於負面的

例子,又如〈謀墳地報〉所云:

> 孔繼祖,本貫平寧,舉業不成,因習地理。常向江右堪輿,過走山
> 間,希得好地以葬祖父。偶過一山,其來脈坐下靠山,青龍白虎朝
> 對水口,并結穴處,無不合格。眾堪輿交口稱賞,及尋結穴之所,
> 已有一塚在焉。堪輿議論曰:「此地主極貴,葬二十年當發,且富貴
> 綿遠。」繼祖遂留心焉,欲將父骨盜葬,恐有敗露,思為千載不拔
> 之謀。(頁413)

風水寶地並非唾手可得,不努力耕耘欲藉此種捷徑飛黃騰達,對此小說並不
贊同。〔註26〕小說並引用明代大儒方孝孺「靖難之變」誅連十族例,除說明
於殺生致禍外,此情節亦具有否定堪輿的觀點。

明代定命觀與勸善思想並容,小說中多所反映,將無子嗣情況歸於定命,
作為無法扭轉現實的詮解,內容表現既期待又無奈的心理。如〈兒孫盈百〉
中的主角注定無子嗣,借由城隍的口說出:「不待放言,我已察得。奈體乾前
生陰險有傷,本命註定絕嗣。雖積善多年,功不能贖罪。俟其結滿善緣,再
為保奏可也。」,(頁31)將積累善果移至今生享用,融合來生與今生,肯定
靈魂不滅,帶有輪迴的色彩,對於傳宗接代「無後為大」的集體意識仍深刻
反映於情節之中,書中夫妻子嗣之事須經由閻王協助,經一番訓誡後,方得
心開意解。在另一例亦然。若〈祈得一子〉中,閻王為其後嗣安排高官厚祿
獎賞所積善行:

> 閻羅曰:「陰司不得用此轉移法。」有聲苦求不已,判司稟曰:「略
> 為此人轉移,以微積善之報,亦無不可。」閻羅曰:「查何人該托生?」
> 判司曰:「托生已完,正有一花子尚未投胎。」閻羅曰:「即令往施
> 家托生。」有聲曰:「夫婦虔修數十載,指望祈一長俊之子,以繼後
> 代。若生花子,反玷門庭,不如無矣。」閻羅曰:「汝輕視花子,與
> 無兒者較,相懸奚翅天壤也。」命向富貴司擇一差可者。判者曰:「富
> 貴之骨俱付盡。」閻羅曰:「奈彼哀求何?可將汝下頤換花子下頤,
> 來生當為御史職也。」(頁33)

小說自言陰司不得用此法轉移,後得以更改命運,在於讓當事人能徵驗「積
善之報」,由此可知定命觀的轉換與調整完全依據天道彰顯善德的考量,非有

〔註26〕小說用祖先風水藉以改變命運的例子,在〈賤分五等〉、〈一龍五鳳〉中皆以
　　　　後天善行甚於風水改運的效用。

其他用意，小說勸善思想與同時代的勸善書具有相似的勸善特徵，即具備計量風格。〔註27〕

　　子嗣與婚姻是小說情節的重點，小說對姻緣命定亦有相似觀點，而姻緣為命定，卻因其善、惡行有所更改，如〈一面成婚〉中安如蘭與吉時採二人，本無姻緣相屬，若云：

> 閻羅查婚簿，曰：「汝與崔姓赤繩繫足，今與吉生雖生死關情，徒勞魂夢耳，何必自苦乃爾。查汝陽年未飽，當速轉陽明。」如蘭曰：「妾與吉生，雖婚姻無分，實魂夢有緣。欲妾回陽，除非勾此子到此，解釋前情，此不彼牽，彼不此戀，勾卻相思帳，省得腸迴空斷重遭魔障也。」（頁43）

兩人能佳偶璧聯，實因安如蘭、吉時彩雙方配偶的惡行而中止後，閻王自言「念如蘭方便常行，惠及使婢，且事親頗孝，合當救解。」（頁43）促使閻王再締其良緣，因情節具有暗示善行益於善姻緣，故強調善能改運的觀點，將定命作為解釋善惡所招致的命運原由，後天善惡的定命觀，便能隨之而改變。

　　定命觀念可溯至天命觀。〔註28〕肇始先秦的定命觀，發展至兩漢的三命觀，〔註29〕其命定之觀點仍有強烈定命傾向，進入唐代大量出現定命小說，若趙自勤《定命論》、鐘輅《前定錄》、呂道生《定命錄》、溫畬《續定命錄》、劉願《知命錄》等，至明代，其內容或有遷移，此點與勸善書發展或有容攝，因此定命或可改，後天之定命則可隨之改變〔註30〕，此種命觀迥異於儒家與道家對命運觀點，〔註31〕以及小說呈現之定命觀，反映了具多面向融合傾向

〔註27〕〈賈員外〉的命壽限制於食五千隻羊，用以證明定命。

〔註28〕據傅斯年的研究，到了西周時代，多半指稱「天命」，而且從這些相關文獻中可知已衍生出上天所支配的國家或個人命運之義，即那時已經出現既具有意志又主宰人世之天命觀。參考傅斯年：《性命古訓辨證》，收在《傅斯年全集》第二冊（長沙：湖南教育出版社，2003年9月），頁545～527。

〔註29〕三命指正命（壽命、受命）、隨命、遭命，雖然內容因人而異，但都強調行為與命運的關係。

〔註30〕葛洪之「自力成仙」用以改變命運，將定命觀點，轉向命運在原有規劃之下已可改變，勸善書的發展由此得到轉圜空間。

〔註31〕「中國先哲以不同用意與處世態度來重新闡釋天命觀，分別發展出孔子「知命」、孟子「立命」、莊子「安命」、荀子「制命」等各種面對命時應當持有的態度，藉以勉勵信命者消除現實中定命所帶來的心靈的不平而獲得安頓。」請參見全周映：《「太平廣記」與「夷堅志」比較研究——以定命觀為主》（東吳大學中國文學系博士論文，2005年），頁37。

的天道內涵，此種內涵的定命觀，得以將小說人物運作於天道的視域之下，發展出傾向於世俗道德的命運觀。

第四節　小結

《輪迴醒世》是以天道融攝律法精神，其精神緊扣《大明律》，根據律法與一般性的道德規範作判斷，發展天道的審判與運行內容。在融合三教形成天道信仰之下，效彷《大明律》，形成了以佛教的輪迴作爲機制，傳統的報應觀作爲獎善懲惡依據，以一般的道德內容爲規範。此爲大家所共同認定的價值與秩序內容，就此內容亦符合了律法精神。其內涵亦反映明代的各種面向，依此律法精神，是知三個面向，在政治方面，明代的吏治在晚明的腐敗有決定性影響，官吏的職權濫用，泡製了大量假、冤、錯案形成百姓投訴無門的景況，加上與閹官互相勾結，致使正直官吏無法施展才能，爲奸所害；其次，執行稅務的官吏，利用職權貪污使行賄風氣盛行，使明代在商業發達的情況下，埋下動亂的隱憂，另反映了各行業原本穩定的社會秩序，往商業領域移動，大量農民與士子從商；商業發達的推動下，奢侈相高，社會風俗走向享樂與奢華。此書將明代的社會常見的思維與信仰與以反映，《輪迴醒世》雖在文學上的乏善可陳，確具有表現明代融合了天道與律法內容，表現社會內容，適足以彌補史書材料的不足。

第六章 結 論

第一節 明代小說改寫手法的主要模式

　　《輪迴醒世》取材自筆記與歷史故事、時聞、前代小說，大略分為四類：承襲流傳廣泛的題材，關鍵人物，人名亦同；主要情節全然承襲，主角皆異；歷史本事與文學新編；時事新聞與文學虛構。直接援引方式，不全然照抄，僅將故事的關鍵情節與人物加以援引。故事擇選皆具流傳廣泛的特點。撰者為使故事情節具有說服力，而將故事情節以因果邏輯改動，以報應作為獎善懲惡、處置主角善惡行徑，因而故事渲染了因果報應的色彩。其增添部份往往集中於故事的開端與結尾，加強了故事開頭與結尾的份量，以呈現天道循環的觀感。其改易手法往往以閻王評議人物作為收稍，強化了小說的冥界特徵。除此，運用細節化的處理故事內容，增加了事件可信度；並以閻王權作超然天道正義的代理人，全知視角與公正無私態度處理陽間的案件。

　　人物塑造傾向於扁平化處理以彰顯故事主題，《輪迴醒世》即以此模式開展故事，雖陳述故事易流於公式，然其故事命意卻單純直接指向天道的因果報應。小說中人物報應詮釋天道之顯效。小說中以三種主要人物：正反主角、配角及智慧老人，作為推衍天道的因果報應。由小說三種人物的地位得知，人物塑造目的在於突顯天道之作用與功能，以正反人物形象突顯善惡，然過於扁平化的塑造主角卻流於說教與警誡意味濃厚；以配角映襯主角與主題命意，呈現於群星拱月，並由配角推動情節作為天道的腳力與媒介；智慧老人定位為天道發言人，與主角形成上下的互動關係，進而取用智慧老人作為牽

引主角進程，藉以彰顯天道報應之顯效。究其型塑人物方式，皆具有細節化傾向，雖然缺乏更多的人物情感的注入，其類型化則是所有人物所共有的特徵。

小說之運作法式為以輪迴為天道運行之手段。其運作流程為：由天曹糾察或案主申冤，一旦主審官立案調查後，即進入審案程序，透過閻王議斷罪行，交由冥界職司及冥卒執行六道輪迴。此種法式與陽間審案大體相同，人事安排亦按照陽間司法運作模式。其運作軌範完全依照天道的內容，並符合世間律法之要求，天道公正透過閻羅王的判案得到實踐，而輪迴判案的機制解決，符合普羅大眾公平正義的期待。天道運行均能充分體現，如於陽間法律未能體現天道即惡行未予懲治時，進入冥界必予處罰。為善者亦可獲得獎賞，讓善惡必有報，天道全然體現。冥司判案在於彰顯天道公義，發展出遵行社會道德規範為主張之勸善思想，以輔助明代法律之失，緩解明代當時社會矛盾，以符合了編撰者神道設教之意圖，而判案之人事安排與獎罰方式之運作模式，則可概括為變相之公案小說。此書將晚明社會各層階級含括其中，書中庶民文化著重表現律法與宗教，民俗層面尤重，以輪迴的架構詮解社會的現實，以此建立起道德秩序。而其思維模式則以律法融攝天道精神，以天道力量左右禍福，輪迴一說原自於佛教，佛教東傳漢地而流行，輪迴始深入於民間，時至明代，各色宗教興起，輪迴已成庶民共同認定的生命運轉模式，小說承襲此說，由此建立輪迴機制。編撰者以輪迴架構詮解社會的現實，依此建立起道德秩序。小說思維模式則以律法融攝天道精神，以為天道力量左右人之禍福，在此基礎思維下，吸納輪迴的機制、報應的基本觀念及一般人信守道德條目作為生命安排法式，重新組構，運用輪迴控制個人的趨向。在輪迴運作之下，閻王主宰冥界審判，決定人物的趨向。並重新解釋歷史事件，處理。以說明讀者輪迴的超然獨立運作。而執行輪迴之人物則依民間固有想法加以延襲，使得冥界審判體制，得以完備，以此機制補償陽間律法之不足，進而建立社會秩序軌則。

小說律法概念延襲〈大明律〉，能夠將所有人物作公正處置，此種處置依據了陽間的將輪迴的趨向依此作獎罰。惟陽間律法所不獎賞善行，在此輪迴機制之下，亦得以周全。小說雖參照大明律作為獎賞與報應，卻完全未以陽間律法實際內容為依歸，僅依其律法精神加以發揮。冥界律法包含的範圍廣泛，具有了跨越陰陽兩界特性，其獎賞內容，自然符合其屬性。報應思維自

先秦以來，民間已將此視為天道獎善罰惡體現，小說既然以天道運籌陽間思維，報應自然成為天道刑賞之實踐，因此，報應也保證了律法運作的有效。由報應趨向亦可推得律法內容與特點。小說中報應內容，依循了庶民既定的思維特點，必然符合了民眾的心理期待，由此具備了說服讀者的作用。既然天道報應以人物為主體，以道德思維為衡量標準，必使輪迴機制和報應內容與個人善惡互為呼應，方能建立完使庶民相信的勸善體系，書中對各種人物的道德審判。雖因身份有所差別而有不同等對待，其用意在於使各階層的人物能各安其位，並以天道勸懲端正道德秩序。目的既然是以恢復人間道德秩序為導向，其天道必然涵括社會風俗與一般性的道德規範、儒家的倫常觀念及宗教戒律，期使庶民認知順應天道而行與遵行道德規範同軌。

第二節　反映晚明的文化思想

　　萬曆是明代社會由高峰向下回落的時代，明史專家黃仁宇寫了萬曆十五年一書，表達了這樣的觀點：

> 當一個人口眾多的國家，各人行動全憑儒家簡單粗淺而又無法固定的原則所限制，而法律又缺乏創造性，則其社會發展的程度，必然受到限制。即便是宗旨善良，也不能補助技術之不及。1587 年，是為萬曆十五年，丁亥次歲，表面上似乎是四海升平，無事可記，實際上我們的大明帝國卻已經走到了它發展的盡頭。在這個時候，皇帝的勵精圖治或者宴安耽樂，首輔的獨裁或者調和，高級將領的富於創造或者習于苟安，文官的廉潔奉公或者貪污舞弊，思想家的極端進步或者絕對保守，最後的結果，都是無分善惡，統統不能在事業上取得有意義的發展，有的身敗，有的名裂，還有的人則身敗而兼名裂。〔註1〕

此時正是小說所欲表現的明代景況，小說演繹了社會的具體各個面向，表現紛亂、不安、燥動與困惑。作者在此表達了欲借神道設道之力挽狂瀾的命意，作者有意將小說的欄目編排成包羅各行各業的故事內容，使得讀者能按圖索驥得以遵循用意。

　　小說既然含括社會各階層，必然表現了社會生活樣貌與文化情況。在政

〔註1〕黃仁宇：《萬曆十五年》（北京：三聯書店，1997 年 5 月），頁 245。

治方面，小說大量反映了政治現實，造成民不聊生的原因，指向了閹黨禍害、貪官盛行，將視爲二者社會腐敗之根源，此觀點代表著普羅大眾想法。小說用貪污與刻薄、暴虐與蠻橫形塑基層官吏的形象；用爪牙、豺狼當道、狐假虎威描寫外戚內親；以閹狗形容宦官。具象地刻劃此荼毒百姓的嘴臉。在商業方面，內容呈現各種類的商業活動，並描述了商業活動引起的糾紛與因經濟發達產生的犯罪事件，表現了描述商業經營中快速累積財富的手法，快速地聚積財富，將商人的活動能力與漕運情況加以反映。否定了百姓沈溺於追逐金錢競相從商的價值思維，將追逐金錢的價值視爲世風下滑的禍首。

《輪迴醒世》效仿《大明律》，是以天道融攝律法精神，其精神緊扣《大明律》，根據律法與一般性的道德規範作判斷，發展天道的審判與運行內容。以佛教輪迴作爲機制，傳統報應觀作爲獎善懲惡依據，以一般道德內容爲規範。此爲大家所共同認定價值與秩序內容，其內涵亦反映明代各種面向，在政治方面，明代的吏治在晚明的腐敗有決定性影響，官吏的職權濫用，泡製了大量假、冤、錯案形成百姓投訴無門的景況，加上與閹官互相勾結，致使正直官吏無法施展才能，爲奸所害；其次，執行稅務的官吏，利用職權貪污使行賄風氣盛行，使明代在商業發達的情況下，埋下動亂的隱憂，另反映了各行業原本穩定的社會秩序重組，大量人口往商業領域移動，大量農民與士子從商；商業發達的推動下，奢侈相高，社會風俗走向享樂與奢華。此書將明代的社會常見的思維與信仰予以反映，《輪迴醒世》雖在文學上的乏善可陳，確具有表現明代融合了天道與律法內容，表現了社會內容，適足以彌補史書材料上的不足。

桯毅中將《輪迴醒世》置入了變相公案小說之列有其先見之明。若由形似公案的特徵，具有判案情節、判案的內容、判案的人事布局、與判案模式而言。小說具備了此類的明確特徵。由於距校訂出版的時間較近，學者對於此書的研究尚少，因此關於小說文體辨正，僅有程毅中提及此種說法。

可以從判案形式之外，對小說的變相文體，作進一步的擴清。《輪迴醒世》冥界、陽間的兩種時空的交錯，除具有傳統記異文化的特點外，小說的審判場域，與之前的公案集，或之後的公案集的內容屬性，具有非常大的差異。此種差異亦可視爲「變相」。儘管在公案小說集中亦有類似的人物，若「日審陽、夜判陰」的包公，包公仍具有濃厚的陽間屬性。因此《輪迴醒世》對比效果是顯著的。其次，由於冥界審案的場域特點，使其天道律法的刑賞轉化

為因果報應。此點異於公案小說集的審案處理模式。而是其律法適用層面擴及至人間諸事則具備世間諸事無所不包的特點。

　　小說神道設教的意味濃厚，比之其它公案小說集有過之而無不及。此特點具備了勸善書的宗旨與命意，其公案非強調清官的智斷形象，或張揚故事趣味。若單為命意而言，《輪迴醒世》可稱為具有勸善特點的公案小說集。只是小說強調勸善意旨過於單一而乏味，成書其時，或可能無法使讀者普遍接受，故刊刻後，現僅存孤本。

　　此論文為研究《輪迴醒世》的首部學位論文，對此小說而言，僅是前進一小步，亟由此拋磚引玉，有更多的後繼者研究，關於此書研究面向仍存在許多努力空間，若小說眾多故事源流的考述，及小說與明代善書之間關係，小說中詩文部份的沿承與文言小說的關係為何等等，皆有待於未來。

參考文獻

壹、古籍

1. 〔漢〕孔安國傳，〔唐〕孔穎達疏：《尚書正義‧十三經注疏》（北京：北京大學出版社，1999 年 12 月）。

2. 〔漢〕王充撰、黃暉點校：《論衡校釋》（北京市：中華書局，1999 年 2 月）。

3. 〔漢〕佚名，王明編：《太平經合校》（北京：中華書局，1979 年 12 月）。

4. 〔晉〕干寶：《搜神記》（北京：中華書局，1979 年 9 月）。

5. 〔唐〕李百藥：《北齊書》（北京：中華書局，2000 年 1 月）。

6. 〔宋〕朱熹：《四書章句集注》（台北：大安出版社，1999 年 12 月）。

7. 〔宋〕章炳文：《搜神秘覽》（南京：江蘇古籍出版社，2001 年 10 月）。

8. 〔宋〕趙與時：《賓退錄》（上海：上海古籍出版社，1983 年 8 月）。

9. 〔元〕脫脫等：《宋史》（北京：中華書局，2000 年）。

10. 〔明〕田汝成：《西湖遊覽志》（北京：中華書局，1958 年 10 月）。

11. 〔明〕李豫亨：《推蓬寤語》，《續修四庫全書，子部，雜家類，第一一二八冊》（上海：上海古籍出版社，2002 年）。

12. 〔明〕安遇時編集、〔韓〕朴在淵校注：《百家公案》（韓國春川：江原大學出版部，1994 年，朱氏與畊堂本）。

13. 〔明〕張瀚：《松窗夢語》（北京：中華書局，1997 年 11 月）。

14. 〔明〕無名氏撰，程毅中點校：《輪迴醒世》（北京：中華書局，2008 年 1 月）。

15. 〔明〕謝肇淛：《塵餘》，《筆記小說大觀》本（台北：新興書局，1977 年 1 月）。

16. 〔明〕田藝蘅:《留青日札》(上海:上海古籍出版社點校本,1992 年 11月)。

17. 〔清〕袁景瀾:《吳郡歲華紀麗》(南京:鳳凰出版社,1998 年 12 月)。

18. 〔清〕趙翼 (1727〜1814):《廿二史劄記》(北京:中華書局,1963 年5 月)。

19. 大正一切經刊會:《大正新修大藏經》(東京:大正一切經刊會,大正、昭和間 1926〜1931 年)。

貳、專書

1. 1993 中國古代小說國際研討會學術委員會編:《1993 中國古代小說:國際研討會論文集》(北京:開明出版社,1996 年 7 月)。

2. 吳曉鈴:《吳曉鈴集第 1 卷》(石家莊:河北教育出版社,2006 年 1 月)。

3. 呂小蓬:《古代小說公案文化研究》(北京:中央編譯出版社,2003 年)。

4. 李交發:《中國訴訟法史》(北京:中國檢察出版社,2002 年 11 月)。

5. 李青:〈從「大明律」對東亞的影響看其歷史地位〉,《中國法史學精萃(2005年卷)》(北京:高等教育出版社,2005 年 11 月)。

6. 李劍國:《宋代志怪傳奇敘錄》(天津:南開大學出版社,1997 年 6 月)。

7. 孟犁野:《中國公案小說藝術發展史》(北京:警官教育出版社,1996 年9 月)。

8. 孟森:《明史講義》(上海:上海古籍出版社,2002 年 6 月)。

9. 邵毅平:《中國文學中的商人世界》(北京:復旦出版社,2005 年 6 月)。

10. 邱澎生:《當法律遇上經濟—明清中國商業法律》(臺北:五南出版社,2008 年 2 月)。

11. 姜德明:《胡從經書話》(北京:北京出版社,1998 年 1 月)。

12. 柏樺:《中國古代刑罰政治觀》(北京:人民出版社,2008 年 2 月)。

13. 苗懷民:《中國古代公案小說史論》(南京:南京大學出版社,2005 年 9月)。

14. 凌郁之:《走向世俗——宋代文言小說的變遷》(北京:中華書局,2007年 11 月)。

15. 孫楷第:《中國通俗小說書目》(台北:木鐸出版社,1983 年 7 月)。

16. 徐忠明:《包公故事:一個考察中國法律文化的視角》(北京:中國政法大學出版社,2002 年 7 月)。

17. 徐忠明:《眾聲喧嘩:明清法律文化的複調敘事》(北京:清華大學出版社,2007 年 8 月)。

18. 康正果:《重審風月鑑》(台北:麥田文化出版公司,1996 年 1 月)。

19. 張廷玉：《明史•列傳》（北京：中華書局，1974 年 4 月第 1 版）。

20. 張晉藩：《中國法制史》（北京：高等教育出版社，2003 年 2 月）。

21. 張國風：《清華學者論文學：「新生報」副刊「語言與文學」選粹》（北京：清華大學出版社，2001 年 4 月）。

22. 戚福康：《中國古代書坊研究》（北京：商務印書館，2007 年 7 月）。

23. 陳大康：《明代小說史》（北京：人民文學出版社，2007 年 4 月）。

24. 陳鼓應：《老子注釋及評介》（北京：中華書局，1984 年 5 月）。

25. 陳寶良：《上帝的使徒：明末清初的耶穌會士》（臺北：萬卷樓圖書公司，2001 年 1 月）。

26. 傅斯年：《性命古訓辨證》，《傅斯年全集第二冊》（長沙：湖南教育出版社，2003 年 9 月）。

27. 游友基：《中國社會小說通史》（江蘇：江蘇教育出版社，1999 年 1 月）。

28. 程國賦：《三言二拍傳播研究》（北京：中國社會科學出版社，2006 年 12 月）。

29. 程毅中：《程毅中文存》（北京：中華書局，2006 年 9 月）。

30. 黃仁宇：《明代的漕運》（北京：新星出版社，2005 年 4 月）。

31. 黃岩柏：《中國公案小說史》（瀋陽：遼寧人民出版社，1991 年 5 月）。

32. 黃東陽：《唐五代記異小說的文化闡釋》（台北：秀威資訊科技股份有限公司，2007 年 3 月）。

33. 楊伯峻編著：《春秋左傳注》（北京：中華書局，1981 年 3 月）。

34. 楊緒容：《百家公案研究》（上海：上海古籍出版社，2005 年 7 月）。

35. 賈二強：《唐宋民間信仰》（福州：福建人民出版社，2002 年 10 月）。

36. 寧稼雨編著：《中國文言小說總目提要》（濟南：齊魯書社，1996 年 12 月）。

37. 齊裕焜：《明代小說史》（杭州：浙江古籍出版社，1997 年 6 月）。

38. 劉上生：《中國古代小說藝術史》（長沙：湖南師範大學出版社，1993 年 6 月）。

39. 劉世德主編：《中國古代小說百科全書》（北京：中國大百科全書出版社，1998 年 10 月）。

40. 劉雙舟：《明代監察法制研究》（北京：中國檢察出版社，2004 年 1 月）

41. 潘君明編：《蘇州歷代名人傳說》（蘇州：古吳軒出版社，2006 年 1 月）

42. 魯迅：《魯迅小說史論文集——中國小說史略及其他》（台北：里仁書局，2006 年 9 月）。

43. 蕭相愷：《珍本禁毀小說大觀：稗海訪書錄》（鄭州：中州古籍出版社，

1992 年 2 月）。

44. 蕭登福：《道佛十王地獄說》（臺北：新文豐出版社，1996 年 9 月）

45. 霍存福：《復仇・報復刑・報應說：中國人法律觀念的文化解說》（長春：吉林人民出版社，2005 年 1 月）。

46. 薛亮：《明清稀見小說匯考》（北京：社會科學文獻出版社，1999 年 9 月）。

47. 薛洪勣：《傳奇小說史》（杭州：浙江古籍出版社，1998 年 12 月一版）。

48. 薛洪勣、王汝梅主編：《稀見珍本明清傳奇小說集》（長春：吉林文史出版社，2007 年 12 月）。

49. 鍾國發：《道教神靈譜系簡論》（上海：上海人民出版社，2006 年 12 月）。

50. 瞿同祖：《中國法律與中國社會》（北京：中華書局，1981 年 12 月）。

51. 懷效鋒點校：《大明律》（北京：法律出版社，1999 年 9 月）。

52. 譚正璧、譚尋：《古本稀見小說匯考》（杭州：浙江文藝出版社，1984 年 11 月）。

53. 〔日〕大塚秀高：《增補中國通俗小說書目》（東京：汲古書院，1987 年 5 月）。

54. 〔加〕卜正民（Timothy Brook）著，方駿等譯：《縱樂的困惑》（北京：生活・讀書・新知三聯書店，2004 年 1 月）。

55. 〔美〕牟復禮（Frederick W. Mote）、〔英〕崔瑞德（Denis Twitchett）編，張書生等譯：《劍橋中國明代史》（北京：中國社會科學出版社，1992 年 8 月）。

56. 〔美〕韋勒克（Wellek, René）、華倫（Austin Warren）著，王夢鷗、許國衡譯：《文學論》（臺北：志文出版社，1976 年 10 月）。

57. 〔美〕容格（C.G.Jung）著，馮川蘇譯：《心理學與文學》（北京：三聯書店，1987 年 11 月）。

58. 〔美〕羅爾斯（John Rawls）著，何懷宏、何包鋼、廖申白譯：《正義論》（北京：中國社會科學出版社，1988 年 3 月）。

59. 〔英〕王斯福（Stephan Feuchtwang）著，趙旭東譯：《帝國的隱喻：中國民間宗教》，（南京：江蘇人民出版社，2008 年 4 月）。

60. 〔英〕佛斯特（Edward Morgan Forster），蘇炳文譯：《小說面面觀（Aspects of the Novel）》（廣州：花城出版社，1984 年 12 月）。

參、單篇論文

1. 卜安淳：〈公案小說的創作藝術〉，《古典文學知識》第 1 期（1992 年）。

2. 朱眉叔：〈大宋中興通俗演義與說岳全傳的比較研究〉，《中國文學研究》第 28 卷第 4 期（2007 年 7 月）。

3. 吳光正、賴瓊玉：〈歷史的盲點：「三言」「二拍」兩性公案題材小説文化論證之二〉，《海南師范學院學報（人文社會科學版）》1998 年第 4 期。

4. 汪爲輝：〈唐宋類書好改前代口語——以「世説新語」異文爲例〉，《漢學研究》第 18 卷第 2 期（2000 年 12 月）。

5. 林國華：〈岳飛故事的流變與時人心態的關係〉，《麗水師範專科學校學報》第 1 期（1992 年 1 月）。

6. 潘建國：〈海内孤本明刊「新刻全像五鼠鬧東京」小説考：兼論明代以降「五鼠鬧東京」故事的歷史流變〉，《文學遺產》第五期（2008 年）。

7. 閻福玲：〈紅葉題詩故事源流探析〉，《河北師院學報 社會科學版》第一期（1995 年）。

8. 黃霖：〈「杜騙新書」與晚明世風〉，《文學遺產》第 18 期（1995 年 3 月）。

9. 黃東陽：〈由唐人小説察考勸善書的思想淵源與要義〉，《興大人文學報》第 38 期（2007 年 3 月）。

10. 陳麗君：〈是道德還是法律？—談元雜劇「蝴蝶夢」裡包公的判斷〉，《東海大學圖書館館訊》第新 96 期（2009 年 9 月）。

11. 劉磊：〈「月明和尚度柳翠」源流考〉，《安徽廣播電視大學學報》第 03 期（2003 年 9 月）。

12. 陳寶良：〈明代社會風俗的歷史轉向〉，《中州學刊》第 2 期（2005 年 3 月）。

13. 程毅中：〈「輪迴醒世」校讀後記〉，《書品》第 2 期（2008 年）。

14. 許外芳：〈「紅蓮故事」中的蘇軾前身「五戒禪師」〉，《文史知識》第 10 期（2008）。

15. 張俊：〈宗教爲德行許諾幸福—道教、佛教、基督教三模式〉，《世界宗教學刊》第 4 期（2004 年 12 月）。

16. 姜守誠：〈「業秤」小考〉，《成大歷史學報》第三十四號（2008 年 6 月）。

肆、學位論文

1. 金周映：《「太平廣記」與「夷堅志」比較研究——以定命觀爲主》，東吳大學中國文學系博士論文，2005 年 6 月。

2. 夏啓發：《明代公案小説研究》，中國社會科學院研究生院博士論文，2001 年 6 月。

3. 簡齊儒：《明代公案小説「法律與文學文本」的融攝》，東華大學中國與文學系博士論文，2007 年 7 月。

4. 高琬婷：《「五鼠鬧東京」故事研究》，國立中正大學中國文學系碩士論文，2003 年 6 月。

5. 吳依珊：《謝肇淛及其「塵餘」研究》，國立成功大學中國文學研究所碩

士論文，2006 年 7 月。

6. 鄭春子：《明代公案小説研究》，中國文化大學中文研究所碩士論文，1997
   年 6 月。